LE RETOUR DES OUBLIÉS
est le trois cent quatre-vingt-dix-huitième livre
publié par Les éditions JCL inc.

Catalogage avant publication de Bibliothèque et Archives
nationales du Québec et Bibliothèque et Archives Canada

Dion, Michel, 1956-

Le retour des oubliés

ISBN 978-2-89431-398-5

I. Titre.

PS8557.I647R47 2008   C843'.6   C2008-941424-1
PS9557.I647R47 2008

Les éditions JCL inc., 2008
Édition originale : août 2008

Le Retour des oubliés

Les éditions JCL inc.
930, rue J.-Cartier Est, CHICOUTIMI (Québec) CANADA G7H 7K9
Tél. : (418) 696-0536 – Téléc. : (418) 696-3132 – www.jcl.qc.ca
ISBN 978-2-89431-398-5

MICHEL DION

Le Retour des oubliés

Roman

LES ÉDITIONS JCL

DU MÊME AUTEUR :

Trois vies plutôt qu'une, Chicoutimi, Éditions JCL, 2007, 240 pages

Nous reconnaissons l'aide financière du gouvernement du Canada par l'entremise du Programme d'aide au développement de l'industrie de l'édition (PADIÉ) pour nos activités d'édition. Nous bénéficions également du soutien de la SODEC et, enfin, nous tenons à remercier le Conseil des Arts du Canada pour l'aide accordée à notre programme de publication.

Gouvernement du Québec – Programme de crédit d'impôt pour l'édition de livres – Gestion SODEC

À mon fils Charles,
pour qui le sens de la famille
est une valeur primordiale

Table des matières

Prologue

Je n'ai rien à cacher. Je vous dirai tout, tout ce dont je me souviens. La mémoire a ses motivations pour oublier ce que ne semblent saisir ni la passion ni la raison. Pourtant, je voudrais tout vous raconter que je n'y arriverais pas. Il y a de ces méandres de l'esprit qui guident nos paroles avant qu'elles ne naissent.

Je pourrais vous dire que mon prénom est Jacques, Pierre ou Jean. Cela ne changerait rien. Les noms ne modifient pas l'essence des choses. Ils ne font que permettre la classification et justifier le pouvoir que nous voulons avoir sur elles. Que je sois avocat dans une grande entreprise de télécommunications ou comptable dans une firme aux ramifications internationales a peu d'importance en soi. Disons que je voyage beaucoup, particulièrement en Europe et en Asie. Mes valises sont vite devenues ma deuxième maison où j'ai enfoui mon esprit. Mon travail consiste dans la négociation de contrats avec des firmes étrangères. Imaginez tout ce que cela peut comporter de litiges ou de mésententes sur la compréhension de certaines clauses. Ces contrats sont souvent signés après plusieurs nuits blanches à faire et refaire des paragraphes entiers, en m'assurant que des «vides juridiques» favoriseront notre entreprise. «C'est là tout le sens de ton travail», m'avait dit le vice-président aux affaires juridiques de la compagnie, en me donnant une poignée de main d'une froideur aussi impressionnante que la force qui l'animait.

J'ai très peu d'heures de loisirs. «Mon travail, c'est ce qui définit mon être». À chaque fois que j'ai été amené à restructurer ma vie, de différentes manières, j'étais poussé, comme par une force mystérieuse, viscérale, à questionner cette affirmation dont je doutais de la validité. J'ai cherché ailleurs ce qui pouvait donner sens à mon être et n'ai trouvé que des vapeurs soporifiques de diverses provenances. À certains moments-charnières de ma vie, des voies se sont ouvertes devant moi, et je les ai empruntées avec la fébrilité des angoissés et l'espoir des mal-aimés.

PREMIÈRE PARTIE

LE MONDE DES ÊTRES

Chapitre 1

Une porte ouverte sur la destinée

Tout dépend du milieu dans lequel on vit.
Tout vient du milieu, et en lui-même,
l'homme n'est rien.

Fedor Dostoïevski, *Crime et châtiment*

15 août 1975, Québec, durant le festival de chansons
La Chantaoût, 10 h 15

J'avais 19 ans et je commençais à apprécier la musique rock progressive. J'étais allé à Québec avec un copain et ses amis quelque peu bizarres. J'avais pressenti que ces gars et filles devaient bien aimer fumer un joint ou simplement se bercer de l'idée d'établir ensemble une commune, un de ces jours. Assis sur la banquette arrière de ce Road Runner 1974 de couleur orange brûlé, je gardais généralement le silence, ne sachant trop comment sauver ma peau, entre l'esprit révolutionnaire de bon ton à cette époque et le laisser-aller total comme style de vie, l'un et l'autre ne convenant pas parfaitement à mon état d'esprit du moment. Mon silence n'attirait guère l'attention, jusqu'à ce que l'une des filles se tourne vers moi. Bien qu'elle se trouvât à mes côtés, je m'étais tenu tranquille, en choisissant de regarder bien droit devant moi. Cette fille avait eu le tact de chercher à me rendre plus à l'aise en valorisant mon silence, comme s'il reflétait plus de sagesse que toutes leurs paroles réunies. Évidemment, tous ont bien ri, pendant qu'elle me regardait intensément, comme de ces yeux si puissants qu'ils nous font perdre tous nos moyens de défense.

Ce soir-là, l'arrivée à Québec fut surprenante, car je découvris que, contrairement à ce que m'avait expliqué mon copain, nous allions coucher dans une école. J'avais imaginé une belle auberge de jeunesse, avec ce qu'elle peut dégager de goût d'aventure et de dynamisme débridé. Je me trouvais plutôt dans l'une des salles de classe d'une école secondaire en milieu défavorisé. Nous sommes sortis dans les bars du Vieux-Québec durant toute la soirée et une partie de la nuit. Je ne me souviens pas le nombre de bars que nous avons faits, mais il est moins élevé que la quantité de bières que chacun de nous avait ingurgitées cette journée-là. J'ai alors eu l'occasion d'écouter cette fille au tact bien aiguisé qui m'avait touché. Elle s'appelait Marie. En fait, c'était plutôt le nom qu'elle aimait porter. Elle ne nous a jamais dit son vrai prénom. Elle avait beaucoup d'humour et une intelligence si raffinée que la plupart des garçons présents ne suivaient pas le fil de ses pensées, lorsqu'elle se lançait dans un discours passionné sur les sujets qui la fascinaient le plus : la démocratie populaire, la littérature existentialiste et la recherche de vie extraterrestre. En fait, c'est durant l'une de ses envolées que je fus conquis par son charme, par le regard pénétrant qu'elle portait sur la vie en général et la personne humaine en particulier. Lorsque nous sommes revenus à l'école, certains étaient déjà couchés. Il est vrai qu'il était près de quatre heures du matin. Nous avons déballé nos sacs de couchage et nous nous sommes installés. J'eus beaucoup de mal à me trouver une zone de confort. Je crois que la fermeture éclair de mon sac était défectueuse. Mais, lorsque je fus bien à l'aise, je détournai mon corps sur la gauche pour découvrir que Marie était couchée tout à côté de moi et me regardait avec un joli sourire. Paraissant attendre que je l'aborde, ce que j'étais bien incapable de faire, étant obnubilé par son charme, elle me dit enfin : « Tu veux venir avec moi sur les Plaines demain ? » Sa voix était à la fois remplie de dynamisme, de finesse et d'angoisse incontrôlée. Je lui répondis simplement que je le souhaitais, que cela me ferait très plaisir. Elle sourit encore, mais cette fois-ci avec plus de conviction, puis ferma les yeux pour la nuit.

***

4 janvier 2002, New York, 13 h 15

Je séjournais, depuis quelques jours, à l'hôtel *Marriott*, dans Times Square. Lorsque je viens à New York, la plupart du temps, je choisis l'un ou l'autre des grands hôtels de ce quartier renommé. J'étais là pour établir des contacts qui pourraient être fructueux au cours des années à venir. L'un de ces contacts qu'avait entretenu mon supérieur hiérarchique était Jack McGarrigle, qui travaillait aux Nations Unies et avait beaucoup de liens au Moyen-Orient. Or, la planification stratégique de l'entreprise prévoyait nous amener à nous investir davantage dans cette partie du monde d'ici quelques années. Je rencontrai Jack à la sortie de l'immeuble. Nous avons arpenté ensemble quelques rues, croisant ici et là des itinérants emmitouflés dans de vieux sacs de couchage, par une température avoisinant les moins quinze degrés Celsius. Au Québec, cette température n'est pas considérée comme très froide, mais, pour les New-Yorkais, il s'agit de pointes «angoissantes». Cette population n'est pas habituée à de tels écarts de température. Alors qu'il déblatérait et énonçait des tas de sottises sur des sujets on ne peut plus éloignés de l'objet de notre rencontre, je restais concentré sur les visages de ceux que je venais de voir étendus par terre, avec deux pouces de neige comme lit d'un jour. Les regards entrevus ne m'ont jamais quitté depuis. J'y rêve de temps à autre, je m'inquiète pour ces gens. J'ai beau gagner beaucoup d'argent, je suis comme un enfant quand je suis confronté à la misère. Je n'arrive plus à raisonner avec cette attitude de détachement que j'ai développée pour ficeler des contrats et moult articles aux implications juridiques. Ma raison semble me quitter, comme un ami qui vient d'emprunter un autre chemin au carrefour pour des rencontres plus intéressantes. Je me sens impuissant et dérouté. Ces êtres me touchent, mais j'ai l'impression que je ne fais rien, que je ne veux même rien faire qui puisse changer ma façon de vivre. À travers mes voyages dans ces «pays à la dérive» – je préfère cette expression à «pays en voie de développement», trop pompeuse et inappropriée –, je me suis créé un genre de carapace dans laquelle je me réfugie, les soirs d'angoisse. Je suis retombé dedans ce jour-là, lorsque des itinérants qui dormaient sur les trottoirs enneigés ont éveillé en moi une émotion que je ne me connaissais pas.

Nous sommes allés dîner ensemble. Une courte marche nous a amenés au restaurant. J'aurais bien choisi un endroit convenant aux discussions que nous allions entreprendre, c'est-à-dire aux allures chics et à la facture reluisante, mais Jack s'est tout de suite empressé d'identifier l'endroit où il voulait prendre son repas, le *Planet Hollywood*, dans Times Square. Il ne semblait pas y avoir de discussions possibles à ce sujet. D'ailleurs, dans une telle situation, il faut prendre ce qu'on nous donne. On ne force jamais la main d'un contact. C'est un principe que j'ai vite appris lors de mes rencontres de négociation dans divers pays asiatiques. Pour ma part, je comprenais qu'il n'avait pas l'intention d'aller bien loin aujourd'hui et que je devais entretenir des attentes plutôt minces quant aux résultats de notre courte rencontre. J'ai saisi, avec l'expérience, que c'est une bonne manière de faire, et que le temps fait son œuvre. Ce jour-là, je n'ai pas perçu combien ma notion du temps allait changer dès la fin de ce repas. Nous avons discuté de choses banales. Seuls quelques mots ayant directement à voir avec l'objet de notre rencontre ont été prononcés. Ce fut, pour moi, l'occasion d'observer les mimiques et silences de mon interlocuteur, indices souvent plus précieux que les mots choisis pour déchiffrer les intentions de son vis-à-vis. Devant des banalités dont mon contact se faisait l'artisan, ma pensée errait ailleurs. Je ne me sentais pas là, avec lui, mais dans un lieu que, mentalement, je n'arrivais pas à circonscrire. Ce n'était pas que cet endroit n'existait pas, mais je n'existais pas pour lui.

La fin du repas annonça l'ouverture d'une nouvelle porte de ma destinée. Ma vie n'a été qu'une suite de portes qui se sont ouvertes ainsi, certaines sur des jardins fleuris, d'autres sur des enfers éternels. J'allai aux toilettes, nature obligeant. Un homme était là avec son jeune garçon d'environ quatre ou cinq ans. Ils parlaient allemand ou néerlandais, je n'ai pas bien pu distinguer. Le garçon débitait un charabia où transparaissait beaucoup d'angoisse, ou encore de frustration. C'est, du moins, ce que son visage et ses bras en l'air me disaient. L'inconnu m'adressa la parole, tandis que j'attendais d'avoir accès à sa toilette. Comme il sortait et que son fils s'obstinait à vouloir dérouler tout le papier comme un nouveau jeu trouvé sur son chemin, il me dit dans un anglais déroutant : « Ces enfants ont toujours le tour d'inventer quelque chose avec rien du tout ». En m'interpellant, il m'avait pris par surprise. À New York, il est rare que quelqu'un s'adresse à vous et ce geste est perçu comme potentiellement menaçant. Je répondis cependant : « Il n'y a pas de limite à l'imagination. Nous, nous travaillons jour après jour ; eux, ils jouent parce que c'est leur travail de jouer ». Je répétais là ce qu'une de mes petites cousines m'avait dit, un jour qu'elle dessinait et que je la dérangeais dans son univers. L'inconnu sortit. Je m'introduisis dans l'antre, puis en rouvris la porte quelques instants plus tard.

Devant moi se trouvait un préposé noir, habillé d'une veste noire et d'une chemise blanche agrémentée d'un nœud papillon. Il me mit du savon sur les mains. Je me les lavai et, alors qu'il me donnait une serviette pour me les essuyer, il m'adressa la parole, encore une fois à ma grande surprise. Peut-être avait-il perçu quelque chose en moi qui lui permettait de faire une telle intervention à la fois inattendue et impromptue. Il me semblait venir de très loin. J'entends par là que son accent de la Nouvelle-Orléans me donnait à penser qu'il appartenait à une famille qu'il avait quittée depuis quelques décennies pour venir s'installer à New York. Il devait être dans la cinquantaine, mais il paraissait solitaire et usé par le temps. J'avais devant moi un être à qui peu de gens adressaient la parole, mais qui devait servir les autres comme si lui-même ne comptait pour personne. C'est ce que son souffle haletant me révélait.

— Les enfants sont incroyables. Ils ne sont qu'une série ininterrompue de surprises, me dit-il avec un sourire qui cachait difficilement une souffrance présente.

— Oui, vous avez bien raison. C'est comme une impulsion fondamentale de la vie qui les pousse toujours à tout réinventer, ajoutai-je, en regardant son visage.

Il accueillait mes paroles avec une anxiété qui m'apparaissait croissante. Je me suis alors demandé pourquoi il ajoutait à son anxiété en initiant ainsi une conversation qui allait inévitablement se terminer dans quelques secondes. Je vaquerais à mes occupations et il verserait son savon sur des milliers d'autres mains tendues en silence. Je ne voyais dans ses yeux tristes qu'un appel désespéré, un désir profond d'écouter ce que d'autres, comme moi, pourraient dire pour le réconforter; sans doute était-il incapable de trouver les appuis dont il avait ou semblait tant avoir besoin. À la vue de son regard, pendant que je cherchais maladroitement un dollar de pourboire, mon esprit fut envahi par une parole que je ne pus m'empêcher de prononcer. Je n'avais aucune raison de croire que ce que j'allais dire aurait de l'importance pour mon interlocuteur ou pourrait transformer quoi que ce soit dans sa vie ou dans sa manière de la conduire. Je compris beaucoup plus tard, et c'est ce dont je veux vous entretenir, combien cette parole m'était plutôt destinée.

— Il n'y a aucune limite à l'amour, aucune barrière que nous soyons incapables de dépasser.

Ces mots résonnèrent dans la pièce comme si un gong venait de faire entendre son appel à l'honneur et au devoir. Je vis chez mon interlocuteur se créer quelques plis à la hauteur des joues et, bien qu'il acquiesçât à mon affirmation, il baissa les yeux et, d'un geste qui n'avait rien de routinier, il me souhaita une bonne journée. Je baissai la tête en signe de respect et sortis, sans dire un mot de plus. Lorsque la porte se referma sur moi, je demeurai quelques instants tout à côté, et invoquai la Puissance Ultime. C'est ainsi que j'appelais l'Infini, Dieu, ou quoi que ce soit d'autre que la réalité matérielle et qui nous détermine bien davantage. Je la priai de l'aider à traverser les marécages de sa vie actuelle.

Je quittai Jack quelques minutes plus tard et pris l'avion le soir même pour Montréal. Durant le vol, je repensai à cet incident. J'étais alors convaincu d'avoir dit quelque chose qui pourrait être utile à cet homme. Je croyais qu'il ne suffit que de quelques mots ou gestes pour changer une vie et que ce qui nous semble les plus insignifiantes des rencontres, les plus négligeables des tentatives de compréhension, s'avère souvent très décisif pour ceux que nous côtoyons. Cela est particulièrement vrai lorsqu'il s'agit d'inconnus qui nous laissent l'impression d'un goût amer de solitude.

***

11 janvier 2002, Montréal, 18 h 40

J'arrivais du bureau plus de bonne heure qu'à l'habitude. En fait, mon patron m'avait délicatement suggéré d'aller me reposer un peu. Il avait ajouté, avec des yeux noirs qui en disaient long sur ses véritables intentions : « Je te rappellerai dans une heure ou deux, pour te donner les derniers développements dans ce dossier. Tu en auras grandement besoin avant de partir. Tu pourras regarder ça dans l'avion. » J'avais acquiescé avec un sourire voilé, convaincu qu'il n'avait rien perçu de ma sagacité. Je n'aimais pas ses regards, ni ses paroles à double sens. J'en avais pourtant pris mon parti. C'était la routine des relations avec la direction qui m'avait bien obligé à comprendre que c'était ainsi que se tissaient les toiles du pouvoir, jour après nuit, après des heures de labeur surveillé et d'angoisse indescriptible. Il est possible que je m'illusionne sur ma capacité de demeurer indifférent à cet état de chose. La vie nous rattrape toujours au tournant, et nous montre que c'est elle le maître.

Quand j'entrai dans mon appartement d'Outremont avec vue sur le Stade olympique et sur tous ceux qui y font griller leur amour-propre, j'avais à fleur de peau un ras-le-bol qui m'enleva même l'idée de me cuisiner un bon petit souper bien arrosé, ce que je ne manque jamais de faire la veille de mes voyages à l'étranger. Tradition oblige! Mais, ce jour-là, même mes habitudes de vie m'échappaient. Je lançai mon courrier du jour sur ma table de salon, une belle œuvre d'un sculpteur de chez nous, une table de verre supportée par un aigle, un taureau, un homme et un lion, référence implicite aux forces symboliquement attribuées à chacun de ces êtres vivants. J'aime bien être entouré de symboles, cela me donne l'impression que la vie a un sens. J'ai délaissé la religion chrétienne depuis de nombreuses années déjà. Je ne me rappelle même plus pourquoi je l'ai quittée. Ce dont je me souviens, pourtant, c'est la forte impression que me laissait et que me laisse encore le message de Jésus. Les symboles que j'ai choisis n'ont que très peu à voir avec lui. Je cherche, de différentes façons, l'harmonie avec le cosmos. Certains jours, elle me semble à portée de la main, de la même manière qu'on peut cueillir une rose et la confier à la personne que nous aimons le plus. D'autres jours, cette harmonie cosmique paraît être à des centaines d'années-lumière, de sorte que, bien que je croie encore la percevoir, elle n'est peut-être même plus objectivement atteignable.

Je me fis donc un souper qui n'avait rien de gastro-nomique. Les yeux rivés sur la télé, je zappais tout en découvrant, une lettre à la fois, le contenu de mon courrier. Facture après facture, je me surprenais à réaliser, ce soir-là, combien la vie en solitaire m'était lourde. Il faut vous dire que je suis divorcé depuis dix ans. Le plus dur n'a pas été le divorce. Et ça a été encore plus facile pour mon ex. Non, le plus terrible a été la réaction de ma fille à mon égard. Je me rappellerai toujours ce jour-là. D'ailleurs, cet instant meuble mes rêves et me crée trop de cauchemars à mon goût. Je rentrais du bureau et, bien que rien n'ait pu me pré-venir de l'imprévisible, je trouvai ma femme devant le seuil de la porte. Elle m'indiqua le chemin en me pré-cisant que l'heure du départ était arrivée pour moi. Ma fille faisait une crise de larmes, alors que sa mère n'attendait que le repos consécutif à mon départ pré-cipité. Pourtant, il n'y avait rien qui pouvait annoncer cela. Nous avions connu ensemble des hauts et des bas, mais je ne crois pas qu'elle m'ait jamais menacé de divorcer, même en silence. Peut-être n'ai-je pas perçu ses cris de désespoir. Peut-être n'avait-elle émis aucun cri, qu'elle s'était seulement trouvée soudain devant l'incapacité à continuer la route avec moi. Elle ne m'a jamais renseigné à ce sujet. Tout ce qu'elle a dit ce jour-là tenait dans ces mots: «Voilà, c'est terminé, nous deux. Tu prends tes affaires et tu pars. Nos avocats se parleront. Je te souhaite d'être heureux.» Une vraie tuerie à la mitraillette! Elle était devant le comptoir de cuisine et coupait du pain avec un long couteau. Ses yeux noircis par l'indifférence me disaient qu'il n'y avait même pas l'espoir qu'un geste ou un mot puisse être ajouté.

Ma fille, Julie, pleurait et me rouait de coups en me lançant continuellement les mêmes flèches: «C'est de ta

faute. Tu as détruit la vie de maman. C'est de ta faute! »
À chaque fois, c'était une épine qui me transperçait le
cœur. J'aimais ma fille, c'était mon trésor, ce qu'il y
avait de plus précieux dans ma vie. Et je ne voyais que
son expression d'une haine sans fond envers un père
exécrable qu'elle aurait préféré ne pas connaître. Je
tentai de la prendre dans mes bras. Elle me repoussa à
chaque fois avec la force d'un tigre et une détermination qui ne faisait pas de doute. Je ne pus longtemps
supporter le silence mortel de mon épouse et la rage
colérique de ma fille. Je pris la porte dès que j'eus pu
rassembler les seules affaires qui me paraissaient
essentielles. Le reste, je le récupérai plus tard, lorsque,
profitant d'occasions favorables, j'allai dans mon
« ancienne maison », en leur absence, chercher ce qui
me revenait de plein droit. Je fis tout mon possible
pour réduire le nombre de ces visites, car à chacune
d'elles j'avais l'impression de creuser le fleuve de
chagrin qui me traversait le cœur. Ma maison, celle où
j'avais fondé un foyer, n'était plus la mienne. Je
devenais un étranger pour ma propre fille et ainsi, le
foyer, celui où j'avais évolué comme père et mari,
devenait celui d'un autre que moi.

Enfoui dans ces souvenirs, je vis, avec un regard
intrigué, une lettre qui était tombée sous ma table de
verre lorsque mon courrier avait fait un beau rond dans
les airs, lors de mon entrée théâtrale que personne
n'avait pu remarquer. Une lettre aux contours de
couleur verte et rose. Je pris la lettre délicatement et fus
surpris de constater, au toucher, qu'elle ne devait
contenir qu'un court message. En la tendant vers la
lumière, je vis par transparence qu'elle était écrite à la
main. Aucune adresse au coin gauche de l'enveloppe ni
au verso. Au premier abord, l'expéditeur en demeurait
mystérieux et discret. J'allais ouvrir l'enveloppe quand

mon regard se porta sur l'écriture. Elle me disait quelque chose, tel un vieil ami qui nous revient après dix ans qui ont semblé s'écouler en une journée. Je me sentais proche de cette écriture, comme si le cœur qui l'avait inspirée avait quelque chose qui me rappelait l'essentiel de ce que je suis, qu'il me remémorait tout ce que j'avais oublié depuis belle lurette. J'ouvris l'enveloppe et crus lire les mots « Cher papa » tout près de l'entête colorée. Je n'en crus pas mes yeux, et décidai alors d'aller directement à la fin pour vérifier le nom de l'expéditeur. C'était bien Julie. Elle ne m'avait pas écrit depuis le jour où, peu après le divorce, elle atteignait l'âge de la majorité. À 18 ans, elle avait décidé que c'en était fini avec moi. Je n'avais plus reçu ni téléphone, ni lettre, ni quoi que ce soit. Mon ex ne m'a jamais donné beaucoup de ses nouvelles. J'avais su pourtant qu'elle était diplômée du Collège Lasalle en design de mode, qu'elle avait rencontré un peintre au début quarantaine et qu'elle était partie vivre avec lui à Los Angeles.

J'ouvris donc l'enveloppe avec beaucoup d'appréhension, comme si le tonnerre allait me tomber sur la tête dès les premières syllabes. Je me demandai, en contemplant la lettre sans chercher à décrypter le sens des mots, pourquoi elle m'écrivait et me consolai dans l'intuition qu'elle ne devait pas avoir dépensé un dollar et du temps pour écrire à son père, à qui elle n'avait plus adressé la parole et qui ne semblait plus exister pour elle, si ce n'était pas pour une chose importante. Je me désillusionnais sur le contenu de la lettre, alors que je n'en avais pas encore lu une seule ligne, en me disant qu'elle ne devait certainement pas être parsemée d'excuses et de remords. Il ne pouvait s'agir d'un élan de réconciliation. Ce n'était pas le caractère de ma fille Julie. Elle était beaucoup trop prompte pour se laisser aller à un tel sentimentalisme. Peut-être la connaissais-je mal. Mais c'est tout ce que je me rappelais d'elle, depuis nos derniers contacts.

J'entrepris la lecture, convaincu d'y trouver du meilleur comme du pire et de ne pouvoir, à l'avance, prévoir la part de l'un et de l'autre. Elle m'apprenait qu'elle avait un garçon de neuf ans et demie. Elle avait exigé que sa mère, mon imperturbable ex, ne m'en souffle pas mot. Ma femme a toujours été une tombe, lorsqu'il s'agissait de garder un secret. Je m'arrêtai pour réfléchir et je compris que la vie commune que nous avions eue avait été une longue et pénible préparation à la mort de notre couple. Je sentis alors des larmes dévaler les pentes de mes joues. Elles ne procédaient pas de cette subite intériorisation. C'était le fruit d'un élan beaucoup plus viscéral. J'étais un grand-père qui n'avait jamais connu jusqu'ici sa condition de grand-père. En essuyant mes larmes, et mes yeux qui en produisaient plus que je ne l'aurais désiré, je me plaisais à imaginer le visage de cet adorable garçon. Il devait être un trésor étincelant, comme l'avait été sa mère à cet âge. Je me souvins qu'elle courrait dans les prés à la recherche du soleil. Je me rappelle qu'elle disait que le soleil avait laissé ses mains adoucir la bouche des fleurs. Mais puisque je ne connaissais pas le père de ce petit garçon, mon imagination tourna rapidement à vide. Je ne faisais que recréer des visages s'apparentant grandement à celui de Julie. Je faisais de son fils un clone d'elle-même. Dans sa lettre, Julie me racontait certaines des aventures d'enfance de Jonathan, son fils. Je me surprenais à y prendre goût, comme si c'eût été l'enfance de ma fille enfin retrouvée.

À la toute fin, après m'avoir révélé l'identité du père sans m'en dire davantage, de sorte que je devais imaginer le reste, elle me révélait la raison véritable pour laquelle elle m'écrivait : *Je ne sais pourquoi je me suis mise à écrire cette lettre, encore moins pourquoi je te l'ai fait parvenir. Je ne crois pas avoir changé depuis dix ans. Pourtant, il en est peut-être autrement. Je ne chercherai pas à élucider le mystère. Je t'annonce que nous arrivons la semaine prochaine, et j'ai décidé que mon garçon devait connaître son grand-père...* À la suite de ces mots, on voyait que l'écriture à mine de plomb avait été effacée, probablement également mouillée. Pourquoi n'avait-elle pas recopié sa lettre ? Pour économiser son beau papier ? Sûrement pas, ce n'est pas du tout le genre de ma fille. Elle n'économiserait certainement pas le temps et l'énergie nécessaires à susciter et accroître la rage qui la rongeait de l'intérieur. Voulait-elle par là me dire qu'elle avait hésité à me révéler quelque chose, qu'elle avait pleuré en tentant de l'exprimer et qu'elle avait rebroussé chemin ? Je n'en saurais probablement jamais rien, concluais-je. Je pliai la lettre comme elle l'avait fait soigneusement pour la mettre dans l'enveloppe. Je sentais dans ma poitrine que j'étais ébranlé, mais je n'arrivais pas à préciser davantage la nature du sentiment. Cette impuissance à définir les émotions qui m'envahissent avait le tour de faire enrager mon ex. Je n'avais jamais réussi à faire mieux, même après une thérapie qui avait duré plus de deux ans. Deux praticiens n'étaient pas venus à bout de mon blocage. J'en étais arrivé à croire que leur science était moins avancée qu'ils le prétendaient, ou bien que mon mal était incurable, ou encore que ce n'était ni bien ni mal, mais simplement moi.

Je regardai l'enveloppe. Je savais que je ressentirais souvent le besoin de retourner à cette lettre, comme on visite un ami qui nous écoute, nous console et nous supporte, comme on invoque une divinité qui nous aide à supporter les vicissitudes de l'existence. Je décidai de placer la lettre dans un livre où je pourrais aller retrouver quelques éclats isolés de ma fille perdue. Je choisis un ouvrage contenant les principales pensées de Bouddha, dont j'avais fait mon livre de chevet. J'en lisais toujours un passage avant de m'endormir et j'essayais de voir en quoi ce passage éclairait la journée qui venait de s'écouler. J'aurais ainsi, tout près de moi, le plus près possible, ma fille qui me revenait, dont les mots me suffisaient pour l'instant, ainsi que la joie que ces paroles avaient créée en moi, qu'elle l'ait cherché ou non.

***

3 janvier 2002, Montréal, 17 h 44

J'essayais de me changer les idées, convaincu que je détenais un pouvoir ultime sur elles, le pouvoir de les faire naître comme de les faire mourir. Il y a de ces idées que nous aimons créer et voir perdurer, et d'autres que nous préférons faire disparaître, certaines à petit feu, d'autres d'un coup, quelquefois même en un instant de colère ou de génie.

Ce soir-là, l'angoisse me serrait la gorge. J'avais beau balancer la tête dans tous les sens, rien, ni le travail ni la méditation au son d'une cithare indienne – à la Ravi Shankar – n'y faisait. Je n'avais qu'une seule chose qui m'obsédait, une seule qui m'empêchait de manger et de dormir. J'allais revoir ma fille dans quelques jours, et je n'avais rien en moi qui m'y préparait. Qu'est-ce qui pouvait bien la pousser à venir me voir après tant d'années passées dans un silence de mort?

J'étais dans un état de semi-conscience, j'essayais de me raccrocher au vide qui s'installait à chaque fois que j'éloignais une pensée qui s'imposait à moi. Tels les murs d'une prison qui se refermaient sur soi, les pensées que j'arrivais ainsi à rejeter du revers de la main ne servaient qu'à accroître davantage mon angoisse. Je ne parvenais pas à atteindre le calme, la paix intérieure que me procuraient habituellement mes méditations quotidiennes. J'en imputai la responsabilité au bruit ambiant causé par le locataire de l'étage du dessus et les sirènes du centre-ville. Mais c'était seulement moi qui ne pouvais atteindre l'état de béatitude. Cela, je ne le compris que plus tard, quelques heures après avoir reçu ce coup de téléphone qui me tira de mes insatisfactions.

Il s'agissait d'Anatma, mon gourou personnel, l'accompagnateur de ma vie terrestre, le guide de mon séjour et de mon cheminement vers l'absolu, me plaît-il souvent d'affirmer à son sujet. À chaque fois que je le présente ainsi à l'un ou l'autre de mes amis, question de grossir les rangs des participants à ses sessions créant une «intense remontée en soi» – c'est l'expression de mon maître à penser –, je le vois flatter sa longue barbe ébouriffée, les yeux rivés sur le sol, avec un sourire gêné qui masque très mal une fierté qui veut faire parler d'elle.

Ce soir-là, je n'avais pas la tête aux flatteries en tous genres. Dès que me revint mon souffle coupé par la surprise d'entendre sa voix si douce et enivrante, je pus commencer à prononcer quelques mots qui n'eurent pour résultat que d'en laisser certains en chemin, et d'ouvrir la voie de mon cœur à d'autres paroles qui m'étonnèrent, comme un éclair surprend le passant qui n'avait pas prévu l'orage et dont la démarche démontre à la perfection combien il a peur de mourir avant d'atteindre le seuil de sa maison.

—Anatma, mon maître, pourquoi m'appelles-tu? m'exclamai-je un peu surpris.

En effet, il me téléphonait rarement à la maison, pas plus qu'au travail, d'ailleurs. Car il avait tout un calendrier de rencontres préétablies annuellement, et nous le savions tous, nous qui participions aux sessions de méditation et d'unité cosmique, pour reprendre ses propres mots, depuis déjà plus d'un an.

—J'ai senti, en moi, comme un tressaillement intérieur, qui me disait que quelqu'un avait besoin d'aide et j'ai eu une vision de toi, me criant désespérément, dit-il avec une voix rauque qui cherchait les échos qu'elle pouvait provoquer. C'est ton âme qui me demandait d'intervenir. Ton intellect n'en savait rien.

Je ne compris pas alors qu'il avait devant lui son agenda et qu'il ne faisait qu'appeler l'un après l'autre ses « clients occasionnels », afin de pouvoir remplir son séminaire spirituel ce soir-là. Cela, je ne le saisis que plus tard, après qu'il eut mis la main sur une bonne partie de mes économies.

—Je..., je..., je ne sais trop quoi dire. Je crois que... effectivement, il y a peut-être en moi quelque chose qui..., hésitait l'élève devant son maître.

—Je sais ce qui te ferait le plus grand bien. Tu quittes la maison immédiatement et tu viens nous rejoindre à la Ferme. On démarre la rencontre d'ici une heure environ. Je t'attends.

La Ferme de la conscience épanouie était un lieu idyllique qu'Anatma avait pu se payer grâce à des dons importants obtenus plus ou moins frauduleusement. De petits étangs, des fleurs et arbustes de toutes les couleurs, des oiseaux et écureuils y tenaient leurs discours et activités journalières. La maison était très grande, de style victorien; chaque pièce était immense, bien que très peu meublée. C'était voulu ainsi, car les méditations cosmiques se réalisaient alternativement dans l'une ou l'autre pièce de la résidence du maître qui devait conséquemment pouvoir accueillir une vingtaine de personnes couchées par terre. Le domaine avait été acheté une dizaine d'années auparavant et les pièces de la maison avaient toutes été rénovées à grand prix. De hautes clôtures avaient été installées, ainsi qu'une barrière de fer forgé que jouxtaient de part et d'autre deux tours de pierre d'une quinzaine de pieds de haut. Le tout, avec les nombreux érables qui cachaient la vue du domaine, donnait l'impression d'une propriété de multimillionnaire, ce qui devait par la suite se révéler être le cas, une fois que le fisc aurait mis la main au collet du propriétaire fantomatique.

—D'accord, oui, je crois effectivement que cela pourrait me faire du bien. Je suis un peu perturbé de ce temps-ci par...

—Je sais oui, je sais, j'ai senti tes vibrations créer du chaos dans ton réseau organismique. Ça te fera le plus grand bien. Allez, la paix soit avec toi! conclut Anatma en raccrochant.

Je laissai l'appartement dans un désordre inhabituel, convaincu que ce qui comptait c'était de soigner mon moi profond et que tout le reste, dont ma vie matérielle, pourrait bien attendre mon retour. Cette conviction était fondamentale chez tous les adeptes de la Ferme. Tandis que je roulais sur l'autoroute en direction d'un petit village situé entre Granby et Bromont, je pensais que j'allais ouvrir mon sac sur mes relations avec ma fille, c'est-à-dire l'absence de relations que je supportais depuis si longtemps. J'en ressentais à la fois du plaisir et de la peur : le plaisir de tout dire et celui de susciter la compréhension, voire la compassion des autres, et d'autre part, la peur qu'ils ne puissent finalement pas m'aider réellement, de sorte que je serais encore plus démuni qu'auparavant, plus seul encore avec moi-même. On nous avait appris à la Ferme à maximiser le plaisir de tout se dire et à nier toutes nos peurs. Je n'étais pas un bon élève, car je n'avais accompli jusqu'ici que la moitié de mes devoirs d'adepte, ceux qui concernent le plaisir. J'avais encore cette peur qui vous ronge les sangs, cette angoisse qui vous attache et vous empêche de respirer. À cette époque, je croyais que l'intérêt que me portait le maître était d'ordre métaphysique, qu'il voyait en moi une âme en détresse qu'il avait le devoir moral et spirituel d'aider à mieux cheminer dans l'existence. Rien n'était moins vrai, malheureusement pour moi. En quittant l'autoroute, je me rappelais en écoutant de la musique *new age* combien le maître avait été bon pour moi, mais aussi pour les autres, depuis que je participais aux activités de la Ferme. Cela me donnait la force de continuer d'adhérer au mouvement. Je m'imaginais voir de belles choses m'arriver, par la puissance morale et spirituelle du maître. Je me laissai bercer par ces illusions, que j'identifiais alors comme des faits indubitables, jusqu'à ce que je parvienne à destination.

J'arrêtai ma voiture devant la grille d'entrée. En claquant la portière pour me présenter au microphone, devant la caméra, je stoppai mon élan tout en humant l'air frais du jour, et en contemplant les arbres qui dansaient avec le vent. La gorge serrée, j'eus un léger frisson, une nausée naissante. J'avais devant moi un si beau paysage, et dans mon corps de si indésirables sensations, que même si mon arrêt avait dénoté l'ombre d'une hésitation, d'un doute, je n'aurais pu résister à l'attrait de me libérer de mes tourments. Je fis donc le code convenu et la porte s'ouvrit devant moi en laissant s'échapper une jolie musique, que le maître changeait chaque jour. Le but était de nous placer dès les premiers instants dans un état de méditation et d'abandon, se plaisait-il souvent à nous dire.

À mon arrivée, Vénus me donna l'accolade. C'était sa chienne qui sautait littéralement aux épaules des visiteurs dès qu'ils franchissaient la porte. Nous avons toujours tenu à ces «randonnées mentales» dont parlait si bien le maître pour représenter les veillées psychothérapeutiques que nous faisions à la belle étoile durant l'été. La chienne Vénus était comme une entrée dans l'harmonie avec le tout qui unit les êtres vivants de l'univers, nous disait-il souvent en souriant, voyant que nous essuyions la bave que Vénus nous laissait au visage.

Ce soir-là ne fut pas différent des autres. Sauf que, par cette belle journée de janvier, nous devions cheminer dans notre esprit, confortablement installés dans la maison, puisqu'il faisait autour de moins 15 degrés Celsius à l'extérieur. Avant d'entrer dans la résidence toute entière illuminée par de jolis luminaires de style londonien fin XIXe siècle, je jetai un regard sur le sauna extérieur où j'avais eu, à quelques reprises, des discussions fascinantes avec d'autres participants, des conversations qui m'avaient amené à comprendre que le sens de ma vie ne tient qu'à moi, qu'il n'y a que moi pour en décider, puisqu'il n'y a aucun sens inhérent à l'univers lui-même, rien d'immanent que je puisse déceler et contrôler. J'avais saisi alors, soumis à une chaleur intense, que j'étais entouré d'hommes et de femmes qui se cherchaient tout autant que moi, qu'il n'y avait que moi qui puisse finalement donner un sens à ma vie et à mon inévitable mort. Nos échanges, ce jour-là, avaient été interrompus brusquement par l'entrée du maître dans le sauna. Après nous avoir questionnés sur l'objet de nos tourments, il y avait vite coupé court car, disait-il, tout cela ne ferait que nous faire perdre notre sérénité d'esprit. Je devais prendre conscience plus tard que, lorsqu'il ne contrôlait pas la situation, il en venait immanquablement à recourir à la force du «groupe cosmique» que nous constituions alors. Il s'agit d'un groupe qui, par les liens mentaux et physiques que ses membres entretiennent, initie lentement un changement qui aura des répercussions planétaires. C'était l'axe principal de la pensée du maître.

***

3 janvier 2002, Ferme de la Conscience épanouie,
19 h 30

J'entrai dans la demeure plus ou moins convaincu que j'en ressortirais guéri, par la magie du groupe et du maître qui le dirigeait divinement. Je réprimais plus ou moins consciemment tous les doutes que j'entretenais déjà au sujet de la Ferme et du maître. Dès l'entrée, je perçus une atmosphère de détente et j'entrevis mes compagnons de soirée mystique. Certains étaient agenouillés, d'autres couchés les uns sur les autres : une dizaine de corps qui s'entremêlaient dans tous les sens, comme s'ils attendaient la clé pour délier leurs lianes intérieures. Je fus accueilli par Priscilla, la déesse qui servait de compagne de vie au maître depuis six ans environ. Elle m'embrassa et me gratifia d'une longue étreinte, plus longue qu'à l'habitude. À la Ferme, les gens s'embrassaient sur les lèvres, hommes ou femmes, car nous pensions que les joues ne servent qu'aux contacts avec des étrangers. Nous serrions nos corps, en effectuant sur l'autre de doux massages avec nos mains. Nous croyions qu'en agissant ainsi nos âmes étaient en contact. « Nous constituons un groupe de voyageurs de l'existence qui partagent le même bateau. » Voilà une rengaine qu'aimait prononcer le fils que le maître avait eu, une vingtaine d'années auparavant avec une autre compagne. Ce fils, du nom de Jérémie, avait la mauvaise manie de se prendre pour Dieu lui-même. Il rêvait certainement de prendre la place de son père, lorsque celui-ci lui indiquerait qu'il en était temps. Pour le moment, il était trop malhabile pour réussir à nous maintenir tous ensemble dans l'harmonie. C'était ma conviction personnelle, mais qui était largement partagée au sein du groupe. Nous conservions secret ce consensus qui ne pouvait que susciter la colère du maître, ce que personne ne souhaitait.

Priscilla me prit par la main, une fois mon manteau et mes bottes enlevés. J'avançai vers ce salon bien connu dont j'aimais la polyphonie des sons dégagés par les murs et planchers qui craquent, ainsi que les symboles orientaux de toutes sortes, bouddhistes, taoïstes et hindous principalement, qui couvraient les murs et les tables. Même les coussins exhibaient des légendes chinoises et thaïlandaises. Une musique qui faisait planer notre esprit jouait timidement, et un encens qui m'était encore inconnu s'échappait de différents endroits à travers la pièce. Le maître n'était pas encore là. Il méditait sur nous, «sur nos existences endolories», disait-il, afin de se préparer à cette soirée. Je sus, plus tard, qu'il n'en était rien et qu'il faisait ses comptes de manière à savoir quelle somme il devrait nous soutirer pour réaliser ses plans de mégalomane. Le silence habitait la pièce. Quelques gestes par-ci par-là, des bras levés en l'air comme par une force invisible constituaient les seuls mouvements des participants. Une dizaine de minutes plus tard, le maître entra, ce qui ne fit bouger aucun orteil, ni même une paupière. Le moment n'était pas encore venu de revenir à nous. Ce fut lorsqu'il s'assit au centre et qu'il se frotta délicatement la barbe avant de prononcer la première syllabe que chacun prit une position redressée. J'avais la gorge dans un étau, comme si j'étais une bouteille de champagne qu'on essaie de refermer après ouverture. Ça n'allait pourtant pas être ma fête...

—Allons, mettons-nous dans un état propice à accueillir la grâce cosmique, dit le maître en fermant les yeux avec componction. Cette soirée est spéciale, pour deux raisons. D'abord, nous avons une nouvelle venue, Linda, que vous avez tous eu la chance d'accueillir à son arrivée. Et puis, nous avons ici une âme qui est en détresse et qui a besoin de vous tous.

—Qui est-ce? demanda l'éternelle curieuse du groupe, Chantale, une ex-droguée qui buvait les paroles du maître.

—L'âme se révélera d'elle-même en temps voulu, ajouta-t-il sans me regarder.

—Moi, j'aimerais que Linda nous parle un peu d'elle-même, dit Georges, un quinquagénaire aux yeux pervers qui ne semblait vouloir faire qu'une bouchée de la nouvelle venue plantureuse.

—Oui, dis-nous c'est quoi ton problème? ajouta Armande, dont les tendances suicidaires ne semblaient pas réglées tout à fait et qui se remontait le moral avec le malheur des autres.

—Je ne sais pas très bien par où commencer, vous savez, je...

—Laisse aller ton cœur. Nous sommes tous ici pour t'aimer, dit le maître.

—Oui, je... j'apprécie beaucoup, mais je ne suis pas très habituée à ce genre de rencontre. J'ai accepté parce que ma copine Mariette m'a parlé de votre groupe et j'ai pensé que peut-être... peut-être ça pourrait me faire du bien de...

Dès que Linda marquait une pause, le silence retombait dans la pièce, mais il n'était nullement menaçant. Il attendait comme un passager qui voit la fumée du train annoncer son arrivée.

—Je vis une situation difficile avec mon mari. Peut-être comprendrez-vous mieux si je commence par le début. Mon enfance n'a pas été facile et mon adolescence l'a été encore moins. J'ai dû quitter le foyer familial de bonne heure. Il n'y avait plus de place à la maison pour moi. J'ai rencontré un gars qui s'occupait des filles qui vivaient ce genre de situations, et puis, vous savez ce qui arrive dans ces cas-là, j'ai passé des années, oui, des années de... Je n'en suis pas très fière. Au hasard des rencontres, des hommes qui sont passés l'un après l'autre, j'ai rencontré Sam, qui m'a séduite par sa tendresse. C'est ce qui me manquait le plus dans ma vie à ce moment-là. Vous savez, l'amour sans tendresse, c'est la mort. J'étais déjà morte depuis plusieurs années quand il m'a ouvert son cœur.

Elle allait s'arrêter un moment pour reprendre, quand le maître, d'un regard autoritaire, empêcha Chantale de poser une question à Linda. Il avait raison d'empêcher toute intervention, car Linda devait avoir tout son temps pour vider son âme de son trop-plein. Elle reprit, non sans nous avoir d'abord tous regardés.

— Les premières années se sont bien déroulées. J'ai eu deux merveilleux enfants. Mais, peu à peu, j'ai vu que Sam devenait extrêmement contrôlant. Au début, c'était très subtil. Il ne m'encourageait pas à sortir ou réduisait en bouillie mes arguments pour aller à un endroit ou recevoir des gens à la maison. À la longue, je sentis que je m'isolais totalement du monde extérieur. Il m'étouffait et ne voulait m'avoir que pour lui. Un jour, j'eus si peur de son regard que je suis montée me coucher pour oublier. Le lendemain matin, après mon café matinal et ma toilette terminée, le père d'une des amies de ma fille sonna à la porte. Il reconduisait sa fille chez nous, afin que nos filles puissent s'amuser ensemble. C'était une journée chaude de juillet. Sam fonça et referma la porte sur lui. Je compris qu'il m'empêchait de simplement dire bonjour à d'autres hommes. Puis, plus tard, à d'autres moments semblables, je sentais que je devais rentrer à la maison et que lui-même s'occuperait de discuter avec le visiteur mâle. Sam ne m'a jamais battue, mais j'ai peur que peut-être... Il m'étouffe, il m'empêche d'être moi-même. Je ne crois pas que c'est ça, de l'amour. Je... voilà, dit-elle avec un sourire gêné.

Je la regardais, figé devant les larmes qui se pointaient et qu'elle essuya nerveusement. Je commençais à me demander si mon histoire valait le coup d'être racontée, à côté de celle-là. Je voyais en elle une femme qui avait dû être battue un jour. Elle me semblait porter des séquelles. J'avais le vague sentiment que la situation qu'elle décrivait n'était que la pointe de l'iceberg, que c'était beaucoup plus grave, tellement qu'elle n'avait trouvé que nous à qui en raconter quelques bribes. Elle paraissait désespérée. Mais qui étais-je pour mesurer le désespoir des autres, alors que j'étais empêtré avec le mien? conclus-je en moi-même.

—Nous savons, nous sentons que ce que tu vis est difficile, et nous sommes avec toi. Ce soir, nous sommes là pour toi. Désires-tu que nous échangions sur ce que tu vis? demanda le maître.

—Non, répondit sans hésiter Linda en manifestant son intention de quitter les lieux. J'ai dit ce que je voulais dire, ça m'a fait du bien. C'est tout.

—Tu peux partir si tu veux, Linda, à tout moment, sens-toi tout à fait libre de le faire. C'est bien que tu nous révèles que tu en as assez dit et que tu ne désires pas que nous échangions là-dessus. Nous sommes là pour toi, que ce soit par nos paroles ou nos silences, ajouta le maître.

—Merci, j'apprécie! Je vais rester encore un peu.

—Tu nous feras signe si tu désires revenir sur ce que

tu vis, conclut le maître, devant le regard approbateur de Linda.

Le silence s'installa à nouveau dans l'assemblée. Un silence qui me semblait éternel. Je pensai alors au temps. Je ne sais pourquoi je m'évadai ainsi dans une question purement philosophique, mais j'y pris plaisir, ce qui m'éloignait d'autant de la raison pour laquelle j'avais accepté de venir. J'étais en train de penser que la durée elle-même ne peut être éternelle, puisque l'éternité consiste dans l'absence de toute durée. Je commençais à élaborer une autre piste selon laquelle la durée pourrait s'annihiler elle-même constamment, de sorte qu'elle serait continuellement en train de naître et de mourir. Cette piste m'amènerait à redéfinir le concept de vie éternelle. J'en étais là quand des soupirs se firent entendre. Ils réussirent à me sortir de ma torpeur. J'étais décidé à prendre la parole, je me frottais les mains et le front, tout en sentant papilloter mes paupières fermées. Je me lançai, convaincu que c'était l'unique manière d'initier une action, quelle qu'elle soit.

—Je suis une âme en détresse. Je ne sais plus trop si je suis si désespéré que ça, après ce que je viens d'entendre. À chacun probablement ses propres angoisses. Comme vous le savez, je suis divorcé et n'ai pas vu ma fille depuis dix ans. J'étais sans nouvelle d'elle depuis presque autant d'années. Tout ce que je savais, c'est qu'elle ne me portait pas dans son cœur. Elle avait coupé les liens, et de manière draconienne. Le drame, c'est qu'avec les années, mon amour pour elle a diminué. Ce n'est pas son absence qui me faisait mal, mais sa haine envers moi. J'ai beau l'avoir aimée de tout mon cœur jusqu'à ce qu'elle rompe nos relations, je ne suis pas arrivé à m'accommoder de cette haine. C'est ce qui fait le plus mal: être haï de son enfant, qui devrait être notre trésor dans l'existence. Pendant longtemps, j'ai réprimé cette espèce d'indifférence qui commençait à s'installer en moi, comme si elle venait nier ma paternité. Mais, elle m'a vaincu. Ce n'est pas ma fille qui a eu raison de mon amour pour elle, mais l'indifférence qu'elle est parvenue à créer en moi, à cause de la haine extrême dont elle m'a poursuivi. Évidemment, vous comprendrez que tout cela prend des années à s'installer. Je ne me rappelle que difficilement comme cela me faisait du bien d'aimer ma fille. Je ne suis pas arrivé à aimer ma fille sans condition, en dépit de sa haine qui la poussait à ne plus vouloir jamais me revoir. Vous penserez sûrement, et peut-être aurez-vous raison, que je n'ai pas réussi parce que je n'aime pas suffisamment, qu'il suffit d'aimer sans condition et tout s'arrange. C'est un beau principe. Dans la vie, ça n'arrive pas tout à fait aussi facilement que cela. La vie nous rattrape et nous donne des leçons. Le pire, dans tout cela, c'est que... que... que...

Je me tus. J'avais besoin d'un long silence pour reprendre mes esprits. Je sentis deux mains de femmes se placer sur mes épaules, comme pour guider mon énergie vers sa réalisation maximale. Les mains restaient là, lourdes et chaudes. Elles m'ont effectivement aidé à dire encore quelques mots.

—Le pire, c'est qu'elle m'a écrit une lettre, une si belle lettre, courte mais remplie de... Je ne sais pas... Je... Elle viendra me voir avec son mari et son garçon, mon petit-fils que je n'ai jamais connu. Vous rendez-vous compte? Elle a coupé tous les liens et elle débarque, comme ça, sans même me dire pourquoi elle veut me revoir. Je n'y comprends strictement rien, conclus-je en faisant signe au maître que nous pouvions passer à la période d'échanges.

—Merci, Jacques, nous avons reçu les confidences de ton âme et nous sommes là pour t'aider. Quelqu'un veut-il faire profiter Jacques de son expérience? demanda le maître en promenant son regard autour de la pièce.

—Aimes-tu encore ta fille?

C'était Corinne qui avait posé la question, une amoureuse de tout, une passionnée qui ne faisait de différence entre rien sur Terre. Elle était venue dans ce groupe, «simplement pour aimer», avait-elle avoué. Cela avait fait sourciller le maître. Sa déclaration n'était pas passée inaperçue dans le groupe.

—Bien sûr que je l'aime, répondis-je immédiatement, avec ma fierté d'homme et de père.

Il se glissait pourtant un doute dans mon regard, doute que perçut instantanément Chantale.

—Alors, pourquoi ton amour a-t-il disparu? Pourquoi la haïs-tu encore? demanda-t-elle.

Elle me poursuivait avec ses propres doutes, en arrière-plan.

—Je viens de dire que je l'aime, que je l'aime encore. Je ne la hais pas, non, enfin, je crois que..., hésitais-je.

—Haïr n'est pas si mal, tu sais, ajouta Armande. C'est un des sentiments humains, on n'a pas à le nier.

—Je ne le nie pas, je ne le supporte pas. Euh, je veux dire... Non, non, ce n'est pas ce que je voulais dire..., je...

—Tu ne supportes pas que tu la haïsses, c'est ça? dit Chantale avec un brin d'émotion. Ça ne te donne pas une bonne image de toi, hein? Ne t'en fais pas, on est tous ici un peu pour ça aussi. Notre image de nous-mêmes en a subi des baffes. Autrement, on ne serait pas là à s'ouvrir les entrailles devant les autres.

—C'est peut-être...

—Arrête de dire toujours peut-être, pis affirme-toi, Jacques, dit Georges. Avec des peut-être, tu n'iras nulle part. Non, en fait, tu iras quelque part. Tu ne feras que reculer dans la vie. Je ne crois pas que ce soit cela que tu veux.

—Oui, je crois que oui, je la..., je la... je l'aime, mais je la hais aussi, avouai-je, les mains cachant mon visage en pleurs.

—Pourquoi la hais-tu? demanda Linda, visiblement intéressée par la réponse qu'elle pourrait peut-être transposer dans sa propre vie.

—Je crois que c'est parce qu'elle me hait de tout son cœur, répondis-je d'une voix larmoyante.

—Tu la hais parce qu'elle te hait, c'est ça? demanda Armande, sur un ton légèrement jouissif.

—Oui, je crois. Ce n'est pas suffisant comme raison? demandais-je, un peu pour me sortir du guêpier dans lequel j'avais l'impression de m'être laissé tomber.

—Toutes les raisons sont bonnes pour haïr, quand on se place du côté de la personne qui hait, précisa le maître, alors que toutes les têtes étaient tournées vers lui. Mais quand on regarde cela dans une dimension anthropologique et cosmique, il n'y a aucun fondement possible à la haine, car elle n'entraîne que destruction. L'univers comporte de la destruction, mais opérée dans un certain ordre. La haine est une destruction sans but ou plutôt sans autre but que de détruire. Le cosmos détruit toujours pour construire ensuite. De ce point de vue là, non, tu n'as aucun bon motif de la haïr.

Un silence s'installa spontanément, comme pour que chaque membre du groupe prenne le temps d'intégrer ces paroles du maître. Ce silence permettait aussi à chacun de voir comment dans sa vie, tout ce qui venait d'être dit pouvait avoir de la résonance. En effet, le maître nous disait souvent que tout ce que les autres nous révèlent peut ébranler notre vie, positivement ou non. Lorsque nous démontrons une ouverture d'esprit et une paix intérieure suffisamment grandes, nous dépassons cette dualité bien-mal et atteignons un point de non-retour, où nous apprenons constamment des autres, même et surtout quand ils nous insultent.

– Qu'entends-tu faire lorsque tu la verras? demanda Mariette après un moment.

Mariette était psychologue, spécialisée dans les relations de couples. Elle ne savait plus du tout comment elle devait intervenir, depuis le suicide de son mari qu'elle avait retrouvé pendu dans son sous-sol. C'est pourquoi elle en était venue à faire partie de ce groupe, trouvé par hasard, au fil de rencontres toutes aussi incongrues les unes que les autres.

– Je ne sais pas, je pensais qu'en venant ici, je trouverais comment faire.

– Mais tu n'as rien trouvé, hein? rajouta Armande.

– Tu ne trouveras rien d'autre que ce qu'il y a en toi, précisa le maître.

À nouveau, le silence enveloppa le groupe d'un épais manteau, Priscilla changea la musique, ce qui donna le signal, tout le monde se leva pour une danse bionique. Cette danse se fait collectivement. Les gens s'entassent, debout les uns contre les autres et, selon l'inspiration du moment, passent d'un partenaire à l'autre. L'impression que j'en eus la première fois que nous avions vraiment le sentiment de n'être. C'est aussi, nous avait dit le maître, une occasion de rapprochement physique avec des âmes qui plus proches compagnes dans l'existence.

À la fin de cette danse, chacun reprit sa place continuer cette soirée vouée à notre croissance mutuelle. Je n'ai pas très bien écouté cette rencontre. J'étais encore sous l'effet de venait de m'être dit. Je ne savais plus du tout quoi penser. En même temps, j'avais le vague sentiment d'avoir fait du chemin et d'être mieux préparé à rencontrer ma fille. Je regardai Linda qui me semblait placée devant le même dilemme et qui paraissait avoir réduit son écoute. Peut-être n'était-ce pas le cas, mais je la voyais ainsi. À la fin de la soirée, chacun prit, comme à l'habitude, le temps de donner l'accolade aux autres personnes présentes et de leur dire quelques mots pour les aider dans leur cheminement personnel, des mots qui ne devaient en rien être superficiels, inutiles ou banals. Le maître nous apprenait à choisir les paroles avec lesquelles nous voulions aider les autres. Car, croyait-il, l'aide s'apprend par les mots et les gestes que nous choisissons.

Lorsque je sortis dehors, il neigeait très fort, sans qu'aucun vent ne vienne atténuer l'impression apaisante que cette neige me laissait. Sur le chemin du retour, je me suis dit que cette soirée avait été bénéfique et que le maître, comme toujours, apparaissait dans ma vie au bon moment. Comment accueillerais-je ma fille, quand je la verrais avec son fils pour la première fois? Je n'en savais strictement rien. Mais je sentais en moi une nouvelle solidité qui me donnait l'espoir de pouvoir trouver, à ce moment-là, les mots et les gestes qu'il faudrait.

***

16 janvier 2002, Montréal, 18 h 01

J'étais chez moi, étendu, le temps d'une relaxation, au son de mon éternelle musique *new age* qui m'aidait à me recentrer sur mon existence. Ce soir-là, je n'y arrivais tout simplement pas. Je ne parvenais pas à laisser dériver mes pensées, à les laisser couler le long du fleuve de mon esprit. Je les immobilisais sans pouvoir me détacher de leur nature. J'essayai à de multiples reprises, en m'aidant d'une respiration harmonique. Mais absolument rien n'y faisait. Je compris alors qu'une émotion en moi empêchait toute méditation. C'est à ce moment précis que, ressentant cette émotion au bas du ventre, j'eus envie de pleurer. Les yeux légèrement mouillés, je me levai d'un coup, comme pris d'une soudaine nausée.

J'attendais ma fille Julie, que je n'avais pas revue depuis mon divorce, il y avait de cela dix ans déjà. Aussi, je ne savais même pas à quel visage je serais confronté à son arrivée chez moi dans la demi-heure qui suivrait.

Je repris fébrilement sa lettre dans mes mains tremblantes et la sortis de son enveloppe pour la relire trois fois plutôt qu'une. Elle devait certainement avoir quelque chose d'important à me révéler, pour venir me visiter après tant d'années d'absence, moi, son père qu'elle avait rageusement rejeté lors de la séparation dont elle m'avait imputé la responsabilité. Pourtant, je me doutais que ses yeux noirs seraient plus obscurs que le firmament, la nuit. J'allais d'un sentiment à l'autre, tout en bougeant nerveusement les jambes sans pouvoir les retenir, une mauvaise habitude dont j'avais réussi à me débarrasser depuis mon arrivée à la Ferme. Mais là, les émotions n'avaient rien à voir avec ce que je pouvais ressentir lors de nos danses harmoniques à la Ferme. Je replaçai calmement la lettre à l'endroit que j'avais choisi pour la sauvegarder : à la page 38 du livre *La synthèse du yoga* de Sri Aurobindo.

Je regardai la télé, mais la délaissai tout de suite, comme si c'était un ennemi, un esprit pervers qui m'éloignait du réel. Il s'agissait là, en fait, d'une expression du maître qui m'était alors revenue en tête.

J'avais placé *Le Devoir* du jour sur la table. Mon regard ne réussit pas à s'y poser, en dépit d'un article titré *Matisse et l'angoisse du temps*, qui paraissait dans la section des arts. J'allai vers la cuisine, à la recherche de quelque chose à me mettre sous la dent, convaincu que cette démarche n'avait aucun sens, puisque je n'avais pas vraiment faim. Les émotions prenaient toute la place dans le bas de mon ventre. La faim, quant à elle, avait signifié son intention de retarder son apparition dans ma vie ce soir-là.

Lorsque j'ouvris le réfrigérateur, on frappa à la porte. Mais le bruit que fit le réfrigérateur en s'ouvrant avait masqué l'arrivée de ma fille. Voilà pourquoi elle se décida à sonner. Un seul coup. C'était assez pour vous percer le cœur.

Je refermai le frigo et fis quelques pas sur place. Je pris le peigne que j'avais dans ma poche et m'en servis pour faire passer dans ma chevelure légèrement grisonnante l'angoisse qui me tenaillait l'estomac; c'était chez moi presque une manie. Je pris une longue respiration avant d'ouvrir. Je savais que, lorsque la porte serait ouverte, rien ne serait plus pareil. Je ne pourrais plus rien empêcher de survenir. Quoi qu'elle ait en tête, cela devait arriver. Cette conviction profonde en moi ne faisait qu'ajouter de la pression sur mon moi encore fragile. J'allais ouvrir en coup de vent, mais mon bras ralentit au dernier moment. Ce fut la douceur d'une porte entrouverte que je décidai d'exprimer à ma fille, que je savais attendre derrière, dans je ne sais quel état d'esprit.

Quand finalement j'ouvris la porte et que je pus voir Julie, je découvris un visage ravagé, mais n'arrivai pas à décoder quelle tempête pouvait l'avoir ainsi totalement transformée. Ses yeux semblaient remplis de tristesse en même temps que de détermination, mais aussi d'une douceur réprimée dont on ne peut percevoir que des bribes involontairement exprimées. Elle était tout de noir vêtue, jupe et blouse; même son collier africain jouait dans les tons de noir et de brun. Ses cheveux bouclés ne laissaient rien présager de bon. Les dernières fois que je l'avais vue coiffée ainsi, elle s'était attaquée à moi comme un taureau à un voile rouge. Derrière elle, son artiste d'amant était figé comme une statue de sel. Il était là pour supporter sa bien-aimée, pouvait-il croire, alors que ce n'était certainement pas dans la personnalité de Julie de se laisser ainsi supporter par qui que ce soit. Un bel illusionné. Il avait dans l'allure une certaine naïveté, mais aussi, je dois bien l'avouer, une bonhomie, une générosité qui lui semblait tout à fait naturelle. Je décelai quelques taches de peinture sur son bras gauche. Peut-être venait-il de travailler à l'une de ses œuvres avant de venir. Sûrement pas, me repris-je aussitôt, ils demeurent à Los Angeles. Je supposai qu'il ne se lavait pas souvent, comme pour rire un peu de moi-même et de ces liens préjugés que nous faisons si souvent dans la vie de façon trop hâtive.

Je les invitai à entrer, déjà frigorifié par leur présence. Je découvris vite un autre petit être, un garçon au regard pénétrant, brillant, mais également timide. Il tenait l'une des jambes de son père comme on tient une bouée de sauvetage une fois que notre navire a coulé en mer : le seul objet qui nous est éternellement fidèle. Nous nous sommes assis dans mon petit salon aux allures débridées. À ce moment, rien n'existait pour moi que cette rencontre. J'avais une conscience paradoxale de mon corps : je n'avais que peu conscience d'inhaler quoi que ce soit. Mes émotions prenaient toute la place dans mon conscient. En même temps, ma respiration était si ample, si forte qu'elle était presque audible et que je ne pouvais éviter de la confronter et de ressentir un vertige face à tant de force surgie de mon intérieur. Le silence dura un bon moment. Les regards que nous échangions étaient à la fois furtifs et remplis d'une telle nécessité de nous arrêter l'un devant l'autre que nous en ressentions un frisson dans le dos ou au plexus solaire.

Ce fut Julie qui attaqua la première. C'était bien elle d'agir ainsi. Elle était toujours la première à affronter l'horreur.

—Je suis venue te voir, après tout ce temps, parce que je...

—Je suis très heureux que tu aies... commençai-je, avec une émotion non contenue.

—Ne m'interromps pas, veux-tu? D'accord? demanda-t-elle, avec une insistance sur laquelle aucun doute n'était possible.

—D'accord. Si tu veux, me résignai-je.

—Je suis venue te voir après toutes ces années, pour te parler d'autre chose que de ce que tu as fait dans ma vie en quittant maman. Je ne reviendrai pas là-dessus, j'ai assez pleuré à ce sujet pour ne pas rouvrir la plaie saignante que tu m'as infligée.

Un silence. Lourd, presque démesurément lourd. Des pensées virevoltaient dans tous les sens dans ma tête. Mais aucune sur laquelle je pouvais me fier à cent pour cent.

—J'ai fait ma vie à Los Angeles avec Albert. Albert est un artiste assez connu dans son milieu et ses œuvres sont bien cotées. On l'invite souvent à la télé pour commenter des événements marquants dans le domaine de l'art contemporain. Il sait combiner la création artistique et la critique d'art. Nous avons eu ensemble ce petit joyau, Jonathan. Nous en sommes très fiers, probablement comme tous les parents, d'ailleurs.

—Je suis bien d'accord avec toi, ajoutai-je sans arrière-pensée.

—Ne me ressasse pas tes rengaines de père si fier de sa fille. J'ai assez entendu ça pendant toutes ces années. Enfin, ce n'est pas important. Je crois vraiment que non. Ce n'est pas important, hésitait-elle, apparemment perturbée.

Un second silence, moins lourd que le premier, plus délicat, presque tendre.

Julie et moi nous sommes regardés longuement. J'avais l'impression de refléter dans mes yeux que je l'aimais toujours très fort, que je lui avais pardonné il y avait bien longtemps, que je n'attendais qu'un signe de sa part pour éclater en sanglots et la serrer dans mes bras en m'excusant pour tout ce que je lui avais fait subir. Et pourtant, j'étais incapable de lever le petit doigt. Pas un poil de mes jambes ne semblait annoncer que j'initierais la réconciliation tant désirée. Quant à Julie, ses yeux paraissaient si tristes et impuissants que, ne voulant pas la brusquer, mais plutôt soucieux de la respecter à tout prix, j'étais résigné à attendre d'elle un signe plus clair, plus consistant, avant d'entreprendre quoi que ce soit. Elle se leva, contre toute attente. J'en fus si saisi que je ne pus tenir ma résolution de la respecter dans son choix et de lui laisser l'initiative de la parole.

—Julie, tu ne dois te forcer à rien me dire, ni à faire quoi que ce soit. Tu es ici avec moi. Tu es même venue me voir avec l'amour de ta vie, et avec ce petit-fils que j'ai le très grand bonheur de connaître. Je suis déjà comblé.

—Papa, je..., balbutia Julie.

Elle me regarda un instant. Elle voulait me dire quelque chose d'important, mais une force intérieure l'en empêchait. Elle baissa les yeux et me tourna le dos pour se diriger vers la porte.

Albert et son fils Jonathan étaient restés assis sur le

sofa, sans broncher, attendant qu'on leur signifie plus clairement que le moment du départ était vraiment venu. Bien que Julie se dirigeât vers la porte, elle n'avait pas vraiment l'air d'avoir envie de la franchir et de la refermer derrière elle. J'étais tout près. Je ne sais qui initia l'approche. Peut-être nos deux corps se sont-ils réconciliés avant que nos esprits en prennent conscience. Une seconde suffit pour que père et fille, enlacés, pleurent toutes les larmes retenues depuis trop longtemps. Pas un mot. Nous n'avions besoin d'aucune parole. Un seul mot aurait été de trop. Julie et moi avions toujours eu des rapports très déchirants, au plan du langage. C'était préférable, pour nos personnalités si différentes, qu'elles se réconcilient dans le silence total. Quand on en dit trop et qu'il faut revenir en arrière, le silence permet de replacer les choses à leur place avec moins de dégâts que des phrases entières auraient pu le faire. À un moment, je sentis une petite main secouer mon pantalon. Jonathan, les yeux levés vers moi, avait l'air de me demander de le prendre dans mes bras, ce que je fis tout en gardant ma fille si près de moi que nous exécutions presque une danse à trois, aux accents du passé retrouvé.

La porte s'ouvrit à un moment qui m'avait paru venir beaucoup trop vite. Il est toujours trop tôt pour quitter ceux qu'on aime et qu'on aimera éternellement. Je ne pus réprimer quelques mots, heureusement bien accueillis par Julie.

—Quand pourrais-je te revoir, Julie? demandai-je, à la fois perplexe et anxieux.

—Bientôt, dit-elle en essuyant plus d'une larme.

—Et Jonathan, est-ce que je pourrais...?

—Tu auras toute la vie pour... dit-elle avant d'éclater en sanglots et de se réfugier dans les bras d'Albert.

Je les regardai partir. Julie était comme la tour de Pise contre le corps d'Albert, qui la supportait avec toutes les marques de l'affection. Jonathan marchait en tenant la main de son père. Il s'était retourné pour me faire un geste d'au revoir.

Je venais de vivre les plus longues minutes de ma vie. Je ne refermai la porte que lorsqu'ils furent sortis complètement de l'immeuble, comme si j'avais voulu épier d'autres paroles, d'autres gestes, quelque indice pour mieux comprendre ce que ma fille vivait. Je me jetai sur le lit et, allongé sur le dos, je revécus chacun des moments, seconde par seconde, de cette rencontre impromptue, si intense qu'elle avait laissé des traces profondes en moi. J'avais l'impression que chaque instant avait l'énergie d'un éclair à lui seul. Peu à peu, mon esprit et mon corps se mirent à éprouver une certaine détente, comme un repos mérité après un effort surhumain. Je finis par m'endormir, bien à contrecœur.

***

Nuit du 17 janvier 2002, Montréal, 2 h 45

J'ai dû trouver le sommeil entre deux émotions, tiraillé par l'impossibilité de comprendre l'une et l'autre. À mon réveil, le lit était un véritable champ de bataille. Il était 2 h 45 à mon réveille-matin, lorsque je fus ramené à l'existence par un rêve très bizarre. Je ne me sentais pas rêver. Je pensais que non seulement le rêve était réel, mais qu'il y avait une atmosphère mystérieuse qui entourait ma conscience, comme si ce rêve venait d'un ailleurs indéfini et inaccessible.

Juste avant mon réveil, j'entendis une voix qui semblait sortir d'un nuage. Cette voix prononçait un nom qui m'était totalement inconnu : Jeanne de

Navarre. Une voix basse, rauque. Je vis également un livre recouvert de cuir et datant des années 1300, plus précisément 1338, je crois. Je devinais que ce livre était un livre de prières. Je n'en fis guère de cas et, après être allé aux toilettes, je me recouchai et tentai de me replonger dans cette atmosphère mystérieuse que je ressentais. À mon réveil, je me rappelai avoir visité dans ce rêve une boutique d'antiquaire située quelque part en Hollande. J'y avais vu deux longs cylindres de couleur orangée, sculptés d'un bout à l'autre et contenant des parchemins et des lettres d'origine royale. C'est du moins ce que prétendait l'antiquaire qui voulait me les vendre. Ils auraient appartenu à Jeanne de Navarre.

Je ne fis que sourire en me rappelant ces éléments intrigants de mon rêve. Je ne me suis jamais intéressé au Moyen Âge et, je dois l'avouer, je ne savais même pas où était la Navarre. Je découvris par la suite que Jeanne II de Navarre avait réellement existé et qu'elle avait été reine de Navarre de 1328 à 1349. Dans la journée, je trouvai, dans le *New York Times*, un article faisant état d'un *Livre des Heures*, un livre de prières merveilleusement illustré, donné aux rois et aux reines, qui était maintenant exposé au *Metropolitan Museum of Art*, à New York. Ce livre n'était pas celui que j'avais vu en rêve. J'en conclus pourtant que celui-ci devait bien exister à quelque part. Dans les semaines qui suivirent, je devais découvrir que *Le livre des heures pour Jeanne II de Navarre* était à la Bibliothèque nationale de Paris et qu'il comportait une date imprécise. On le situait entre 1336 et 1340.

Je passai toute la journée à errer dans les parcs, traversant les grandes artères de Montréal pour découvrir qu'au fond, j'étais fin seul. Je cherchais en moi le sens de la visite impromptue de ma fille. Je demeurais intrigué par le rêve que j'avais fait mais, à ce moment-là, je n'y accordais que peu d'importance. J'étais obnubilé par la visite de ma fille et par son silence qui ne me donnait aucune raison d'espérer la revoir.

Après une longue réflexion sur ce sujet, je revins de nouveau à mon rêve et me demandai pourquoi je l'avais fait, alors que son contenu était si loin de mes préoccupations du jour. Je conclus en me disant que rien ne pouvait contrôler l'inconscient et que le mien devait avoir ses raisons pour m'avoir traîné dans un tel voyage historique, apparemment inutile dans ma démarche pour me rapprocher de ma fille et pour qu'elle réduise la distance qu'elle avait prise par rapport à moi. Assis sous un immense chêne, je me suis dit que le temps passe et qu'il laisse des traces indélébiles, que les êtres ne sont que ce qu'ils peuvent être et que personne ne peut leur en tenir rigueur. Chacun se débat dans l'existence et dans son avoir-à-mourir, de la manière la plus avantageuse pour lui ou pour elle. Les réactions des uns et des autres peuvent nous paraître inopportunes, déplacées, exagérées. Mais elles constituent simplement l'action d'un être aux prises avec une existence finie. De ce point de vue, je suis à bord du même bateau que ma fille. Nous sommes tous deux confrontés à l'existence et à la nécessité de la traverser en s'assurant de garder les pieds bien ancrés dans le réel.

En arrivant chez moi, dès que j'ouvris la porte, le téléphone sonna. C'était ma fille. Elle me téléphonait de l'aéroport, juste avant son départ pour Los Angeles. Elle s'excusa pour sa visite si courte et quelque peu mystérieuse. Je ne pouvais la contredire. Cependant, je ne lui tenais pas rigueur de cette trop brève entrevue. Quelques silences rythmaient nos échanges. J'avais l'impression que ces silences parlaient plus que tous les mots qui s'étaient échappés de nos lèvres. C'était comme si, par eux, nous pouvions reprendre contact, après des années de séparation. Notre conversation n'en était pas vraiment une. On aurait pu affirmer qu'il y avait si peu de mots qu'il n'y avait aucun dialogue. Mais cette conclusion, essentiellement technique, eût été tout à fait erronée. Plus de sentiments se sont exprimés dans ces longs silences que durant sa trop courte visite chez moi. À la toute fin, elle m'apprit qu'elle ne voulait pas m'inquiéter outre mesure, mais qu'elle allait être opérée bientôt. Rien de très important. J'ai pris cela comme une manière de renouer contact, de se dire les choses de la vie de tous les jours. Je n'étais pas inquiet pour elle. Pourquoi l'aurais-je été? Il s'agissait de quelque chose de banal, comme elle le disait elle-même. Non, j'étais plutôt heureux qu'elle me confie sa préoccupation. C'était comme si je venais de renaître. Son père était mort dans son cœur. Mon cœur de père était même mort en moi. Curieusement, l'âme du père peut renaître, tout comme sa présence dans le cœur de sa fille. Je ne savais pas que c'était possible. J'avais abandonné tout espoir, croyant que la mort d'un amour dans le cœur est non seulement la pire des choses qui puisse arriver à quelqu'un, mais également un phénomène irréversible. Je m'étais trompé, à mon grand bonheur.

Chapitre 2

Les désirs du passé

*Il y a des instants critiques qui concentrent soudain en eux,
telle une lentille, tout le passé, tout le présent
et peut-être même tout l'avenir d'une existence.*

Fedor Dostoïevski, *Les possédés*

*24 janvier 2002, mon bureau au 22ᵉ étage de l'une des
tours d'affaires du boulevard René-Lévesque, 13 h 45*

Je décrochai l'appareil, convaincu que l'on m'appelait pour un dossier dont l'échéance, particulièrement serrée, approchait rapidement et qui m'imposait des contraintes si importantes que je n'avais que peu de chances d'en sortir vainqueur, ou même indemne. Mon employeur caressait un projet d'expansion en Asie du Sud-est, mais je croyais que les objectifs poursuivis par la direction étaient irréalistes. C'est du moins ce qui était ressorti des discussions que j'avais eues avec McGarrigle à New York, il y avait tout juste trois semaines. J'étais maintenant sommé de toutes parts d'arriver aux résultats escomptés par la direction, et je sentais que ma tête était bien proche du billot.

Cela ne faisait qu'accroître mon empressement à répondre à cet appel que j'espérais porteur de bonnes nouvelles. Je souhaitais qu'il s'agisse de Bob Hoffman, un ami d'enfance, mon collègue de surcroît, avec qui j'avais gardé contact, un avocat en droit international qui avait une grande expérience des marchés asiatiques. Il travaillait à la Deutsche Bank de Tokyo depuis une bonne vingtaine d'années et c'était le meilleur analyste sur qui notre entreprise puisse compter pour cerner les risques auxquels nous aurions à faire face dans cette région du monde. Comme je le connaissais depuis longtemps et que je pouvais avoir entièrement confiance en lui, j'avais décidé de le contacter, en l'absence de toute autorisation de la direction, ce qui pouvait être une opération risquée, étant donné le goût qu'ont les associés de tout contrôler. Je décrochai donc l'appareil, convaincu d'avoir à l'autre bout du fil une voix rauque, qui serait à la fois rassurante et positive.

—Bonjour, Jacques? Jacques Côté? dit une voix féminine qui me rappelait très vaguement quelque chose.

J'eus soudain l'impression de reconnaître cette voix qui me parut sortir tout droit de mon passé. Je fus envahi par une émotion qui me fit balbutier des bribes de mots incompréhensibles. Ce ne serait que plus tard que je comprendrais que cette émotion était assimilable au stress interne qui précède la manifestation de l'amour.

—Oui, oui. C'est moi. En quoi puis-je vous aider? demandai-je, avec une distance qui sonnait faux.

—Je vois que tu ne me reconnais pas, Jacques, dit-elle à la fois légèrement frustrée et satisfaite de devoir user davantage de son charme, avant que je ne revienne tout à fait à moi et que son souvenir refasse surface dans ma conscience.

—Non, enfin, je ne suis pas très sûr. Mais il me semble que votre voix me rappelle quelqu'un, dis-je, de manière réservée, presque gênée.

—Nous avons passé quelques années d'études

ensemble au Cégep, finit-elle par dire après une hésitation qui me parut interminable. Tu dois bien te souvenir de Patricia Plourde.

Elle avait un espoir dans la voix.

—Patricia... Patricia Plourde, hésitai-je, pendant qu'en moi, les souvenirs défilaient les uns à la suite des autres, telles les images d'un film qu'on a mille fois réécouté et qui ne semble jamais finir comme on le souhaiterait.

Il faut vous dire qu'effectivement, durant ces années de Cégep, je faisais partie d'un groupe de garçons et filles qui se réunissaient à chaque pause-café et à tous les dîners pour parler de tout et de rien, simplement pour être ensemble. L'une de nos activités préférées était de se dire la bonne aventure. Chacune et chacun de nous avions un jeu de cartes. En fait, nous n'étions intéressés à savoir, à travers les cartes, qu'une seule et unique chose: qui serait le prochain amour de notre vie? De quelle couleur seraient ses cheveux? Est-ce qu'on rencontrerait cet amour dans six jours ou dans six mois? Patricia était leader du groupe. C'était également elle qui avait le plus d'expérience dans la cartomancie. Elle avait un ascendant sur l'ensemble du groupe, de sorte que toute planification d'activités communes exigeait son approbation. Il s'agissait là d'un lien implicite d'autorité, mais il était bien réel.

J'ai longtemps espéré être son amoureux. En vain. Un jour, je lui avais fait ma demande. Je me rappellerai toujours ses yeux, infiniment tendres et tout à la fois déterminés à me dire non. Par la suite, lorsque je la croisais dans les corridors, je perdais mon regard dans ses cheveux blonds ondulés, incapable que j'étais d'affronter le sien. Un jour, je compris que le vent tournait, et ce n'était décidément pas en ma faveur. Les filles du groupe, avec Patricia à leur tête, décidèrent de passer leurs vendredis soir à assister aux parties de hockey majeur. Elles avouèrent candidement, comme si tous les garçons du Cégep étaient des *mioufs*, qu'elles cherchaient un homme à marier parmi ces joueurs de hockey. Je n'y suis jamais allé. Les autres membres mâles du groupe non plus. Je voyais dans leur regard une sorte de défaite collective. Bien loin d'être une gifle individuellement ressentie, une insulte à notre qualité de mâles, il s'agissait d'une honte pour tous les gars du groupe. Comme l'amitié nous liait tout de même à ces filles, jamais nous n'avons même évoqué la question.

À l'université, je perdis de vue Patricia et les autres filles. En fait, elles choisirent d'autres universités plus éloignées, de sorte que nos rapports stoppèrent d'un coup. J'ai revu quelques autres gars du groupe mais, comme il manquait la présence des filles, c'était comme si nous faisions face à un deuil. La perte de nos amies nous rendait impossible le plaisir de nous rencontrer entre hommes. Je découvris plusieurs années plus tard que Patricia avait épousé un joueur de hockey et qu'elle vivait aux États-Unis. Je ne me souviens ni du nom de l'équipe de hockey ni de l'État de sa provenance. Elle avait, m'a-t-on dit, eu cinq enfants, dont des triplés. Elle avait toujours voulu avoir beaucoup d'enfants. Je me souviens qu'elle l'avait affirmé lors d'une discussion où on avait abordé le sujet. Je n'ai jamais cherché à la revoir, ni à connaître son adresse. Je considérais cette démarche à la fois inconvenante et inappropriée. Elle avait fait sa vie et je devais, comme bien d'autres hommes, probablement, en prendre mon parti et assumer la mienne.

Quel ne fut pas mon étonnement d'entendre sa voix ce jour-là? Je n'arrivais simplement pas à comprendre qu'elle m'appelle? Je me demandai même comment elle avait pu retrouver mon numéro de téléphone? Peut-être avait-elle lu l'un ou l'autre article du *Devoir* ou de *La Presse* ou du journal *Les Affaires* qui faisait état de mes réflexions sur les affaires internationales. J'eus une très curieuse pensée : pouvait-elle être divorcée et tenter, à l'aide de son calepin, de faire le tour des hommes qui l'avaient courtisée afin d'en décrocher un pour la fin de semaine? J'avais honte de penser cela, et pourtant, je ne parvenais pas à me chasser cette idée de la tête. Enfin, quelle personne, après une trentaine d'années, rappellerait quelqu'un qu'elle a connu aux études et qui l'a courtisée? Une idée folle en crée une autre plus folle encore, quand la présence d'un être dans notre vie nous déstabilise. Je pensais même qu'elle pouvait être déséquilibrée et dangereuse. Je me rappelai quelques titres de films, *Les Liaisons dangereuses* et *Liaisons mortelles*, notamment, qui me donnèrent un vrai frisson dans le dos. Je pensai à tout cela, pendant que j'hésitais à l'autre bout du téléphone et que mes hésitations, loin de créer une atmosphère de détente, froissaient son ego.

— Patricia, ça fait si longtemps, si longtemps, dis-je avec une certaine tristesse que je n'arrivais pas à voiler et qu'elle saisit immédiatement au passage, comme on met le grappin sur une carpe endormie.

— J'espère que tu vas bien, Jacques, dit-elle avec un brin de sous-entendu.

Et là s'entama un retour dans le passé par lequel Patricia réussit à me faire revivre des émotions oubliées, enfouies dans mon inconscient, des émotions que j'étais parvenu à faire taire, un de ces jours où l'on décide que notre vie tient uniquement à ce qu'on en fait. À travers cet appel téléphonique imprévisible, à travers cette voix qui rappelait tant de frissons intérieurs que j'avais ressentis et que les souvenirs réussissaient à faire renaître comme si le temps ne les avait pas érodés, j'étais laissé à moi-même. Je devenais l'esclave de ces souvenirs pourtant bien loin dans ma mémoire l'instant d'avant. J'étais littéralement envahi de toutes parts par des pincements au cœur, lésions internes dont je ne parvenais à voir ni la cause ni la fin. Il me vint soudain à l'esprit que tant que Patricia ne me dirait pas où elle voulait en venir, la souffrance ne pourrait qu'augmenter. J'étais donc décidé à lui arracher ses intentions, fussent-elles inavouables, lorsqu'elle me précéda, à la manière de quelqu'un qui sent que s'il n'agit pas tout de suite, il perdra tout ce qu'il a misé, tous les espoirs qu'il a construits.

— Penses-tu que tu pourrais te libérer bientôt pour qu'on se voie, question d'échanger nos souvenirs et de nous raconter ce qui nous est arrivé respectivement depuis tant d'années? dit-elle avec un enthousiasme qui me sembla trouver son fondement dans une intention voilée.

— Euh, quoi? Euh, oui, bien sûr, hésitai-je.

J'étais pris au piège. Accepter eût signifié que j'entrais dans son jeu, dont les finalités m'étaient totalement inconnues, mais que je ne pressentais guère rassurantes. Ma raison me conseillait de ne pas adopter cette ligne de conduite, de me garder à tout prix de périls imprévisibles. Refuser eût été non seulement manquer d'élégance, mais surtout nier mon désir de la revoir à nouveau. Le désir eut le dessus sur la raison, comme il arrive souvent à ceux dont les dilemmes jamais résolus ont été enfouis dans des souvenirs oubliés.

— Oui, oui. C'est d'accord, on pourrait se voir demain au dîner. Disons, au restaurant vietnamien *Hanh Truong*.

— À demain donc, mon cher Jacques, dit-elle, avec une voix qui vous passe la main dans les cheveux, comme une tendresse qui abat toutes vos résistances d'un seul coup.

Je raccrochai lentement. J'espérais presque entendre sa voix m'interpeller pour ajouter autre chose. Rien, plus rien. Seul le silence qui pesait sur moi, et les souvenirs qui s'abattaient les uns sur les autres et m'empêchaient de me remettre au travail. J'étais envahi par sa beauté, son image juvénile qui m'avait inspiré tant de poèmes, son souvenir depuis si longtemps caché au fond de ma mémoire et qui soudain réapparaissait, comme si par magie, elle reprenait vie pour venir troubler mon existence, ou pour une autre raison qui m'échappait et que seul un devin aurait pu identifier. J'étais malgré tout angoissé par cette rencontre du lendemain, incapable de savoir à l'avance quelle serait ma réaction en la voyant, en discutant avec elle et en la quittant à la fin du dîner. Tout cela m'apparaissait totalement indéfinissable. Elle avait trop représenté pour moi dans une existence antérieure pour que je puisse prévoir ce que je ferais quand je serais devant elle.

***

24 janvier 2002, Ferme de la Conscience épanouie, 19h50

Lorsque je marchai sur le trottoir enneigé menant à la bâtisse principale de la Ferme, je ne remarquai pas que Vénus aboyait constamment. Je croisai pourtant ses yeux au vol et y observai une forme d'inquiétude inhabituelle. Je n'en fis aucun cas, hanté que j'étais par ma conversation toute récente avec une ancienne amie dont j'avais tant désiré posséder le cœur. Je me demandais bien ce que j'allais raconter et ce que cela allait me donner de le faire. Je trouvais l'exercice à la fois futile et extrêmement important. Quel paradoxe! L'être humain est ainsi fait: il se crée des contradictions qui le font se sentir mal à l'aise, le placent dans une position si insoutenable qu'il en cherche l'issue finale. Il tient aux deux pôles à la fois, sachant qu'il n'y a de solution durable que dans le fait de laisser tomber l'un des deux au profit de l'autre. Cela, j'étais incapable de l'envisager. C'est pourquoi j'allais à cette soirée avec la conviction que j'en ressortirais bredouille. Pourquoi y allais-je, alors? Le maître m'impressionnait par ses sages pensées. Mais ce dont j'avais vraiment besoin ce soir-là, c'était de la puissance du groupe. C'était ce que je venais chercher. Même si je sortais avec un dilemme non résolu, j'aurais au moins avancé sur un point: donner au groupe et recevoir de lui en retour.

Lorsque j'entrai, la plupart étaient déjà là en position de méditation. Je leur tournais le dos, le temps d'enlever mon manteau, quand je sentis une main douce et sensuelle me frôler les côtes par-derrière. Je frissonnai mais fis mine de rien en me retournant. C'était Corinne. J'ai déjà dit que c'était une amoureuse, une passionnée. Ce soir-là, je la sentais chaude, même très chaude. Ça tombait mal pour moi. Je n'avais nullement besoin de ce genre de tendresse. Surtout pas ce soir-là. Bien que je n'en fisse pas grand cas, en fait, le moins possible, Corinne avait noté, comme la plupart des femmes, d'ailleurs, qu'elle avait marqué un point, qu'elle m'avait touché quelque part à l'intérieur. Elle le savait, à ce moment-là, probablement mieux que moi-même. Je fis exprès pour m'installer loin d'elle. J'étais assis entre Chantale, celle qui doute de tout et de rien, et Armande, celle qui est suicidaire, ou à tout le moins dépressive. Il ne s'écoula que très peu de temps avant que des orteils ne viennent me masser le bas du dos. Corinne venait de se rapprocher de moi, comme pour assurer son territoire.

Lorsque le maître entra, nous ouvrîmes nos yeux à sa sagesse. Il ne formula que deux courtes réflexions qui devaient orienter nos discussions, d'une manière ou d'une autre. Il cita d'abord Sédir : « C'est par l'amour de notre idéal que tout ce qu'il y a de vivant, de lumineux, d'ailé en nous, entraîne notre être vers un certain soleil et l'acclimate à son atmosphère fertilisante ». Quelques instants plus tard, il cita Omraam Mikhaël Aïvanhov : « Seul ce qui est en nous est proche de nous ». Un silence profond s'installa. Je ne sais combien de temps il dura, puisque le maître nous enjoignait de ne pas le mesurer. Il disait que plus notre méditation serait profonde, plus nous n'aurions aucune idée du temps objectif, mesurable qui venait de s'écouler. Au moment où il jugea sage de commencer la séance, le maître ouvrit le bal en demandant s'il y avait une âme troublée dans la pièce. Je restai silencieux, comme les autres. Je trouvai ce moment particulièrement lourd, car j'étais déchiré entre le besoin de me livrer et la peur de le faire. Ce fut Corinne qui me délivra.

— Je crois que Jacques se sent mal, ce soir. Je le sens rempli de tensions. Je crois qu'il a vraiment besoin d'en être libéré, précisa-t-elle calmement.

— Bien, je te remercie de toute l'aide généreuse que tu veux apporter à ton frère, dit le maître avant de retomber dans son silence.

Il nous respectait toujours. Il savait qu'une personne avait beau faire un geste comme celui de Corinne, cela ne voulait pas dire que l'individu visé était prêt à se livrer au groupe. Chaque personne devait respecter le rythme de l'autre. C'était une règle sacrée. Ce soir-là, je l'ai particulièrement appréciée. Les minutes qui suivirent furent remplies des désastres vécus récemment par Chantale et par Armande. J'essayai d'écouter, mais mon esprit n'était pas là. Je n'arrivais pas à le décoller de ce qui le préoccupait. J'entendais leurs révélations de manière diffuse et floue, comme si leur voix était transportée à travers de longs tuyaux. À un certain moment, je sentis que je devais me mouiller et, au premier silence qui suivit, j'entamai mon témoignage.

—Il se passe présentement quelque chose dans ma vie qui me trouble, commençai-je avec une légère hésitation que perçut le maître.

—Tu peux tout nous dire. Nous sommes là pour t'aimer, dit ce dernier.

—Oui, je... je... Une ancienne amie m'a téléphoné aujourd'hui. En fait, ce n'est pas vraiment une amie, c'est comme si l'amour de ma vie s'était soudain rappelé que j'existais après plus de trente ans d'absence. Je dois la rencontrer demain, et je suis terrifié.

J'étais, tout à coup, calme intérieurement, et soulagé d'avoir lâché le morceau devant le groupe. Ce sentiment de bien-être ne dura que quelques minutes. Il disparut aussi vite qu'il était venu. Tout se passait comme si me libérer de mes tensions devait prendre plusieurs chemins à la fois ou devait franchir plusieurs étapes, que j'en sois conscient ou non. Chacun y est allé de ses bons conseils. Tous étaient bien intentionnés, mais j'avais l'impression de les entendre comme on écoute distraitement une symphonie ou un opéra qui ne nous plaît pas. La musique est belle, mais ce n'est simplement pas ce qui nous prend aux tripes. J'étais ainsi vaguement touché par les paroles des uns et des autres. Personne n'arrivait à ébranler mon cœur. Personne n'avait eu l'intuition de voir en moi un désespéré. J'en étais là, quelque peu excédé par les réponses remplies de bonté, mais que je trouvais inutiles en l'occurrence, quand Corinne, encore elle, ajouta quelque chose qui fit l'effet escompté, celui que je recherchais sans me l'être consciemment avoué.

—Je crois que tu dois, Jacques, laisser de côté tous tes préjugés. Ils vont t'empoisonner la vie. Laisse-toi aller. Laisse la vie te montrer ce qu'il y a de beau. Si cette femme veut te rencontrer, fais que cette rencontre te soit des plus enrichissantes. Ouvre-toi à la vie. Dis oui à la vie, ajoutait-elle avec un enthousiasme que je ne lui connaissais pas.

—Tu touches là un point. Oui, Corinne. Je... je crois que tu... je crois que tu as raison. C'est la première fois dans ma vie qu'on me dit une telle chose. Avec le recul, avec l'enseignement que nous partageons ici, je crois que tu as frappé dans le mille. Il me reste seulement à savoir ce que tout cela voudra dire concrètement.

—Abandonne ta volonté. Laisse faire les explications et justifications. La vie est désir. Profites-en, poursuivit Corinne avec un sourire charmeur.

Les discussions se polarisèrent ensuite sur d'autres personnes. À ma grande surprise, je me suis vraiment intéressé à ce qui leur arrivait. J'attribuai mon attitude tout d'abord à la joie d'avoir partagé mon angoisse. Quand je démontrai de la compassion pour ce que vivait Linda, je me surpris de prendre conscience qu'en fait, je venais d'ouvrir mon âme. Jusqu'où serait-elle capable d'ainsi s'ouvrir aux autres et à la vie? Je n'en savais rien. Depuis ce jour-là, j'ai souvent senti un vent frais adoucir le trouble-fête qu'il y avait en moi.

À un certain moment, les discussions cessèrent et le maître se leva, signe que nous pouvions faire de même. À travers l'encens qui nous remplissait les narines et saturait nos vêtements d'une douceur à laquelle on ne s'habitue jamais, nous nous étreignîmes en un cercle d'amour qui se voulait un symbole de l'amour universel, disait le maître. Ce n'était pas la première fois que nous faisions ce cercle. Au début, je n'avais rien senti. La plupart du temps, je n'avais qu'un vague sentiment de faire un avec les autres. Ce soir-là, je sentis de l'énergie me passer dans tout le corps. C'était comme si un courant électrique nous avait traversés les uns et les autres par le contact de nos corps entassés comme dans un cocon d'affection. Je n'ai que très rarement senti autant d'amour me traverser le corps que dans ce moment intense de ma vie. Lorsque l'étreinte vint à finir et que je baissai les bras, je dus m'essuyer les yeux, à ma grande surprise. Je n'avais pas senti ces larmes naître comme une rosée du matin. Je les ai essuyées comme on caresse un miroir antique qui nous renvoie des images du présent entourées d'un passé inévitable.

Nous avons ensuite bu notre boisson spirituelle, faite de kiwis, de fraises et de poires pressées. C'est un moment où les gens vont les uns vers les autres pour échanger quelques bonnes paroles, ou simplement pour demeurer en silence, avec ou sans les autres. Pour ma part, j'étais seul et n'avais pas plus besoin de parler que de m'empresser de vider mon verre. Priscilla vint vers moi. Je ne m'attendais guère à ce qu'elle vienne me parler. La compagne de vie du maître parlait très peu aux membres du groupe. Je pensai qu'elle voulait m'entretenir de mes révélations et des discussions qui s'étaient ensuivies. Rien de tel. Ç'aurait été trop simple.

— J'ai bien aimé ton retour sur toi-même. Ça m'a beaucoup émue, dit-elle, pour aborder un autre sujet par la suite.

— Je suis heureux de l'appui du groupe. C'est la première fois qu'il me renverse autant, ajoutai-je.

— Nous avons de ces surprises dans les groupes. La destinée cosmique est là pour prendre soin de nous, ajouta-t-elle, comme pour impressionner la galerie.

— Oui, la destinée cosmique est... commençai-je

avant qu'elle ne m'interrompe, avec des yeux qui voyaient dans cette discussion l'amorce de mots inutiles.

—Je crois qu'il serait bon pour toi de coucher ce soir à la Ferme, dit-elle en me quittant.

Sur le coup, je ne compris pas très bien ce qu'elle voulait me dire. C'est seulement plus tard que j'en saisis le sens. En quelques minutes, je me décidai à passer la nuit à la Ferme. C'était une possibilité offerte à tous les membres du groupe qui en sentaient le besoin. Le soir, il y avait d'autres activités spirituelles, dont des conférences sur des sujets tels que la réincarnation et le voyage astral.

Ce soir-là, il y avait justement une conférence sur la réincarnation à laquelle j'assistai avec d'autres membres du groupe. J'y appris des notions intéressantes sur le karma, le voyage des âmes après la mort et leur retour à la vie. Comme je n'arrivais pas encore à accepter cette possibilité, la conférence ne m'a pas convaincu. Elle a été simplement l'occasion de m'ouvrir l'esprit et de mieux saisir les enjeux des vies futures qui nous attendent. À la sortie de la salle, Corinne m'accosta. Elle semblait avoir adoré la conférence, un sentiment que je partageais mais avec moins d'intensité qu'elle. Nous échangeâmes quelques remarques sur le sujet en remontant chacun à notre chambre. Un bonsoir, et nos portes se refermèrent pour nous permettre d'entrer dans nos inconscients respectifs.

J'étais étendu, les yeux fixés au plafond depuis une bonne quinzaine de minutes, quand on frappa à la porte. Avant que je n'ouvre, elle prononça son nom «C'est moi, Corinne». Je fis entrer Corinne, qui ne voulait que me dire quelques mots d'encouragement pour ce qui m'arrivait. Nous nous sommes assis et elle me combla de bonnes paroles, de consolation et même de douceur durant une bonne heure. À la fin, je commençais à avoir sommeil. Les yeux me fermaient tout seuls. Ses douceurs verbales n'arrivaient plus à soutenir mon attention.

À ce moment précis, elle s'avança et usa de ses charmes. Le reste de la nuit y a passé. J'ai dû penser que résister serait convenable, mais cette idée n'a pas vécu longtemps en moi. J'ai cru que nous pouvions célébrer ensemble son fameux «Oui à la vie». Entre deux spasmes, je compris qu'elle venait de me donner le plus beau cadeau : elle m'avait délié l'esprit.

***

25 janvier 2002, restaurant Hanh Truong, Montréal, 11 h 45

J'étais arrivé un peu à l'avance. Je ne suis jamais en retard à mes rendez-vous. C'est un principe sacré chez moi. Si, un jour, je transgressais ce principe, ce serait reconnaître que je ne suis pas fiable, ce que je ne pourrais jamais supporter. J'étais là trente minutes avant l'heure H, ce moment où un être passionnément aimé refait surface après avoir été oublié. Je ne tenais pas en place. Je frottais la tasse de café que j'avais commandée en attendant. Un café avant de prendre un repas, cela peut vous apparaître incongru! Ce n'est pas non plus mon habitude d'agir ainsi. Ce jour-là, j'avais besoin d'un remontant. Je n'étais pas découragé. J'étais simplement si anxieux, que je n'avais besoin que d'un café bien chaud sur lequel mes lèvres pourraient se brûler. J'aurais ainsi l'occasion de revenir de mes rêves d'antan à la réalité. Le visage de Patricia me revint en tête. C'était un regard qui datait de bien longtemps. Je savais que seuls ses yeux seraient tout à fait reconnaissables. Je me doutais bien qu'elle avait changé. J'avoue avoir même pensé qu'elle aurait de belles formes arrondies. Ce n'est pas un aveu dont j'ai honte, puisque j'aime les femmes un peu rondes. Même plus ronde qu'elle était lorsque je l'avais connue, j'étais encore convaincu qu'aujourd'hui, je la trouverais désirable. Ses cheveux bouclés ne faisaient que me revenir constamment en tête, comme si j'avais pu un jour glisser les doigts en eux, pour m'imprégner de sa douceur de femme. Je n'avais jamais eu cette chance, pourtant. Cette rencontre serait sûrement l'opportunité de faire revivre quelque chose du passé, mais je ne me faisais aucune illusion sur l'avenir. Pourtant, mes jambes étaient si excitées, mes mains étaient si dansantes que mon corps me disait que j'espérais plus de cette rencontre que de toute autre que j'avais faite depuis des années.

À un moment, je levai les yeux vers les portes tournantes. Hommes et femmes entraient, gelés par le froid extérieur, souriants de se retrouver au chaud. Je quittai les visages et considérai les gens assis à chacune des tables. J'effectuai un survol rapide, sans m'arrêter. Des couples, des amis, la vie de tous les jours. Rien de mystérieux, si ce n'est l'existence que chacun mène à sa manière ou s'accommode de la condition humaine. J'en étais à ces considérations existentielles lorsqu'une démarche attira mon attention. Je ne l'avais pas vue pousser les portes tournantes du restaurant. Je fus attiré par cette femme qui secoua son foulard. Ses cheveux bouclés légèrement grisonnants semblaient mouillés par une rosée du matin. Je ne pus retenir l'émotion qui m'envahit. Je sentis mes oreilles rougir, presque bouillir. Mes muscles se tendirent. Elle ne m'avait pas encore aperçu, je crois. Je la voyais regarder aux tables, à la recherche d'un visage qui puisse ressembler au mien. J'avais la chance de la voir ainsi, sans qu'elle puisse savoir que je l'observais. C'était comme d'avoir l'opportunité de l'épier, sans que mon regard puisse l'influencer dans ses réactions. Le visage sérieux, elle avançait. Sûre d'elle, comme elle l'était le jour où j'étais tombé amoureux d'elle. Je sentais pourtant en elle de la lourdeur, comme si la vie l'avait tuée. Lorsque je l'avais connue, elle était remplie d'une telle vivacité que je pensais n'avoir aucune chance de ravir son cœur. Ce n'est pas que j'étais sans énergie. C'était plutôt que ces filles extrêmement dynamiques deviennent si influentes dans un groupe que peu d'hommes ont véritablement accès à leur amour. Cette énergie extraordinaire semblait s'être en grande partie évaporée. Elle pouvait connaître une mauvaise journée, ou avoir vécu un événement difficile tout récemment. Mais quelque chose me disait que cette lourdeur dans la démarche avait des racines plus profondes encore.

Je suis resté immobile les quelques secondes durant lesquelles son regard cherchait le mien. Sa beauté me semblait éblouissante, comme si les lumières tamisées du restaurant vietnamien se trouvaient annihilées par les reflets parfaits de son éclat. Je goûtai ces secondes comme on apprécie un vin qu'on a laissé vieillir de nombreuses années. J'aurais aimé qu'elles durent plus longtemps encore. Lorsque son regard croisa le mien, j'étais encore perdu dans mon éblouissement, de sorte qu'elle ne vit aucun sourire, mais plutôt un homme au regard béat. Je crois qu'elle en fut touchée. Je vis ses sourcils s'inquiéter un instant, puis sembler tout oublier pour se concentrer sur une salutation amicale qui me parut avoir été apprise par cœur.

Lorsque les mots commencèrent à dévaler les pentes de nos angoisses respectives, je compris que l'enthousiasme dont elle avait fait preuve au téléphone venait de subir le contrecoup de la réalité. Je crus percevoir quelques minimes changements sur son visage. Un air de joie et d'excitation s'était mué en déception, une déception si légère, si volatile qu'elle échappait presque totalement à sa conscience. Dès qu'elle prononça quelques mots, j'entendis son cœur me dire qu'elle était désillusionnée. Pourtant, je n'avais pas énoncé une seule phrase. Peut-être mon apparence n'était-elle pas ce qu'elle attendait! J'avais perdu quelques cheveux, bien sûr. Peut-être trop à son goût, beaucoup trop pour demeurer séduisant à ses yeux. Pourtant, en la regardant me parler des difficultés qu'elle avait rencontrées avant de finalement atterrir dans ce restaurant, je l'entendais presque me dire à l'oreille: «Je suis déçue, parce que le passé n'a rien changé. Je te vois avec les yeux du passé et je ne peux rien faire pour empêcher cela». Le cœur commençait à me serrer. J'entendis sa voix comme un écho vague, silencieux. Je ne voyais plus que son regard pétillant dans lequel je ne désirais que me bercer. Lorsque, à un moment ou l'autre, j'arrivais à prononcer quelque parole, alors qu'elle déblatérait intarissablement, je redécouvrais avec tendresse un tic très particulier qu'elle avait toujours eu à l'œil droit: un clignement qui survenait chaque fois qu'elle cherchait à comprendre mes véritables intentions lorsque je m'adressais à elle. Après toutes ces années, le tic avait survécu. Si bien qu'il me rendait Patricia plus désirable encore. J'en étais là, lorsqu'elle me jeta une question aussi terre à terre qu'imprévisible.

— Et puis, qu'est-ce qui t'es arrivé, Jacques, durant toutes ces années? me lança-t-elle, à la manière de quelqu'un dont la curiosité n'est pas encore très aiguisée.

J'allais commencer à répondre, lorsque subitement je pris conscience de l'extrême difficulté de le faire.

Comment raconter autant d'années en si peu de temps? Comment surtout arriver à faire qu'il n'y ait pas eu ce passé et que je sois en train de discuter avec celle que j'avais aimée, sans me préoccuper de l'avenir? Je ne pouvais empêcher le passé d'avoir été, ni même d'exercer son influence dans mon présent. Patricia était un retour du passé dans ma vie actuelle. Comment aurais-je pu lui raconter ma vie depuis que je l'avais vue la dernière fois, alors que j'étais tenaillé par l'angoisse de ne pouvoir l'aimer toute ma vie? N'était-ce pas peine perdue? Tout ce que nous avions à faire, n'était-ce pas de parler de notre présent? Toutes ces questions se bousculaient dans ma tête, alors que Patricia attendait ma réponse et semblait s'impatienter.

— Oh, tu sais, la vie nous emmène ailleurs que là où l'on pensait se retrouver un jour. Mais parlons plutôt de toi. Qu'as-tu fait pendant toutes ces années?

— D'accord, on reparlera de toi plus tard, me dit-elle avec un sourire qui montrait sa déception. Par où devrais-je commencer? Disons que j'ai fait un tas de choses jusqu'ici. J'ai touché au journalisme.

— Ah oui? Mais sur quel sujet écrivais-tu? lui demandai-je, surpris.

— Sur la littérature jeunesse dans les premières années, puis sur la littérature fantastique et de science-fiction. Je signais des analyses de livres dans différentes revues où j'avais une chronique, ou quelquefois dans des journaux locaux. Étant donné le travail de mon mari, nous avons changé de ville assez souvent, tant au Canada qu'aux États-Unis.

Le mot «mari» sonnait curieusement dans ma tête, comme le gong qui vous réveille probablement pour vous dire que vous êtes mort.

— Fascinant. J'ai toujours cru qu'il y avait une âme d'artiste en toi.

—Peut-être. Mais, je faisais cela pour le boulot, pour m'occuper, surtout au début. Puis, j'ai eu la piqûre et j'ai commencé à avoir de la difficulté à lâcher mes bouquins. C'est là que tout a changé.

Son visage était soudain devenu triste

—Qu'est-ce qui a changé? demandais-je, sans trop réfléchir. Excuse-moi, je n'ai pas à savoir ce qui...

—Non, ce n'est plus rien. À l'époque, mon mari était très occupé. Il avait aussi beaucoup de plaisir à se retrouver en bonne compagnie, si tu vois ce que je veux dire. C'est peut-être pour ça que je me suis mise à lire autant. Une chose en attire une autre. Et puis, il y a eu cette soirée, et... ce fut la dernière qu'il passa avec moi.

Je la voyais abattue. Pourtant, ses épaules me montraient une femme forte, déterminée. Elle devait avoir ce genre de tristesse qui nous tenaille, mais qui n'arrivera jamais à nous ébranler dans nos fondations. Je la trouvai soudain très belle, et pensai que j'étais ridicule de trouver une beauté quelconque à une femme qui se noie dans la tristesse.

—À part la littérature, as-tu eu d'autres intérêts? Tu disais avoir fait un tas de choses et...

—Oui, j'ai fait de la peinture. Je continue à en faire, d'ailleurs. Avec les années, je crois que je sais maintenant ce que je veux révéler dans mes toiles.

—Que veux-tu dire par révéler?

—Eh bien, les peintres veulent dire quelque chose. Quand on peint, on veut révéler ce qui est caché. Ce qui est enfoui dans l'âme du peintre, dans son soi le plus profond. Ce qui, dans l'objet peint, n'arrive pas à être perçu par les autres. Il y a ces deux dimensions du «caché» que j'ai découvertes avec le temps dans mes toiles.

—Et que cherches-tu à révéler?

—Ce qui est voilé en moi, c'est la peur, la peur de la mort.

L'expression était si lourde que je cherchai à contourner le sujet. Peut-être étais-je moi-même trop angoissé par la mort, lorsque le mot était prononcé par une personne que j'avais tant aimée.

—Mais, en plus, que veux-tu dévoiler qui est dans l'objet de tes toiles?

—Je désire enlever le voile qu'il y a sur notre monde, celui qui recouvre la culpabilité. C'est ce qu'il y a dans le regard des gens dont je fais les portraits. Ils sont torturés par la vie.

—Oui, intéressant, dis-je sans grande conviction.

Patricia ne sembla pas prêter attention à mon hésitation, son regard étant ailleurs, loin de ce restaurant où nous étions assis.

—Tes toiles doivent être bien appréciées, j'en suis sûr, dis-je avec la volonté de me racheter plus que d'affirmer une conviction profonde.

—Écoute, avec les années, j'ai raffiné mon style, mais c'est difficile de ressortir du lot de peintres qu'il y a au Canada. Ça l'est encore plus aux États-Unis. L'an dernier, j'ai eu un bon article dans le *Globe and Mail* lorsque j'ai eu un vernissage à la galerie *Gevik*, de Toronto. Ça m'a ouvert d'autres portes. Je suis en discussion actuellement pour un vernissage à la galerie *Clementine*, de New York, sur la 27e rue ouest.

—Merveilleux. Je t'envie, tu sais.

—Les gens envient les artistes, mais ils n'ont aucune idée du travail et de l'angoisse que l'art leur impose. S'ils le savaient, ils ne les envieraient plus du tout.

—C'est toujours le même phénomène, dans la vie. On envie ce qu'on ne connaît pas et qu'on idéalise, pour des raisons qui sont enfouies dans notre inconscient.

Un silence s'installa. Elle me regarda soudain

différemment. La pupille de ses yeux sembla se dilater. Le tic de son œil droit refit surface. Je sentais
qu'elle me regardait comme un autre. Un autre que
celui auquel elle avait parlé au téléphone. Un autre
que celui qu'elle avait entrevu en entrant dans le
restaurant. Un autre que celui qu'elle avait cru
rencontrer en s'asseyant devant moi.

— Et tes enfants?

— Ah, mes chers enfants. Gabriel veut faire du
théâtre toute sa vie. Ce n'est pas moi qui vais l'en
dissuader, même si je sais que le chemin est tortueux.
Mais, la passion passe avant toute chose, n'est-ce pas.

— T'as bien raison. On s'intéresse à bien des choses,
mais notre intérêt tombe tout à coup. La passion, elle,
demeure, inviolable, insurpassable, inébranlable.

— Ensuite, dit-elle sans répondre à ce que je venais
de dire, il y a mes merveilleux triplés, Jean, Sophie et
Karine. Tous les trois sont très proches l'un de l'autre.
Il y a entre les filles surtout une telle complicité que
quelquefois même leur mère n'y comprend rien. Il
semble y avoir entre eux un lien indélébile que rien
n'affectera, pas même les chicanes qui peuvent
occasionnellement les séparer pour un moment.

— C'est comme s'ils ne faisaient qu'un, tout en étant
trois.

Un nouveau silence, plus lourd encore, s'imposa.
Patricia eut les yeux baignés d'émotion. Je ne compris
pas pourquoi ce que je venais de dire la troublait tant.
Je me rendis compte, à la regarder, que ce n'était pas
tant ce que je venais d'affirmer qui importait, mais ce
à quoi cela renvoyait dans sa vie. Elle s'essuya les yeux,
en regardant par la fenêtre, comme pour éloigner les
regards qui auraient pu se poser sur elle.

— Maintenant, c'est le temps que tu me parles de toi.

Je ne pouvais plus me dérober. Cela aurait été non

seulement insultant, mais indigne. J'ai donc commencé à lui raconter ma vie depuis notre dernière rencontre, en évitant bien des événements que je n'avais simplement pas le goût de partager et en insistant sur d'autres qui me rendaient plus à l'aise. Plus je racontais de choses, allant jusque dans des détails quelquefois inutiles, plus je voyais dans le visage de Patricia qu'elle appréciait que j'en dise autant à mon sujet. J'ai vu son visage s'attendrir durant l'heure qui suivit. Nous avons même ri ensemble de certaines de mes maladresses dont je lui fis part. À un moment, elle rit tellement que je me demandai si cela ne l'aidait pas à dominer l'angoisse qui l'avait tenaillée en parlant de ses deux filles. Je compris à ses paroles que c'était une marque d'amitié, peut-être même de tendresse à mon égard.

Je ne sais pas pourquoi j'ai abordé la question, mais je lui ai raconté la mort de mon père, alors que je n'avais que douze ans. Son visage s'assombrit. Peut-être l'angoisse de la mort faisait-elle son travail en elle. Je ne saurais le dire. Chacun a ses propres histoires liées à la mort et sa manière de lui faire face ou de l'éviter. Je lui ai révélé que chaque mort était pour moi une terrible épreuve, comme une simulation de la mienne. Je pleurais la mort de mes souvenirs. Plutôt, je pleurais la survivance du mort à l'état de souvenirs, sans plus jamais être liés au corps du décédé. La musique et les chants, durant les funérailles, ne faisaient que provoquer davantage en moi une telle prise de cons-cience. «L'esthétique te rejoint même dans la mort», me dit Patricia avec grande délicatesse.

Lorsque le repas fut terminé et que l'addition me fut remise, nous pressentions tous deux que c'était la fin de notre entretien. J'aurais voulu faire durer plus longtemps notre rencontre. Quelquefois, le désir n'a pas raison. Il se trompe sur ce qui doit être. Mais comment terminer ce dîner? J'étais comme un écrivain devant la page blanche, ne sachant ni ce qu'il faudrait écrire, ni comment le faire. Je me jetai dans le vide, probablement à la manière de l'écrivain lui-même.

—Je crois, Patricia, que tu n'as pas changé et, en même temps, tu n'es plus la même que lorsque nous nous sommes quittés. C'est probablement la même chose pour moi.

—Que peut-on y faire? Le temps a toujours raison de tout.

—On ne peut rien faire contre le passé tel qu'il a été, c'est sûr.

—Le passé a fait que je ne suis plus la même que celle que tu as connue. Tu n'es plus le même non plus, sois-en assuré.

—Et pourtant, on est là à discuter ensemble...

—De ce qu'on est arrivés à devenir.

Un silence, puis quelques soupirs de part et d'autre.

—Peut-être devrions-nous nous revoir encore, question de vérifier ce qui a changé ou non. Qu'en dis-tu? me demanda-t-elle, avec l'incertitude accrochée aux lèvres.

—On ne pourra jamais y arriver, Patricia. Ce qui était là n'y est plus. On ne pourra faire la différence. Mais je crois que tu as une bonne idée. J'aimerais bien qu'on puisse faire quelque chose d'autre, la prochaine fois. J'ai quelques petites idées à ce sujet-là. Qu'en dirais-tu?

—Tu m'appelles à ce numéro. Tu as aussi mon adresse courriel sur ma carte professionnelle. Je passe en ville de temps en temps. On pourrait se fixer un rendez-vous la prochaine fois que je viendrai.

—Avec grand plaisir, Patricia.

Après que j'eus payé l'addition, nous nous sommes

levés et sommes sortis du restaurant. Nous étions silencieux, marchant côte à côte, comme si nous avions attendu un signe, quelque chose qu'elle m'aurait envoyé ou que je lui aurais manifesté. Mais rien ne se passait, si ce n'est l'attente.

— Je suis divorcée.

— Moi aussi, dis-je avec une voix plus rauque qu'à l'habitude.

— Les gens pensent qu'on est alors plus libre, libre de tout, mais ils se trompent.

— La liberté est plus lourde.

Patricia me sourit. Ses yeux étaient si brillants que j'hésitais à conclure que c'était la joie ou une autre émotion qui les animait ainsi. Elle me fit un geste d'au revoir de la main, se détourna et fit une bonne quinzaine de pas avant de s'arrêter et de se retourner. Quant à moi, je n'avais cessé de la regarder, comme si je voulais tout capter d'elle, jusqu'au moment où mes yeux seraient incapables d'en percevoir quoi que ce soit, ou qu'elle ait tourné le coin, ou qu'elle ait démarré sa voiture. Elle me regarda un instant et sembla émue. Nous devions être à une quinzaine de mètres l'un de l'autre, je ne pouvais être sûr des moindres traits de son visage. Nous nous sommes salués, et chacun de nous s'est détourné pour prendre le chemin de son chez-soi.

***

28 janvier 2002, mon bureau au 22ᵉ étage de l'une des tours d'affaires, du boulevard René-Lévesque, 21 h 55

Je tardais à rentrer chez moi, ce soir-là, étant occupé avec un dossier asiatique qui prenait tout mon temps. Nous étions deux dans le bureau. Il y avait aussi ma collègue de travail, Helena Dubcek, spécialiste de l'Europe de l'Est. Elle venait de la République tchèque, de Prague, en fait, et était arrivée au Québec cinq ans plus tôt. Réservée, l'expression frondeuse, elle arpentait les couloirs du bureau avec cette élégance qui vous glace.

Ses tailleurs étaient toujours bien choisis, mais il y avait dans son allure ce petit quelque chose de trop, d'excessif. J'ai souvent cru qu'elle avait une âme triste et mélancolique, jusqu'au party de bureau de l'an dernier à l'occasion des fêtes de Noël où je l'avais trouvée plus ouverte que je ne le pensais. Je ne prononcerais pas le mot dévergondée, ce serait exagéré. Disons que le contraste entre ce qu'elle nous avait montré d'elle jusqu'à maintenant et ce qu'elle nous révélait de sa personne était frappant. Je me souviens m'être demandé à quoi cela pouvait bien tenir. Qu'est-ce qui pousse les gens qui adoptent un certain style dans leur comportement à subitement dérailler? Trop de retenue par le passé, de sorte que le volcan fait éruption? Le goût de vivre à plein, ne fût-ce que quelques minutes? Je ne sais pas. Je ne lui en ai jamais parlé. Le plus étrange, c'est que le lendemain de ce fameux party de Noël, elle reprenait ses mêmes attitudes, sa même manière de se conduire, comme si le soir précédent n'avait donné lieu qu'à un exercice de style.

Lorsque je refermai mes dossiers et quittai mon bureau, je la saluai. Son bureau était face au mien. Elle leva machinalement les yeux mais, contrairement à son habitude, elle s'arrêta net et me fixa dans les yeux.

— Vous travaillez tard, me dit-elle.

— Vous aussi, ajoutai-je.

J'allais partir, lorsqu'elle stoppa mon mouvement par une question qu'elle posait avec cette très légère angoisse qu'on sent chez un être qui a peur de la réponse qu'on pourrait lui donner.

— Ça vous dirait de dîner chez *Ming* un de ces jours? me demanda-t-elle avec des yeux qui me semblaient avoir changé de couleur.

Je ne sais ce qui m'a le plus surpris. Était-ce le fait qu'elle me demande de dîner avec elle, une première depuis que je la côtoyais? Où était-ce qu'elle ait choisi le restaurant *Ming*, un restaurant chinois haut de gamme que pas un de nos collègues, à ma connaissance, ne fréquentait? Mais surtout, une question me trottait dans la tête. Que me voulait-elle?

— Euh, oui, je vérifie mon agenda et je vous fais signe.

C'était la seule réponse qui m'était venue à l'esprit. J'étais pris au dépourvu. Helena avait adopté l'attitude d'une personne grandement frustrée. Lorsque je sortis de son bureau, je commençai à reculer dans le temps, repassant à rebours les dernières semaines et les derniers mois afin d'identifier ce qui pouvait l'amener à m'inviter à dîner. Rien. Je ne trouvai absolument rien. Aucun indice. Aucun dossier sur lequel on aurait pu avoir à travailler ensemble. Le plus étrange, c'est qu'elle ne semblait pas m'avoir invité pour une question de séduction, de charme. Dans l'ascenseur, je me remémorais cette minute passée dans son bureau. Je n'arrivais à identifier aucune piste vraisemblable pour découvrir ses véritables intentions. Au volant de ma voiture, j'avais éteint la radio pour penser plus à l'aise. Je conduisais, tout en étant plongé profondément en moi. Je me demandais par moments comment on pouvait être aussi attentif à la circulation routière tout en étant concentré sur autre chose. Les neuropsychologues ont sûrement des explications en rapport avec cette capacité du cerveau. Mais moi, je ne pouvais que rester ébloui devant cette possibilité que les humains ont de séparer les choses, de tout classer dans des catégories distinctes que l'on peut consulter simultanément.

J'arrivai chez moi épuisé. Je me laissai tomber sur le canapé et essayai d'oublier la proposition d'Helena. Pourtant, je n'y parvenais pas. Je ressassais continuellement ses paroles et me remémorais ses regards. Tout ou presque allait dans le sens de simples entourloupettes pour obtenir un rendez-vous galant avec un homme que l'on a longtemps désiré. Cette pensée me faisait du bien. De l'entendre dans ma tête était rafraîchissant, rassurant. C'était une manière de goûter à ma virilité telle qu'une femme pouvait la percevoir. J'aimais beaucoup cette sensation, tellement qu'à un moment donné, je me suis demandé si je ne préférais pas être dans un tel état émotionnel plutôt que de faire face à la réalité. Helena avait certainement de tout autres intentions. J'aurais bien aimé continuer à croire qu'elle ne cherchait à dîner avec moi que pour mes beaux yeux. Ce ne devait pas être le cas. Nous aimons trop souvent nous bercer d'illusions lorsque le réel est trop difficile à supporter. Un de ces jours, surgit une limite que l'on ne peut pas dépasser. Notre esprit n'accepte plus l'inconsistance et l'illusion disparaît d'elle-même pour nous laisser démuni devant la réalité claire et nette, incontournable. C'était de plus en plus clair dans mon esprit, Helena cherchait à me voir pour me parler de quelque chose qui la troublait. J'étais décidé à accéder à sa demande le plus tôt possible et à aller dîner avec elle dans les plus brefs délais, au cas où mon intuition aurait été juste. Il arrive que les gens en détresse aient peu de temps, qu'il faille aller vite pour que notre aide soit véritablement utile. C'est pourquoi j'étais résolu à aller la voir dans les prochains jours, peut-être même le lendemain, pour fixer un rendez-vous.

Je mis un CD de Santana et pris un livre. Il s'agissait d'une présentation des principes du feng shui, ayant comme sous-titre *L'harmonie avec son environnement*. Je n'ai jamais vraiment porté attention à ce genre de croyances qui me semblaient frôler la superstition. Le maître en a toujours parlé en grand bien. D'ailleurs, les bâtiments et pièces de la Ferme de la conscience épanouie sont tous feng shui. Il ne m'a jamais convaincu du bien-fondé de cette théorie. En lisant quelques dizaines de pages ce soir-là, j'étais surpris de constater que, le plus intéressant, ce n'était pas les règles et interdits dans l'organisation de son environnement physique, sa maison, par exemple, mais surtout la mythologie qui justifiait une telle organisation des choses au nom d'une harmonie à atteindre. J'avais l'impression de lire un guide fondé sur des mythes. Loin de diminuer mon intérêt, cette intuition eut pour résultat de me faire prendre conscience que nous ne retenons trop souvent des choses que leur surface, leur apparence, la première couche de leur essence, alors que les éléments les plus fondamentaux, ceux qui exercent le plus d'influence sur notre vie nous échappent. Notre esprit ne s'y est pas ouvert, de sorte qu'ils nous sont invisibles. Je sentis mes yeux s'alourdir quand Santana entama la pièce *Supernatural*. Mes mains restèrent accrochées au livre, comme s'il demeurait en moi un espoir de pouvoir réintégrer la lecture. Mon esprit voyagea dans des contrées inconnues, au passé mythique qui remontait à plusieurs millénaires. Durant ce sommeil léger, j'eus des visions de samouraïs et de combattants aux fastes armures, de philosophes qui déblatéraient sur les places publiques et de gens qui faisaient brûler de l'encens dans les temples situés tout près de chez eux. Lorsque mes yeux se rouvrirent, je me dis que le livre avait été plus puissant que je ne le pensais et j'allai me coucher.

***

4 février 2002, Montréal, 12 h 25

Ce matin-là, j'étais décidé à parler à Helena. Depuis trois jours, je cherchais à la contacter, mais il se présentait toujours quelqu'un pour m'interrompre. « Il y a de ces moments dans la vie où il ne sert à rien de précipiter les choses. Elles viendront d'elles-mêmes plus tard, quand les conditions seront réunies ». Je me redisais souvent ce principe du maître. Pour une fois, j'étais pleinement d'accord avec lui. Contrairement à mon habitude, je suis allé dîner chez moi, car j'avais oublié un dossier dont j'avais besoin en après-midi. Il m'arrive d'apporter du travail à la maison. C'est rare, toutefois, et je ne souhaite pas que ça se produise trop souvent, bien que je prenne plaisir à effectuer du travail durant mes heures de loisir. Ce plaisir me semble suspect. En travaillant chez moi par un beau samedi ensoleillé ou un dimanche qui m'invite normalement aux balades en auto, j'ai le vague sentiment que je me fais des idées sur moi-même, sur le motif de mon plaisir. Un jour, il m'est venu à l'esprit que si j'appréciais quelquefois me faire une petite valise de travail pour la fin de semaine, c'était pour me convaincre que j'étais efficace, que j'abattais beaucoup de boulot, contrairement à d'autres. Cette pensée hautaine avait peut-être du vrai.

Lorsque j'arrivai chez moi, je pris rapidement le courrier et je parcourus les lettres une à une en enlevant paletot et bottes. J'y découvris un trésor. Une lettre en provenance de Los Angeles, avec à gauche de l'enveloppe, juste en haut, l'adresse de ma fille. Avant même d'avoir inspiré deux coups, j'avais déjà pris connaissance du contenu. Jonathan m'avait fait un dessin. Il n'y avait qu'un tout petit mot: «Papa, Jonathan m'a parlé souvent de toi depuis qu'on s'est vus. Il t'a fait ce dessin. J'espère que tu l'aimeras. Il y a mis tout son cœur. Julie. »

J'étais estomaqué à la fois par ce petit mot et par le dessin. Julie recommençait à me parler. C'était peu de mots, vous me direz, mais pour moi, le contraste était immense avec le silence de toutes ces années au cours desquelles, l'un et l'autre, nous nous étions perdus. Elle me disait en quelques mots, implicitement, sans trop peut-être vouloir le révéler, que j'avais repris une petite place dans sa vie. C'était inespéré. Et le dessin de Jonathan, par-dessus tout! Il m'allait au centre de la poitrine, là où se joue toute notre vie, dans tous les sens. Il y avait beaucoup de couleurs et quelques formes à peine repérables. Je pouvais déceler qu'il y avait mis de l'énergie, comme lorsqu'on désire ardemment que notre message soit compris. J'écrivis son nom au bas de la feuille, avec la date du jour. J'ai pensé alors que j'aimerais voir ce dessin encadré pour le placer à côté des toiles qui illuminent mes soirées de réflexion.

Je n'avais plus très faim. Mon regard était plongé dans le dessin multicolore et il me vint une idée, celle d'aller acheter un jeu à Jonathan et de le lui poster. Une manière d'initier le contact entre le petit-fils et le grand-père. J'adorai cette idée qui venait de naître en moi et m'habillai immédiatement.

Lorsque je sortis dehors, il tombait de gros flocons, une de ces averses de février qui, d'habitude, ne durent pas très longtemps. Pas de vent, uniquement cette dentelle qui tombait du ciel. Je pris le métro pour me rendre au magasin de jouets *Mon ami Willy*. C'était une boutique qui venait d'ouvrir ses portes au centre-ville et qui se spécialisait dans le créneau des jeux éducatifs, avec des accents sur l'environnement et la justice sociale. On y retrouvait, entre autres, des jouets en provenance d'Asie et d'Afrique, de pays dont l'économie était chancelante, mais qui avaient tout de même suscité des entreprises de jouets originaux, illustrant les valeurs qui animaient ces peuples. Il y avait là de petits trésors que personne d'autre ne penserait à donner en cadeau. On y offrait, bien sûr, des jouets traditionnels pour garçons et filles, mais j'avais plutôt le béguin pour les jouets *équitables*, comme ils étaient étiquetés dans leurs affiches publicitaires.

Je me rendais au magasin en me rappelant, chaque seconde de ma rencontre avec Jonathan, ses sourires, ses yeux brillants et moqueurs. J'essayai de trouver quelque chose à lui offrir qui puisse convenir à sa personnalité. Je constatai alors que je connaissais trop peu de choses de lui. Comment donner un présent à quelqu'un que je n'avais vu qu'une fois, fût-ce mon premier petit-fils? Je ressentais une certaine impuissance à le faire, comme s'il fallait que deux êtres évoluent ensemble, même sur une courte période de temps, pour que la notion de cadeau ait un sens. Pourtant, j'étais décidé à ne pas reculer et à entrer dans ce magasin pour y dénicher quelque chose qui puisse lui faire plaisir, et me rendre heureux en même temps. Je voulais éviter la traditionnelle piste de course, mais quand j'arrivai à la boutique et que je regardai les jouets exposés dans la vitrine, je vis un superbe camion de pompier. Je souris à la pensée qu'en voulant éviter les jeux stéréotypés, j'étais tout de même tombé dans le panneau à la première occasion.

Une jeune commis au début de la vingtaine, les cheveux blonds en rafale avec des broches qui faisaient penser à ce que portent les geishas, me rejoignit d'une démarche nonchalante en mâchant de la gomme. Je dois dire que, dans ma conception de la bienséance, mâcher de la gomme au travail quand celui-ci implique une relation étroite avec le public n'a jamais été de bon ton. Plutôt déplacé, je dirais. Elle me demanda ce que je cherchais et m'offrit son aide. Comme je ne savais pas vers quels types de jouets me tourner, son aide me serait peut-être précieuse.

Je ne sais si le fait que je sois un homme a influencé sa réaction d'une manière quelconque, mais elle me conduisit directement dans la section des camions, voitures et trains pour jeunes de niveau primaire. Avait-elle décodé en moi cette indécision à franchir ou non les frontières des choix traditionnels? Je ne saurais le dire. Je ne lui avais donné verbalement aucun signe dans ce sens. Elle était en train de détailler différents types de véhicules pour les 6-9 ans, lorsque mon regard se porta sur une cliente que je venais de reconnaître et qui n'était qu'à deux rangées de moi. C'était Helena Dubcek. Je n'avais guère envie de la rencontrer. J'avais autre chose à faire de plus important et, surtout, je ne désirais pas connaître ses états d'âme. Je coupai court à la conversation avec la jeune commis échevelée et tournai les talons dans une direction opposée, afin d'éviter Helena. Je n'avais pas compris que lorsque l'on cherche à éviter à tout prix quelqu'un ou quelque chose, la rencontre qui surviendra plus tard ne sera que plus intense et, dans certains cas, plus souffrante. C'est peut-être une loi du destin que d'accroître les conséquences négatives d'un événement lorsque nous refusons d'y faire face. Le maître n'a jamais été très précis sur la question de la destinée; il préférait parler de karma. Mais plus je l'entendais déblatérer sur le karma, plus je m'ennuyais de cette vieille conception chrétienne de la destinée que les Frères chrétiens m'avaient enseignée dans mon jeune âge. J'ai dû prendre plus d'une demi-heure avant d'arrêter mon choix sur le camion d'incendie que j'avais vu dans la vitrine avant d'entrer. Il y a de ces intuitions qui ne mentent pas. Je me rendis à la caisse pour payer.

J'étais en train de penser aux mots que je dirais à Jonathan dans la lettre que j'annexerais au cadeau. Des mots simples, quelque chose qui révèle simplement mon bonheur de l'avoir rencontré, et mon espoir de le revoir prochainement. Rien de plus. Un enfant n'a pas besoin de plus de détails pour saisir l'amour qui nous anime. À ma grande surprise, Helena, qui était derrière moi, se faufila et me tapa sur l'épaule. J'avais oublié qu'elle était dans le magasin. Trouver un cadeau pour Jonathan avait été une tâche ardue et j'en avais négligé tout le reste. Je savais, en regardant Helena droit dans les yeux, qu'il me serait bien difficile de l'éviter. J'aurais pu inventer n'importe quoi pour partir à la course et m'éloigner le plus rapidement. Je n'avais pas envie de mentir et, je dois l'avouer, j'étais curieux de savoir ce qui la tracassait tant. Nous avons donc marché ensemble vers la sortie du magasin.

—J'étais venu pour acheter un cadeau pour mon..., commençai-je, avant d'être surpris par une émotion subite, inattendue.

—C'est souvent difficile de choisir un cadeau, surtout lorsqu'on ne connaît pas bien la personne à qui on l'offre.

—Comment savez-vous ça? Je veux dire, comment savez-vous que je ne connais que très peu le garçon à qui je vais offrir ce camion? demandai-je, intrigué.

—C'est simple. Vous n'avez pas pu terminer votre phrase lorsqu'il s'agissait de dire à qui ce cadeau était destiné. Cela n'arrive que lorsqu'on connaît peu le destinataire.

—Ah bon! Votre intuition est surprenante.

—Ce n'est pas de l'intuition, c'est la constatation

des faits, l'analyse toute simple de votre langage. Prenez un autre exemple : vous venez de dire que vous connaissiez très peu le garçon à qui vous donnerez ce cadeau. C'est une manière très impersonnelle de présenter les choses. Vous ne trouvez pas ? Quand on est si impersonnel, c'est que notre relation avec la personne a très peu de passé.

J'étais renversé par son analyse tout à fait exacte. Je me demandais comment j'avais pu la regarder sans la voir, lui parler sans la connaître. Il y a de ces gens qui sont des fantômes dans notre vie. On croit que ce ne sont que des vapeurs derrière lesquelles aucun être substantiel ne se trouve. Et puis, un jour, on découvre, sans chercher, que la personnalité de l'autre est beaucoup plus consistante qu'on pensait. On se surprend à se dire intérieurement que l'idiot, c'était nous.

Nous avons marché ainsi durant une bonne demi-heure. Elle m'expliqua qu'elle essayait de trouver un jouet pour son neveu, mais que ses recherches n'avaient rien donné, du moins dans ce magasin voué aux jouets éducatifs. À un moment, Helena s'arrêta de marcher, me forçant moi-même à le faire. Elle me regarda droit dans les yeux, comme si un ultimatum pendait au bout de ses lèvres.

— Vous voudriez prendre un café ? demanda-t-elle, avec un brin d'émotion dans la gorge.

— Euh, oui, euh, d'accord, hésitai-je, croyant que je n'avais rien à perdre à entrer discuter avec elle.

Je commandai un cappuccino, tandis qu'Helena prit un expresso. Des biscuits aux amandes s'ajoutèrent, question d'agrémenter le tout.

— Écoutez, j'aurais aimé ne pas vous déranger avec tout cela, mais je me sens totalement dépourvue.

— Soyez bien à l'aise, Helena. Sachez que j'en ai entendu de toutes les couleurs durant ma carrière.

Vous ne me surprendrez sûrement pas, ni ne me scandaliserez.

—D'accord, mais je veux que tout reste entre nous. Je ne veux faire de tort à personne, mais il y a des choses qui sont immorales, inacceptables.

—Je serai d'autant plus à l'écoute.

—Je pensais pouvoir en parler à Isabelle et à Monica qui travaillent avec moi, dit-elle, le regard angoissé. Mais, vous savez, les femmes ne sont pas toujours la meilleure oreille dans ces cas-là. On ne se connaît pas beaucoup. Mais, je sens les gens, comment ils sont à l'intérieur. Et vous avez l'air d'un homme bien.

—Je vous écoute. Soyez bien à l'aise. Je tiens toujours parole, ajoutai-je, pour la rassurer.

—Tout a commencé au party de Noël, cette année. Vous savez ce que ça fait aux hommes, ce genre de party où ils voient le sexe opposé d'un tout autre œil, simplement parce que les femmes sont en robe longue décolletée.

—Je comprends ce que vous voulez dire.

—Monsieur Lamarre avait...

—Frank?

—Oui, monsieur Lamarre avait pris un verre de trop. Mais ça n'excuse rien. Il voulait danser avec moi, mais je ne voulais pas. C'était l'heure du buffet, vers une heure. Je m'étais pris un morceau et je retournais à ma place. Il a insisté pour que j'aille danser avec lui. J'ai dit et redit non à plusieurs reprises. J'étais fatiguée et, surtout, je hais les hommes qui sentent l'alcool. Quand finalement j'ai dit non pour la dernière fois, je me suis retournée et il m'a claqué les fesses. Je me suis retournée brusquement, j'étais hors de moi. Je ne suis pas un... personne n'est un...

—Objet... une chose.

—Oui, dit-elle, en reprenant son souffle. Je me sentais humiliée, dégradée. C'était comme s'il ne me voyait plus comme une personne à part entière, mais juste comme un beau derrière que l'on peut frapper quand ça nous tente. J'avais le goût de vomir.

—Qu'avez-vous fait?

—J'avais peur. Les hommes se supportent entre eux. Je ne sais d'ailleurs pas pourquoi, mais j'ai fait une exception pour vous. Je crois que j'ai vu en vous quelqu'un qui se distingue de la masse des mâles. Et les semaines ont passé. J'évitais son regard quand il se trouvait près de moi. Je l'aurais giflé s'il s'était trop approché de moi. Il a essayé de me tripoter dans la salle de café. J'eus le réflexe de lui placer un coup de genou. Je ne sais si j'ai bien fait, mais je n'ai pu me retenir.

—Oui, ne vous en faites pas, dis-je avec conviction. La seule chose qu'il faut, c'est arrêter tout cela. Parce qu'un homme qui commence à agir comme ça continuera tant qu'il ne trouvera pas quelqu'un pour lui montrer les bonnes manières.

—Je crois que vous avez raison, et ça pourrait devenir urgent d'en arriver à ce résultat, dit-elle, l'air angoissé.

—Pourquoi?

—Simplement parce qu'il a commencé à me menacer. J'ai cru que vous pourriez comprendre.

—Vous menacer? C'est vraiment un malade! Écoutez, j'ai une piste en tête, laissez-moi faire. Cela peut prendre un peu de temps. Ne vous en faites pas. Dites-vous toujours que je ne vous oublie pas. Lorsque je serai prêt à passer à l'action, je vous inviterai à dîner. C'est d'accord?

Helena éclata en sanglots en faisant un signe affirmatif de la tête. Je n'avais jamais fait face à ce genre de situation. J'avais l'impression d'avoir été plutôt moche dans mon écoute, mais je devais constater qu'Helena paraissait soulagée. Nous sommes revenus au bureau ensemble et, tel que convenu, nous avons fait comme si nous nous étions simplement croisés dans l'ascenseur et échangé les quelques mots de politesse habituelle. Rien de plus. Je repris le travail, la conscience troublée par ce qu'Helena m'avait révélé. On ne se doute pas toujours des drames qui se vivent autour de nous. On vit comme s'ils n'existaient pas et, très souvent, aucun signe avant-coureur de telles tragédies n'aurait pu être décodé. Enfin, les êtres à qui on accorde notre appréciation ne la méritent pas toujours. En contrepartie, ceux qui nous sont indifférents ne méritent pas toujours une telle attitude de notre part.

***

7 février 2002, Ferme de la conscience épanouie, 18 h

Ce soir-là, j'arrivais à la Ferme avec la conscience troublée par ce que venait de me raconter Helena. Je ne savais trop si j'allais ouvrir mon cœur aux autres, en voilant bien sûr le nom des personnes touchées par cette affaire de harcèlement sexuel. Je marchais vers l'entrée, accueilli par les aboiements de Vénus auxquels je ne prêtais guère attention. Je me demandais si j'allais là pour rien. Je me consolais à l'idée que, très souvent, les moments où je ne voulais pas me rendre quelque part ou parler avec une personne ou faire quoi que ce soit d'autre qui suscitait en moi une vive résistance avaient été les instants bénis de mon existence. Je savais aussi qu'il y avait eu des exceptions, preuves que rien n'est bien logique dans le déroulement de notre vie, que tout est imprévisible. Les causes nous sont souvent inconnues ou inconscientes, de sorte qu'aucun effet en découlant ne peut être prévu à l'avance, ou même observable.

Lorsque j'entrai, la plupart étaient déjà arrivés. Certains se prélassaient, couchés par terre, d'autres étaient en position de méditation, et il y avait Mariette. Elle dansait langoureusement, les yeux fermés, bougeant les bras à l'indienne, de manière plus que naturelle. Je fus hypnotisé. Je ne parvenais pas à dégager mon regard de son corps qui bougeait dans l'espace avec une sensualité tout à fait charmante. C'étaient ses hanches bien rondes qui, se déroulant sous l'effet du mouvement, me faisaient craquer. J'ai vaguement entendu mon nom prononcé, mais je ne saurais dire qui m'interpellait. Je suis demeuré là, figé par la beauté de la fille, une élégance qui me rappelait de beaux souvenirs. Car Mariette était cette Marie que j'avais connue lors de la Chantaoût à Québec, à l'été 1975. Je ne l'avais pas revue depuis. Je l'avais reconnue à mon dernier séjour à la Ferme, mais je n'avais pas eu le courage de m'adresser à elle pour lui rappeler ce moment. Je ne peux pas dire que j'avais ce courage ce soir-là. C'était plutôt une question de pur désir. Mariette ouvrit les yeux en me faisant face, et remarqua que j'étais littéralement fasciné par elle. Du moins, c'est ce que reflétait la soudaine rougeur qui lui montait au visage. Je baissai les yeux et enlevai bottes et manteau.

Je m'apprêtais à aller rejoindre le groupe, et à me placer tout près de Mariette, lorsque le maître fit son entrée. Tout le monde reprit une position assise, en lotus. Le maître mit quelques instants à «aligner ses pensées avec l'énergie du groupe», comme il disait. Il fit une courte allocution philosophique sur le sens du divin.

—Que le principe divin qui a créé tout ce qui existe et qui soutient toutes choses dans l'éternité soit avec nous tous. J'aimerais vous adresser quelques mots ce soir sur le divin et sa présence en nous. Nous pensons trop souvent aux grands leaders religieux, aux grands prophètes comme étant des êtres exceptionnels, distincts les uns des autres. Bhaktivedanta Swami Prabhupada, qui a fondé à New York en juillet 1966 la société internationale pour la conscience de Krishna, disait que Moïse et Jésus, pour ne prendre que ces deux exemples, étaient des représentations de Dieu et qu'ils véhiculaient le même message divin d'amour et de piété. Mais toutes ces tentatives syncrétistes de faire de l'unité là, où il y a diversité sont à la fois vraies et trompeuses. Il y a de la vérité dans ces éléments communs que nous trouvons dans les grandes religions du monde. Mais n'y voir que cela serait dénaturer ces religions en niant ce qu'elles ont de spécifique. Ce serait nier leur historicité et considérer la chaîne de leurs traditions culturelles et religieuses comme n'étant que pure apparence. Là n'est pas l'important. Sri Aurobindo disait, dans *L'Énigme de ce monde*, publié en 1947 : « Le divin que nous connaissons est un être infini, et c'est dans son infinie manifestation que ces choses ont pris place; c'est le divin lui-même qui est ici, derrière nous, imprégnant la manifestation, soutenant le monde par son unité; c'est le divin qui est en nous, soulevant lui-même le fardeau de la chute et ses sombres conséquences. En nous-mêmes, il existe un esprit, une présence centrale plus grande que la série des personnalités de surface, et qui, tel le suprême divin lui-même, n'est pas écrasée par le sort qu'elle subit. Si nous découvrons ce divin en nous, si nous reconnaissons que nous sommes cet esprit qui est un avec le divin en essence et dans l'être, c'est le portail de notre délivrance, et en lui nous pouvons, même au milieu de ce monde de discordes, demeurer lumineux, béatifiques et libres. Tel est le témoignage de l'expérience spirituelle, et il est aussi vieux que le monde. »

Le maître se tut quelques instants. Chacun de nous, les yeux fermés, tentait d'intérioriser ces «pensées ultimes». Il conclut:

— Que la lumière de votre âme scintille à jamais. Que la béatitude de votre cœur soit ouverte sur le monde pour toujours et que jamais ne cesse de s'exprimer votre liberté transcendantale, qui vous définit.

Il y eut un nouveau silence, qui se voulait introductif, celui-là.

— Bienvenue à chacun d'entre vous à cette soirée d'amour universel. Quelqu'un veut-il nous faire part de ce qui trouble son cœur?

Mariette leva la main presque immédiatement, comme lorsqu'on veut être assuré de passer le premier, quand notre angoisse est trop grande pour pouvoir supporter l'attente plus longtemps.

— Je voudrais faire part au groupe d'un malaise que j'ai depuis que je suis ici.

— Nous sommes tous là pour t'écouter et t'aimer, dit le maître.

— Voilà, j'ai été profondément déçue par quelqu'un du groupe. J'ai connu cette personne il y a de nombreuses années. Je l'ai reconnue en arrivant à la Ferme, et je m'attendais à ce qu'elle m'accoste pour que nous reprenions contact. Mais rien du tout. C'est comme si je n'existais pas, ou comme si elle ne m'avait pas reconnue, ce qui m'apparaît impossible. Car je n'ai guère changé depuis ce temps. Je comprendrais si c'était quelqu'un de timide, mais ce n'est pas le cas. J'aurais accepté la situation si on s'était quittée en colère l'un contre l'autre. Mais ce n'est pas le cas. C'était plutôt le contraire. Nos âmes s'étaient touchées l'une l'autre. C'est simplement que nos karmas n'ont pas permis que

nous nous rencontrions avant. Je suis tellement choquée, je suis... je suis...

Elle éclata en sanglots. Je me sentais bien petit au-
dedans de moi, presque humilié. Je savais que c'était
de moi qu'elle parlait. Je pressentais qu'elle ne me
croirait pas, quoi que je dise pour m'expliquer. Et
pourtant, s'il y avait quelque chose qui troublait mon
cœur à ce moment-là, c'était bien le désir que je
ressentais du seul fait de sa présence physique. Je
décidai d'éclaircir la situation à ma manière. Je me
levai, car les choses difficiles à dire s'expriment plus
aisément dans une position verticale.

— C'est moi! Je suis désolé. Je ne t'ai reconnue que
l'autre soir. Quand je t'ai vue en entrant, tu dansais avec
tellement de délicatesse et d'harmonie que ta beauté me
figeait sur place, comme ce soir, d'ailleurs. Je voulais
justement aller te voir. Je suis tellement heureux de te
revoir, je suis... je...

Mariette se leva presque instinctivement et fit quelques pas. Nous nous étreignîmes quelques instants. Je
séchai ses pleurs de ma main tremblante. Elle me passa
une tendre main dans les cheveux. Nous avons repris
place dans le groupe. À partir de ce moment, tous les
bruits et paroles de la soirée résonnèrent en moi
comme dans un vieux tonneau. Les sons étaient épars
et rauques. Je sentais la respiration de Mariette, je
pouvais toucher ses mains moites, voir son sourire
m'éclater en plein visage. Chacun de ses mouvements
m'apparaissait gracieux. J'oubliais qu'elle avait pris du
poids, que ses cheveux avaient été altérés par la neige
du temps. Je la trouvais plus belle que lorsque nous
nous étions rencontrés la première fois et que j'avais
espéré pouvoir faire avec elle un bout de chemin dans
l'existence. La beauté a ceci de mystérieux, c'est qu'elle
saisit tout votre être et vous rend esclave de sa présence,

tout en vous faisant ressentir une liberté si grande qu'elle se confond avec l'amour que vous avez pour la personne qui vous fascine et vous hypnotise. La beauté est paradoxale. Elle vous asservit et vous libère tout à la fois. La beauté de Mariette s'exprimait par le mouvement de son corps. Notre âme ne nous rend pas plus beau; elle rend nos mouvements plus esthétiques et plus attirants pour ceux qui ont perçu en nous cette beauté. Qu'est-ce, d'ailleurs, que la beauté, si ce n'est le moteur qui donne sens à notre vie et qui rend l'amour possible?

Je n'écoutais plus personne raconter ses propres angoisses. Non pas que la compassion en moi se soit évaporée. C'était plutôt qu'une préoccupation tout autre, prioritaire, l'empêchait de prendre le dessus et d'attirer mon attention sur les personnes souffrantes du groupe.

Lorsque la pause santé spirituelle survint, j'avais cette angoisse qui vous tenaille sans que vous ne puissiez rien y faire. J'avais peur de l'approcher, tout en désirant au plus haut point le faire. Vous me direz que je nageais dans le paradoxe. J'aurais normalement accepté la critique, sauf que ma peur et mon désir d'agir étaient tous deux fondés. C'était là le malheur. Mariette s'est tournée vers moi et je lui ai souri. Elle avait perdu l'amertume qui l'avait fait se livrer au groupe. Je la voyais plutôt sereine, sentant presque l'effet qu'elle me faisait sur l'épiderme.

—Je suis désolé, Marie...

—Je vois bien que tu l'es, puisque tu m'appelles Marie et non Mariette.

—Je ne saisis pas, ajoutai-je, perplexe.

—Tu montres ta tristesse à Marie, à celle que tu as connue il y a plus de trente ans. Tu ne l'exprimes pas à Mariette que tu viens de rencontrer, il y a quelques semaines.

Je trouvais son argumentation très subtile, un peu

trop à mon goût. Je n'avais réfléchi à rien de tout cela. Mais peut-être, était-ce justement là la preuve qu'elle avait raison...

—J'ai été bien déçue de perdre ta trace après la Chantaoût. J'ai longtemps désiré te revoir, mais je n'avais aucun moyen de te retrouver, précisai-je, en regardant Mariette dans les yeux et en observant du même coup que ses cils bougeaient de manière régulière et sensuelle.

—Le temps fait son œuvre. On n'y peut rien.

—Bien des nuits, j'ai rêvé à toi et me suis réveillé en espérant très fort que ce soit la réalité.

—Tu es très gentil. Tu sais, je ne t'ai pas vraiment gardé dans mon cœur après notre première rencontre. J'avais bien aimé te côtoyer, mais disons que j'avais d'autres idylles qui m'accaparaient. Pourtant, je conservais en moi un espace où je pouvais, de temps à autre, me rappeler de toi, refaire le passé, ce tout petit passé que nous avions eu ensemble, reconstituer les traits de ton visage, en n'en oubliant aucun.

—Finalement, on ne s'était pas vraiment quittés.

—Oui et non, je dirais que plusieurs années après, j'ai tenté, par des amies, de te retrouver. Mais, comme tu le vois, ça n'a pas marché, dit-elle, presque amèrement.

—C'est le temps qui a eu raison de nous. On a eu beau essayer tout ce qu'on a pu pour se revoir. Le temps, lui seul, est le maître à bord.

—Nous n'étions simplement pas prêts à nous revoir. Nous avions d'autres choses à vivre avant que cela n'arrive, dit-elle, cette fois plus sereinement.

Le silence s'installa alors que nos yeux s'unissaient, sans se dérober. Le temps fait son œuvre, mais il crée aussi des manques, des vides impossibles à combler. Comment reprendre en une soirée le cours des événements survenus pendant trente ans? Même si nous avions raconté tout ce qui nous avait marqués durant cette période, nous n'aurions que réussi à faire une belle synthèse qui aplanit la vie. Or, la vie n'est pas la moyenne des moments heureux et malheureux. C'est plutôt une dynamique entre trois composantes de la personne humaine : l'action, la pensée et l'expression du cœur. On peut résumer en une soirée les actions les plus marquantes qui se sont déroulées sur trente ans; on en négligera certaines, mais on aura réussi à donner une bonne idée des actions qui nous ont fait cheminer. Mais, en matière de pensée, c'est plus difficile. La pensée suit son cours, au fil des actions qui se déroulent. Elle a son rythme bien à elle, qui ne se satisfait pas de la simple séquence des gestes posés et des paroles prononcées. Quant à l'expression du cœur, c'est-à-dire des sentiments et des émotions, nous entrons là dans une sphère de la personne humaine si complexe qu'aucune tentative de synthèse n'est possible sur une période aussi longue que trente ans. Passer toutes ces années sans revoir une personne aimée, c'est l'avoir perdue, au sens où aucun moyen n'existe pour récupérer ce temps. On peut être aigri, mais le mieux, c'est d'accepter cela comme une caractéristique liée au fait d'être humain.

— Tu es marié? demanda-t-elle, le visage inquiet.

Je comprenais par là que nous passions aux choses sérieuses.

— Divorcé, en fait. J'ai une fille merveilleuse, et...

J'allais parler de Jonathan, lorsque Mariette m'interrompit. Je n'en fus pas frustré, puisque j'hésitais à lui révéler l'existence de mon petit-fils. Non pas par tromperie, mais parce que cela aurait été trop compliqué à expliquer. Plus tard, quand on se connaîtrait mieux, ce serait plus facile. Pas maintenant.

— Je suis divorcée également. J'ai un garçon et trois filles.

Nouveau silence. Cette fois, ce fut la voix du maître qui y mit fin. Nous avons repris nos échanges. Mon esprit et mon cœur n'y étaient plus. Je me disais qu'elle devait avoir quelque chose en tête. Une femme ne demande pas à un homme s'il est marié sans être animée d'une certaine intention. Tout est calculé, rien n'est laissé au hasard chez les femmes amoureuses. Je la regardais en essayant de distinguer ce qui, en moi, découlait du désir et ce qui ne pouvait être que le plaisir de revoir une femme que j'avais bien aimé rencontrer trente ans auparavant. La distinction peut vous sembler facile à faire. Mais lorsqu'on passe du plaisir au désir, on ne sait plus trop si le désir a pris toute la place ou s'il y a encore une raison au plaisir d'être avec un fantôme du passé. J'ai tourné ces idées dans ma tête durant tout le reste de la soirée, écoutant occasionnellement l'un ou l'autre membre du groupe raconter ses prouesses, angoisses et débauches.

À la fin de la soirée, je suis resté avec Mariette. Nous sommes allés nous asseoir devant le feu de foyer dans une pièce attenante à la salle d'amour universel où nous avions passé la soirée. Au début, nous étions plusieurs couples. Chacun tâchait de murmurer, question de ne pas déranger les autres. Peu à peu, tout le monde monta se coucher. Vers minuit et demi, il ne restait que Mariette et moi. Nous commencions à être fatigués. Le feu du foyer nous hypnotisait de plus en plus et nos paroles se distançaient.

— Il est temps de se coucher, je crois, affirma-t-elle, avec une équivoque dans le ton de sa voix.

— Oui... peut-être... dis-je en hésitant, cherchant à dissimuler l'angoisse qui me prenait à la gorge.

Je pressentais ce qui s'en venait. Je le désirais, sans tout à fait le vouloir. «Le temps ne s'est pas donné la peine d'œuvrer durant trente ans pour qu'on bousille ce travail presque mythique en une soirée », me disais-je.

Nous sommes montés à la chambre et, dans un instant d'hésitation, nous demeurions l'un l'autre devant nos portes respectives. Je regardais Mariette qui, en silence, semblait observer la poignée de sa porte. Je fis de même, jusqu'à ce que, tiré de ma torpeur, je sois assailli par Mariette qui courait vers moi. Nous sommes entrés dans ma chambre. Je l'ai regardée de longues minutes, avant que quoi que ce soit ne s'initie. Il me semblait que son visage me parlait. Elle me disait sa peur et son désir. Cela me rassurait. Je n'étais pas seul à vivre cette dualité d'émotions. Mais il y avait autre chose. On eût dit que le temps avait creusé un fossé, de sorte que nos corps pouvaient techniquement s'unir, sans que tout notre être soit là. Je percevais quelques mouvements incontrôlés sur ses joues, son front, ses sourcils et voyais en eux la preuve qu'elle était bien inconfortable.

—Tu te rappelles, à la Chantaôut, le soir que nous sommes revenus de notre tournée des bars de Québec? me dit-elle, presque comme une confidence.

—Oui, je me rappelle. J'étais maladroit avec...

—Non, ça, ce n'était rien. Ce dont je me souviens, c'est que j'aurais aimé me rapprocher de... J'ai d'ailleurs rêvé à toi, cette nuit-là.

—J'aimais bien te regarder dans ton sac de couchage, les yeux rivés sur moi, je crois que...

Le silence est venu, comme si ces paroles n'avaient été placées là que pour faciliter son intrusion.

Nous nous sommes aimés dans la mesure du possible, avec ce que nous étions, mais sans trop connaître ce que l'un et l'autre nous étions devenus depuis tout ce temps. Nous avons conquis nos territoires corporels sans nous douter que notre cœur ne devait pas être seul à faire ce voyage.

Chapitre 3

Les disparus et leur avenir

> *Les souvenirs de parents (père et mère)*
> *disparus peuvent persister,*
> *même à un âge plus tendre.*
> *Mais ils ne demeurent que comme*
> *des points lumineux dans les ténèbres.*

Fedor Dostoïevski, *Les frères Karamazov*

1er mars 2002, Montréal, 20 h 45

J'étais chez moi, rempli d'une nostalgie soudaine pour le passé révolu, celui qui vient nous hanter de temps à autre, celui que l'on voudrait rappeler à la vie, tout en demeurant qui on est présentement et non pas celui que l'on était lorsque les événements dont on se souvient nous rendent mélancoliques. Quelques souvenirs d'enfance me revenaient à l'esprit, mais se perdaient à nouveau dans le néant qui emprisonne ce qui nous sert de mémoire. Mon état d'âme n'était pas celui où l'enfance est ramenée à la vie pour quelques instants bénis. Non, je pensais à ma fille Julie. Je n'avais pas eu de nouvelles de la lettre que j'avais envoyée à Jonathan. Je dois avouer que j'en espérais, tout en n'entretenant aucun espoir à ce sujet. Vous me direz: «Comment peut-on espérer quelque chose tout en sachant qu'il ne faut pas l'espérer, puisque toute

103

espérance est vaine, qu'il n'y a aucun motif raisonnable qui fonde une telle attitude?» Cette question est certainement pertinente. Lorsqu'il n'y a aucun espoir, l'être humain continue d'espérer sortir de ce qui l'afflige. Cela semble une force intrinsèque à la nature humaine. Je ne peux moi-même me l'expliquer dans ma vie. Je sais seulement qu'à bien des reprises, les événements qui me faisaient perdre tout espoir m'amenaient en même temps à entretenir une espérance que tout puisse changer au dernier moment, quand je m'y en attendrais le moins.

Le cœur rempli d'un tel état émotionnel paradoxal, je suis allé chercher les albums de photos où je pourrais retrouver quelques moments magiques avec Julie, rendus éternels par l'appareil des frères Lumière. Je ne me rappelais pas un détail qui m'est alors apparu comme très significatif. J'avais constitué un album réunissant toutes les photos de Julie, en commençant même par des photos de mon ex lorsqu'elle était enceinte de Julie. Je me rappelai le temps presque mystique de la grossesse, où tout mouvement de ma fille dans les entrailles de sa mère pouvait entraîner mon esprit dans des élucubrations à propos de la vigueur et du dynamisme futurs du bébé, déjà exprimés en potentiel prometteur. Un événement plutôt angoissant me revint en mémoire. Mon ex avait trébuché dans l'escalier, alors que la grossesse n'était avancée que de quatre ou cinq mois. Je me souviens avoir eu la gorge serrée jusqu'à ce que, le soir même à l'hôpital, on nous rassure. Aucun effet négatif n'avait été constaté. J'ai alors exhalé un soupir, tout en me torturant à la pensée que je ne m'étais guère inquiété de la mère de l'enfant, que tout mon être ne vibrait que pour cette petite en gestation.

Quelques mois plus tard, elle nous était enfin donnée. Julie. Un nom que mon ex et moi avions trouvé en voyant le poupon, lors de l'un des premiers allaitements. L'accouchement avait été éprouvant pour la mère. À plusieurs moments, j'avais cru qu'elle y resterait. J'avais ragé contre le médecin qui semblait se préoccuper davantage de ses heures de sommeil perdues que du bien-être de mon épouse chérie. Il ne s'était guère laissé impressionner. Plus encore, les infirmières me guettaient, comme si j'allais déraper et agresser quelqu'un.

Lorsque Julie vint au monde, son premier cri me sembla divin, parce qu'il me lançait droit au visage le message que tout s'était bien déroulé pour elle, qu'elle arrivait normalement à la vie, sans aucune des séquelles que tous les parents craignent durant les neuf longs mois qui précèdent la naissance. J'ai pris dans mes bras cette merveilleuse petite fille de 7 livres et 10 onces et l'ai bercée durant une vingtaine de minutes, le temps que le médecin termine son travail. Julie me regardait comme si son cœur me reconnaissait. Il y avait un tel calme en elle qu'elle me rendait la chanson plus douce encore qu'à l'habitude. Le retour à la maison a été un moment important. On ne sait jamais avant cet instant-là ce dont sera faite notre vie avec un enfant. On découvre alors qu'il a tant besoin de tout, que tout ce qui n'est pas lié aux soins à lui prodiguer devient moins prioritaire pour nous. Peu à peu, je me suis comporté comme un père pour qui l'amour de sa fille était viscéral, c'est-à-dire enraciné dans ce qui faisait de moi un être humain, bien davantage qu'un père. On devient père lorsque notre amour pour notre enfant dépasse notre statut de parent pour rejoindre ce qu'il y a de plus universel en nous.

Les années ont passé très vite, celles où Julie découvrait chaque nouvelle chose avec fascination et enthousiasme. Ses repas se sont diversifiés comme ses jeux. Un jour, je l'ai reconduite à la garderie pour la première fois. Ce fut la déchirure pour l'un et l'autre. Ni Julie ni moi ne savions exactement comment réagir dans une telle situation. Julie y est allée de ses cris, exprimant son angoisse. Je l'ai embrassée à de nombreuses reprises, ce qui ne faisait qu'accroître la difficulté de la séparation. Je l'ai saluée alors que sa gardienne la tenait dans ses bras, devant la baie vitrée de sa maison. J'ai ravalé toutes mes émotions en ouvrant la radio au maximum. Et les semaines ont passé, les mois même, plutôt rondement. Les amis ont pénétré son existence et ont accru son énergie à l'extrême. La prématernelle, puis la maternelle ont sonné le glas d'une existence plutôt bien ordonnée et prévisible. Ma fille se lançait littéralement dans le monde, sans savoir ce qui l'attendait, alors que j'étais anxieux de la voir ainsi devenir elle-même, à travers les multiples embûches qui constituent le tissu de l'existence humaine. Je savais qu'il s'agissait là de la première véritable séparation, celle qui décide de tout. Je me souviens avoir ajusté mes horaires de travail afin d'aller chercher Julie vers 15 heures.

Elle a ensuite commencé l'école primaire, avec un talent inné pour les langues et l'écriture. C'était frappant pour tous les professeurs qu'elle a eus, que ce soit en français ou en anglais. Elle avait également des goûts originaux. Un jour qu'une de ses amies lui expliquait ce qu'elle apprenait à ses cours de judo, je lui ai demandé en insistant, si cela ne l'intéresserait pas d'en faire, elle aussi. Elle m'a répondu: « Si ça te tente tant, papa, tu n'as qu'à en faire toi-même ». J'ai vu dans une telle attitude non pas tant de l'arrogance que l'expression d'une jeune enfant qui sait ce qu'elle veut. Du moins, à ce moment-là, je ne suis pas allé plus loin dans mon analyse. J'ai eu beau lui expliquer que j'avais déjà pratiqué le judo lorsque j'étais adolescent et que c'était pour cette raison que je croyais qu'elle pourrait aimer ce sport. Cela n'eut pour effet que de la renforcer dans sa résolution. Lorsqu'elle commença ses études secondaires, elle entreprit d'apprendre la guitare électrique, ce que moi-même j'avais également fait quand j'avais treize ans. Aujourd'hui que je revois en photos tous ces événements, je me rends compte que sans le savoir, Julie essayait de poursuivre ce que j'avais abandonné. Le judo et la guitare électrique n'avaient été pour moi qu'une aventure de quelques années. Mais Julie s'y adonnait avec une passion qui perdurait au-delà même de la période magique de dix années de pratique assidue, avec toutes les compétitions qui s'imposent. Julie avait-elle voulu réaliser, par amour pour moi, ce que j'avais été incapable de faire? Si c'était le cas, elle avait bien caché ses intentions. Cela ressemblait davantage à une manière de montrer qu'elle me surpassait, que je lui étais inférieur. Avec le recul du temps, je suis davantage à même de porter un regard critique sur ces choses. Je n'aurais jamais pu comprendre ce que je vous raconte sans que le poids des années et de l'expérience ne fasse la différence.

Enfin est arrivé le jour de ses seize ans. Le moment de la cassure. Cette journée restera à jamais gravée en moi, toute en souffrance insurmontable. La fête devait être des plus réussies. Mon épouse et moi avions tout prévu. J'avais choisi le gâteau, un Forêt-Noire, celui-là même qu'elle avait apprécié au plus haut point à tous ses anniversaires. Mais la fête avait mal débuté dès le réveil. À l'école, on lui avait demandé un chèque de 50 dollars pour une activité impliquant un déplacement à Montréal; l'activité comprenait la visite du Biodôme et l'assistance à une pièce de théâtre en soirée, alors qu'on présentait *En attendant Godot* au théâtre *Jésu*. Le chèque devait être remis le jour même, et j'avais oublié de le faire, bien qu'elle me l'ait demandé depuis une semaine. Elle me le rappela de manière plutôt abrupte : « Papa, fais un chèque, pis c'est tout. Paie, parce que moi, je veux absolument y aller ». La journée s'annonçait mal. Au dîner de fête, on se mit à parler de tout et de rien et la discussion glissa sur les relations amoureuses. Julie écoutait avec attention les sages propos de sa mère. Mais lorsque j'ouvris la bouche, je n'eus pas droit au même traitement. J'eus l'impression que peu importe ce que je dirais, ce serait toujours considéré par elle comme de travers, ou déconnecté de la réalité. Dans un élan verbal particulièrement éloquent, elle murmura, convaincue de n'être pas entendue : « Ah, tais-toi, Papa ». Je venais de tomber à genoux à la seconde station. Lorsque l'heure du dessert arriva, elle sembla émue du gâteau illuminé. Mais, une fois que les chandelles furent éteintes, elle ne put s'empêcher de dire : « C'est le gâteau de mon enfance ». Je souris, car je croyais que cela lui rappelait de beaux souvenirs. En me regardant droit dans les yeux, elle observa mon sourire et ne parut pas en être satisfaite. Elle précisa alors sa pensée : « Ce que je veux dire, c'est que quand j'étais enfant, j'aimais ce gâteau, mais là, j'ai seize ans. C'est toi, papa, qui as choisi ce gâteau et les chandelles rose et jaune qui vont avec ? » Je ne pouvais me dérober. C'était moi en effet. J'avais cru lui faire plaisir. Mais le passé n'est jamais garant de l'avenir. Elle me reprochait de ne pas avoir vu qu'elle avait changé en un jour. Mes genoux ont flanché, je suis tombé à la troisième station. À la fin de ce repas fatidique, une fois que les cadeaux l'eurent comblée au plus haut point, les vêtements que sa mère lui avait choisis étant parfaits, selon ses propres dires, nous nous sommes levés de table. Je me rappelle m'être trouvé très lourd, non pas parce que je m'étais empiffré durant le repas, mais parce que j'avais subi trois gifles qui m'avaient enlevé toute énergie vitale. Je me souvenais d'une parole d'un humoriste québécois qui résumait bien ce que je venais de vivre : « Paie, le fou. Ferme ta gueule et, s'il y a des problèmes, c'est nécessairement de ta faute ». Les relations entre Julie et moi n'ont plus jamais été les mêmes. Avec le recul du temps, je peux comprendre la réaction qu'elle a eue envers moi lors du divorce. Cette réaction était déjà préparée depuis longtemps, depuis cette cassure qui nous a laissé, à elle et à moi, le cœur en lambeaux.

Je refermai l'album de photos en pensant que beaucoup d'eau avait coulé sous les ponts depuis toutes ces années. Julie n'était plus la même. Ce qu'elle avait été enfant avait laissé place à l'adolescente. Ce qu'elle avait été adolescente avait ensuite été enterré pour faire surgir la jeune adulte. À chaque transition, je pensais avoir perdu une part importante de ma fille, alors que l'essentiel demeurait vivant en elle, au plus profond de son cœur, qu'elle en ait été consciente ou non. Je dois admettre que je n'étais plus le même non plus. Le jeune père inexpérimenté avait fait place à un père plus angoissé lorsque la puberté de sa fille avait été déclarée. Le père de plus en plus attaché viscéralement à sa fille n'avait pas moins de difficultés à la laisser partir, à lui permettre de vivre de manière autonome. Au fur et à mesure que Julie changeait, mon être n'était plus le même. Les changements en elle n'étaient pas coordonnés avec les miens, et vice-versa. Ce que l'on était l'un pour l'autre ne s'est pas adapté aux changements vécus par le père autant que par sa fille. La ligne était déjà tracée pour que le divorce creuse entre nous un gouffre infranchissable.

On ne voit souvent que trop tard ces subtilités des relations père-fille qui sont voilées par le quotidien houleux qui relie l'un et l'autre.

***

4 mars 2002, Montréal, mon bureau du boulevard René-Lévesque, 12 h 20

J'étais sur le point d'aller dîner avec des collègues lorsque je reçus un appel surprenant. J'avais le manteau sous le bras et tenais mon porte-documents de l'autre. Je décidai tout de même de répondre, par acquit de conscience. Je m'attendais à l'un de ces clients pour lesquels il n'y a jamais d'heure pour appeler au bureau, ce genre de personne qui vous laisse un message sur votre boîte vocale à sept heures du matin ou à vingt et une heures. C'était tout autre chose. Ça m'a complètement coupé l'appétit.

—Patricia? C'est bien toi? demandai-je, incrédule.

—Oui, écoute. Je m'excuse de n'avoir pu t'appeler avant, mais tout s'est bousculé. Je suis à Montréal. Penses-tu qu'on pourrait se voir ce soir? Je sais que je suis à la dernière minute, mais...

—Non, non. Patricia, il n'y a pas de problème. Ça me fait vraiment plaisir que tu m'appelles. Je pensais justement à toi, hier soir. Je...

—Et qu'est-ce que tu te disais donc?

Je trouvai sa question moins choquante qu'indiscrète et trop envahissante. Tout de même, elle venait de retomber dans ma vie après une si longue période. Une telle absence ne justifie pas autant de familiarité. Je ne savais trop quoi lui répondre, à part la vérité.

—Je ne me disais rien, risquai-je, sans même penser comment elle pourrait interpréter une telle réponse.

Je sentis qu'à l'autre bout, on trouvait mon silence trop long. J'ajoutai donc quelques mots qui eurent l'heur de la rassurer.

—Je ne faisais que penser à toi et je me demandais quand tu reviendrais à Montréal. Nous avions eu si peu de temps ensemble, la dernière fois.

—C'est ce que je crois aussi, dit-elle calmement.

—Alors, on pourrait aller souper ensemble au *Café Tralala*. Après ça, on pourrait sortir un peu dans le Vieux Montréal. Ça t'irait, disons vers dix-neuf heures, au Café?

—Oui, parfait. J'y serai, conclut-elle.

J'ai aimé entendre le son de sa douce voix presque mélancolique. Il y avait pourtant, porté par les mots qu'elle utilisait, comme une résonance, un rayonnement primal qui se distingue difficilement au premier abord, mais qu'on peut déceler quand on oublie les mots choisis autant que le ton pour les dire. Une présence fantomatique que seule l'intuition peut nous permettre de repérer. De quoi était constitué le tissu de cette présence? Je n'en avais strictement aucune idée. Je suis donc parti dîner avec les collègues. Helena était du groupe. Elle ne me dit pas un mot. Mais de la voir là me rappelait que mes tentatives de rencontrer le grand boss avaient échoué, ou plus précisément que je n'avais pas encore eu confirmation d'un rendez-vous avec lui. Je voyais bien qu'elle aurait apprécié un signe, un clignement subtil des yeux ou un sourire complice, mais je ne pouvais rien lui signifier ni lui donner aucune fausse espérance. J'en étais bien désolé. Elle devait simplement patienter encore, même si le mot patienter s'appliquait difficilement ici. Comment peut-on demander à une femme qui dit subir du harcèlement sexuel de patienter pendant que son collègue fait des pieds et des mains pour en parler au grand boss, alors que le collègue coupable continue à faire des siennes? J'ai trouvé le dîner bien long. La présence d'Helena m'était très lourde à supporter. Mais le temps filait à sa mesure, sans que j'y puisse rien.

L'après-midi fut plus extensible que d'habitude, subjectivement parlant. Ce n'était pas le souvenir d'Helena qui me revenait à l'esprit, mais bien la voix de Patricia, cette revenante des années bénies du Cégep. Je me demandais si notre rencontre de ce soir allait être de trop ou si, au contraire, elle serait bienvenue. Je songeais à quelques personnes qui avaient meublé mon passé et dont la rencontre funeste avait été pénible, surtout après avoir franchi le stade des premières minutes où l'on désire, chacun, synthétiser le vécu de nos trente dernières années. Il y a des gens du passé qu'il ne faut pas revoir plus d'une fois. Dans d'autres situations, le cœur bat la chamade, parce que l'être qui refait surface dans notre vie nous émeut, nous secoue, nous ébranle. Je ne parvenais pas à savoir où pourrait bien se situer une seconde rencontre avec Patricia, entre ces deux extrêmes. Je me plongeai dans mes dossiers pour oublier.

Je mis fin au travail vers dix-huit heures quinze, un peu plus tôt qu'à l'habitude. Je n'aime pas arriver en retard à mes rendez-vous. Pour moi, c'est une question de principe. Personne ne mérite qu'on le fasse attendre. Lorsqu'il s'agit de jolies femmes, il s'ajoute une autre motivation bien consciente. J'aime bien les voir entrer, marcher, poser leur regard au loin pour me trouver, enlever leur manteau avec plus ou moins de délicatesse et de charme. J'apprécie leur beauté, sans qu'elles s'en rendent compte. J'entrai donc au café une dizaine de minutes à l'avance. Je n'eus pas le temps de demander à l'hôtesse où se trouvait ma table que j'aperçus Patricia, bien assise, qui m'attendait et arborait un sourire accrocheur. Je me suis alors dit qu'elle devait entretenir comme moi, cette motivation esthétique qui me fait arriver bien avant le moment du rendez-vous. Je ne voyais pas ce qu'elle aurait pu avoir d'autre en tête.

Lorsque je suis arrivé à la table, elle s'est levée et nous avons procédé à ce genre d'étreintes et de baisers à la volée qui ne veulent rien dire du tout. J'ai pourtant eu la vague sensation qu'elle était différente. Cela frappa tellement mon imagination que, durant les premières minutes, c'est tout juste si j'entendis Patricia me raconter les dernières péripéties vécues à son travail. C'était comme un écho qui ne parvient pas à se raccrocher au réel. Je me demandais ce qui avait changé en elle. J'aime les femmes bien rondes, je vous l'ai déjà confessé. Ce n'était donc pas là le problème. Ce qui me frappait, c'était de constater que lors de notre première rencontre, je n'avais remarqué son poids et ses rondeurs que durant quelques minutes, alors que là, je ne voyais que ses courbes. J'étais fasciné par elles. J'eus l'impression qu'elle s'en rendait compte lorsque son visage rougit et qu'elle ramena les deux côtés de sa veste déboutonnée vers le centre de sa poitrine, où apparaissait une camisole noire aux contours de fine dentelle. Les femmes ont ce geste presque inconscient pour éviter que les hommes auxquels elles s'adressent ne braquent leurs yeux là où il ne faut pas.

—Je t'embête avec tout ça, hein?

—Non, pas du tout. Le travail, c'est tout de même une partie importante de notre vie.

—Oui, mais tu as tes propres tracas. Et...

—Ça me fait du bien, justement, d'en entendre d'autres qui sont à mille lieues des miens. Ça m'aère l'esprit comme ce n'est pas possible!

Nous avons commandé l'une des spécialités, le

hamburger au fromage bleu. C'était à vous rouler sous la table. À manger absolument avant de prendre une marche rapide de quatre ou cinq kilomètres. C'est ce que j'espérais faire avec elle après le souper. Je pensais justement aux endroits où nous pourrions aller nous promener, lorsqu'elle me sortit de ma torpeur.

— Parle-moi de ta fille? demanda-t-elle sans savoir dans quel monde sa question venait d'atterrir.

— Oh... je... Je ne saurais trop par quoi commencer.

— Par le début, j'imagine, dit-elle toute souriante.

— Le début serait trop long et trop pénible.

— Désolée, je suis désolée. Je ne voulais pas... Je sais que quelquefois, les choses sont plus compliquées qu'elles ne paraissent, me dit-elle très mal à l'aise.

— Non, non. Ça ne fait rien. Je n'ai personne à qui en parler.

Je pris quelques minutes pour lui résumer la situation, en escamotant les événements trop pénibles, qu'il m'était difficile de raconter.

— Avoir su tout ça, je ne t'aurais jamais posé la question. Je...

— Au contraire, Patricia, le fait de le dire, de *te* le dire, est ressourçant pour moi. Je me sens écouté, pas jugé du tout.

— Qui sommes-nous pour juger les autres? Je te le demande!

— Oui, le principe de ne pas porter de jugement sur les autres est facile à accepter théoriquement. Mais, dans la vie de tous les jours, le défi semble impossible à assumer pour la plupart des gens. C'est ce qui fait qu'on communique de moins en moins. Les personnes se parlent, mais ne communiquent pas. Elles parlent, mais ne s'écoutent pas. Il n'y a aucune communication sans écoute.

— Tu as bien raison.

— Ce jugement sur l'autre, je l'ai moi-même porté sur ma fille, durant toutes ces années où nous nous sommes perdus. Elle l'a probablement fait aussi de son côté, de sorte que, le résultat, c'est que nous avons perdu de précieuses années.

— En es-tu amer?

— Amer? Non, je ressens de la tristesse et un soupçon de remords, juste assez pour que cela me galvanise et m'empêche de retomber dans le même piège à l'avenir, mais pas assez pour me culpabiliser à outrance et m'enlever tout goût d'être moi-même.

Nous avons parlé ainsi durant plus d'une heure. Plus elle m'écoutait, plus je me sentais près d'elle. Je la découvrais comme jamais je ne l'avais connue. C'était une tout autre Patricia qui était devant moi, différente de celle qui m'avait retourné le cœur quelques décennies auparavant durant mes années de Cégep. Je me vidai de bien des angoisses, en cachant les plus intimes. Pourtant, en dépit de ce que je lui voilai, je me sentis allégé. Elle m'avait transmis une énergie positive qui était vraiment bienvenue.

Au moment du dessert, des gâteaux triple chocolat furent déposés devant nous. Je regardai Patricia prendre les premières bouchées avec une jouissance que je n'avais guère sentie chez une femme auparavant. Je la trouvais plus sensuelle de ce fait. Sans m'en rendre compte, je la fixais du regard, de sorte qu'elle dut me demander si j'allais ou non entamer ce dessert. Peut-être était-elle mal à l'aise que je la regarde ainsi manger ce merveilleux gâteau. Peut-être croyait-elle que je la percevais comme une goinfre. Si c'était là sa pensée, elle se trompait royalement. Je la trouvais plus désirable, de plus en plus désirable.

À la sortie du café, nous avons marché un peu et avons décidé de nous rendre au cinéma le plus proche.

Nous avons spontanément choisi une comédie, un premier choix qui nous allait à tous les deux. Durant le film, je me surprenais à sourire juste à entendre la beauté de son rire éclatant. Il était si charmant que je manquais certaines blagues, étant davantage intéressé à l'écouter qu'à m'esclaffer devant les pitreries d'acteurs versés dans des comédies bien ficelées. À un certain moment, je fus frappé de constater comme son corps était beau. En même temps, le rire la secoua. Elle perçut mon regard et, se tournant vers moi encore souriante, elle me prit la main en me gratifiant de ses yeux les plus doux. À partir de cet instant, le film nous fit de moins en moins rire, en dépit du fait que la salle semblait beaucoup apprécier les situations qui lui étaient présentées. Deux mains qui se joignent pour la première fois font que le reste du monde n'existe plus, ou qu'il n'y a rien de plus important que de sentir la chaleur émise par l'être aimé. C'est comme si l'on tentait par ce seul contact de ressentir tout ce que le corps de l'autre peut offrir de douceurs et de mystères. C'est comme une invitation au désir, dans le silence profond mais attentif. Nous étions l'un et l'autre soulagés de voir le générique du film, pour la simple raison que le désir d'un être aimé l'emportait sur le plaisir matériel auquel nous n'étions pas pleinement attachés. Nous avons marché, discuté et bien ri ensemble. À chaque fois que je la regardais, je voyais briller ses yeux d'une lumière différente.

À l'hôtel *Bonaventure* où elle séjournait, elle m'invita à prendre un verre dans sa chambre. Il n'y avait aucune équivoque pour l'un comme pour l'autre. Mais un verre, ce n'est jamais qu'un prétexte utile qui ne berne personne. Une fois le gin et la vodka versés dans des verres, accompagnés de glaçons qu'elle s'était probablement donné la peine d'aller chercher avant de me rejoindre au café, nous passâmes aux choses sérieuses. Un seul instant nous en sépara. Un regard qui tentait de rattraper le passé, aboutissant à une soudaine conscience de l'impossibilité de le faire. Nos yeux se sont baissés, presque simultanément, pour accueillir le présent, le seul temps qui nous restait.

Autant le désir que j'avais eu d'elle durant nos années de Cégep avait disparu, autant un nouveau désir avait pris sa place, celui-là bien enraciné dans l'immédiat. On pense que le désir du passé peut survivre au temps, mais il n'en est rien. C'est nous qui survivons à l'écoulement du temps, de sorte que nous en arrivons à créer de nouveaux désirs qui remplacent les anciens, devenus désuets. Nous avons fait l'amour durant une heure, peut-être un peu plus. Son corps était un monde à lui seul, dont je découvrais peu à peu les contrées inexplorées. Je me perdais en elle et elle en moi. À un moment, j'eus le sentiment qu'elle me berçait par sa générosité, sa simplicité, sa douceur, et qu'elle ne pouvait être que bonté. Même son corps me le rappelait, par intervalles presque réguliers. Nous nous sommes endormis, étrangement entremêlés l'un à l'autre, comme si le temps s'était arrêté pour nous laisser goûter ce moment tant espéré.

***

*8 mars 2002, mon bureau du boulevard
René-Lévesque, Montréal*

Une curieuse journée commençait pour moi. La journée internationale de la femme, d'accord. Mais j'avais rendez-vous avec le grand boss, monsieur Vaillancourt. Pour diverses raisons, j'aurais préféré déplacer cette rencontre, mais c'était impossible. On ne joue pas ce genre de jeu avec son patron, d'autant plus que je n'avais aucune idée du degré d'ouverture d'esprit dont il ferait preuve en apprenant le harcèlement sexuel subi par Helena. Plusieurs possibilités se confrontaient dans ma tête. Allait-il me dire de me mêler de mes affaires? La solution des vases clos. Ou bien allait-il ridiculiser l'affaire en tentant de tout ramener à de mauvaises blagues, au sens de l'humour qui manque chez les féministes? La solution du dénigrement. Ou au contraire, allait-il saisir que c'était la dignité de la personne humaine qui était en jeu? La solution humaniste. Durant certaines réunions, j'avais eu le sentiment qu'il était capable de passer de l'une à l'autre solution en l'espace d'une heure. Il était donc imprévisible. Même l'attitude de sa secrétaire au tempérament de plus en plus nourri aux hormones ne pouvait rien m'indiquer, dans un sens comme dans l'autre.

J'ai dû attendre au moins une demi-heure avant d'entrer dans son bureau. Je savais, par expérience que, plus on entre en retard dans le bureau de son boss, moins on a de temps à notre disposition pour discuter du sujet qui nous amène. Il me faudrait donc aller droit au but, quoi qu'il arrive. Bien assis devant son immense bureau d'acajou et ses bibliothèques remplies de cadeaux dispendieux reçus de diplomates étrangers ou de partenaires d'affaires très constants dans leur amitié, je me ravisai et tentai de détendre l'atmosphère. Cela ne dura pas très longtemps. Un patron vous voit venir à cent milles à la ronde, lorsque vous voulez éviter un sujet ou tenter de ne pas répondre à ses questions. C'est lui qui me poussa à me jeter à l'eau.

—Je viens vous voir pour un sujet délicat.

—C'est toujours le cas quand vous êtes assis devant mon bureau. Autrement, je ne serais pas là, me dit-il, l'air autosuffisant, hautain.

—Oui, bien sûr. Il s'agit d'un cas de harcèlement sexuel.

—Ne me dites pas qu'il y a des femmes au bureau qui vous harcèlent sexuellement! me dit-il avec un sourire presque voyeur.

—Non, non. Ce n'est pas de moi dont je veux vous parler.

—Ah. Ah bon, répondit-il, l'air déçu. Mais alors, de quoi s'agit-il? Dépêchez-vous, car j'ai peu de temps à vous consacrer.

—C'est Helena Dubcek.

—Pourquoi n'est-elle pas venue me voir? Mais, allez-y, dites-moi ce qui se passe.

—C'est Lamarre qui la harcèle, plus d'une fois en peu de temps. Elle s'est confiée à moi, pensant qu'elle aurait une oreille attentive. Ce fut le cas. Je suis incapable de tolérer ce genre de comportement. Mon tempérament m'en empêche. Je n'y puis rien.

—C'est tout à votre honneur, mon cher.

—Lamarre n'est pas homme à se faire dicter sa conduite par qui que ce soit. C'est pourquoi j'ai pensé que, si vous étiez au courant, vous pourriez peut-être faire quelque chose pour que cessent ces comportements inappropriés.

—Ces comportements inappropriés, comme vous dites, vous en avez été témoins personnellement?

—Non, c'est Helena qui...

—Vous ne faites donc que me rapporter ce qu'Helena vous a dit.

—Je sais que c'est du ouï-dire, mais c'est tout de même assez important pour que...

—Laissez-moi décider de ce qui est important et de ce qui ne l'est pas. Vous n'êtes pas en position pour le faire.

Le silence se fit. Je me mis à penser aux trois

solutions possibles. Aucune d'elles ne faisait encore son apparition.

— Avez-vous parlé à Lamarre?

— Non, je croyais que ce n'était pas à moi de...

— Vous avez eu raison. Je vous remercie d'être venu me voir. Il ne faut pas prendre ce genre de choses à la légère. Trop de bureaux n'y prêtent pas d'attention et font face ensuite à des poursuites ou voient leur image entachée pour très longtemps. Je ne veux pas que ce genre de choses arrive.

Je sentais que la partie était gagnée et me félicitais mentalement d'avoir fait cette démarche pour Helena.

— N'en parlez à personne. Laissez-moi faire. Est-ce tout?

— Oui, je crois, dis-je me levant.

Je le saluai et me dirigeai vers la porte, lorsque, ayant mis la main sur la poignée, il interrompit mon mouvement.

— Est-ce que les dossiers internationaux vous passionnent encore?

— Euh, oui, évidemment, c'est... c'est ma spécialité. J'y tiens vraiment beaucoup. Pourquoi?

— Oh, rien. Vous savez, il y a des changements qui, même s'ils sont malheureux pour certains, s'avèrent importants pour un bureau. Je ne vous annonce pas de décision ferme, mais nous venons d'engager Évelyne, notre brillante stagiaire, et il faudra lui trouver une place dans notre organisation.

— Bien sûr, je considère que c'est très bien de l'avoir recrutée. Elle a beaucoup d'avenir chez nous. Je ne voudrais pas trop insister, mais j'ai beaucoup d'expérience et de contacts dans le milieu, de sorte que...

— Je sais tout cela. Sinon, je ne serais pas le président, On se comprend?

—Euh, oui, bien sûr, monsieur le président.

—Disons que je verrai comment iront les choses et j'aviserai, dépendamment des circonstances et des événements, conclut-il en me faisant signe de sortir de son bureau.

J'étais atterré. Comment pouvait-il me faire ça à moi? Je ne comprenais rien à son attitude. Ça manquait de la logique la plus élémentaire. On ne donne pas des dossiers internationaux d'envergure à une jeune recrue. On peut la faire participer à ces dossiers, mais pas lui imposer la responsabilité de les mener à bien.

Quand je croisai Helena dans le corridor, je fus incapable de ne pas laisser paraître mon émotion. Elle parut troublée, mais changea de direction comme pour éviter de croiser mon regard à nouveau. C'est à ce moment que je compris ce que venait de faire le président: il me menaçait de changer mes tâches si je tentais de révéler à qui que ce soit le comportement de Lamarre à l'égard d'Helena. Bien que je n'aie jamais eu la volonté de révéler les faits à tout le monde, je pouvais comprendre qu'un président soit angoissé à la seule pensée que cela puisse survenir. Mais je ne parvenais pas à saisir la nécessité de me menacer. L'enjeu pour lui devait dépasser mon entendement.

Plus tard dans la journée, je pris mon courage à deux mains et me rendis au bureau d'Helena pour la pause-café. J'allai directement au but, en lui cachant toutefois mes conclusions qui pouvaient s'avérer farfelues: «J'en ai parlé au boss. Il a tout pris en note et me demande de n'en parler à personne. C'est lui qui agira, tout seul». C'était là un résumé bien partiel de la rencontre, mais je croyais qu'Helena n'avait pas besoin d'en savoir davantage. J'ai bien lu la déception sur son visage, mais j'ai fait semblant de rien, me sentant incapable de supporter ses questions ou commentaires, du genre : « N'allez pas risquer votre position pour moi ! Vous n'auriez pas dû. Oubliez tout à partir de maintenant. » Ou bien : « Vous ne faites rien ? Je vous faisais confiance. Les hommes sont tous pareils. On ne peut pas s'y fier, quand il est question de dignité humaine. » La discussion s'est vite terminée, et nous sommes repartis chacun avec notre lot d'angoisses.

***

9 mars 2002, chez moi, 7 h 30

Je me suis réveillé après une nuit agitée. Les draps s'étaient envolés à l'extérieur de mon lit. Je ne me rappelais pas du tout ce qui avait pu autant me troubler. Pourtant, au réveil, j'avais un souvenir très précis de mon rêve, si précis que je me demandais s'il avait pu être réalité. Il y a de ces rêves qui ont l'air si vrais qu'on y croit encore une fois revenu à l'état de veille. C'était un de ceux-là, à cette différence près qu'il m'aurait été impossible de tomber dans le réel que le séjour dans les bras de Morphée m'avait inspiré.

J'étais dans un endroit fermé, qui semblait entouré d'eau ou presque. Était-ce une île ou une presqu'île, ou étais-je sur le bord de la mer ? Je n'en sais rien. Mais beaucoup d'eau entourait cette demeure plutôt grande et cossue, au riche intérieur. J'avais une vague impression d'être à une époque préchrétienne, possiblement plusieurs siècles avant la naissance de Jésus. Rien de plus précis. Quant au lieu, c'était quelque part dans les pays qui bordent la Méditerranée, plus ou moins loin d'Israël. J'étais assis à l'intérieur de cette maison cossue, avec quelques autres personnes qui m'accompagnaient, deux ou trois, je crois, et des mets extrêmement raffinés que je n'avais jamais goûtés auparavant nous étaient servis. Une diseuse de bonne aventure me faisait face, habillée de vêtements que je considérais très anciens et typiques de régions proches de l'Égypte. Je ne me souviens pas de ce qu'elle me racontait. À la sortie, nous sommes allés au bord de l'eau et avons vu des têtes humaines qui avaient été tranchées et qui flottaient sur l'eau. C'était horrible. En me réveillant, en sueurs, je résumai ainsi le contenu du rêve et compris, surtout à cause de la fin terrible sur laquelle il débouchait, la raison de mon sommeil troublé.

J'allais me lever, quand un souvenir s'ajouta à l'histoire que je venais de reconstituer. Une voix rauque, comme dans le premier rêve où il avait été question de Jeanne II de Navarre, m'avait dit: « Rois. Regarde dans les Rois ». Je me doutais qu'il s'agissait d'un livre de la Bible. Mais je ne lis pas la Bible. J'ai délaissé la messe depuis longtemps déjà. Rien ne m'intéressait moins, à l'époque que d'entendre les mêmes textes bibliques répétés d'année en année. Mon esprit en était saturé. Lorsqu'à la télévision il était question d'archéologie biblique ou d'interprétation scientifique de la Bible, j'avais invariablement le réflexe de changer de canal. Je décidai tout de même d'aller vérifier si je trouverais un indice quelconque qui m'aiderait à comprendre le sens d'un rêve si bizarre. Je pris le seul exemplaire de la Bible que j'avais; il s'agissait de la Bible de Jérusalem. Je découvris qu'il y avait deux livres portant le nom de Rois. Comme il y avait des sous-titres dans tous les chapitres, je les passai les uns après les autres, pour finalement m'arrêter à celui qui me semblait pertinent. Le sous-titre était le suivant: *Consultation de la prophétesse Hulda* (2 Rois, 22, 11-20), dont voici le texte principal:

En entendant les paroles contenues dans le livre de la Loi, le roi déchira ses vêtements. Il donna cet ordre au prêtre

123

Hilqiyyahu, à Ahiqam fils de Shaphân, à Akbor fils de Mikaya, au secrétaire Shaphân et à Asaya, ministre du roi : Allez consulter Yahvé pour moi et pour le peuple, à propos des paroles de ce livre qui vient d'être trouvé. Grande doit être la colère de Yahvé, qui s'est enflammée contre nous parce que nos pères n'ont pas obéi aux paroles de ce livre, en pratiquant tout ce qui y est écrit.

Le prêtre Hilqiyyahu, Ahiqam, Akbor, Shaphân et Asaya se rendirent auprès de la prophétesse Hulda, femme de Shallum fils de Tiqva fils de Harhas, le gardien des vêtements ; elle habitait à Jérusalem dans la ville neuve. Ils lui exposèrent la chose et elle leur répondit : Ainsi parle Yahvé, Dieu d'Israël. Dites à l'homme qui vous a envoyés vers moi : Ainsi parle Yahvé. Je vais amener le malheur sur ce lieu et sur ses habitants, tout ce que dit le livre qu'a lu le roi de Juda, parce qu'ils m'ont abandonné et qu'ils ont sacrifié à d'autres dieux, pour m'irriter par leurs actions. Ma colère s'est enflammée contre ce lieu, elle ne s'éteindra pas.

J'étais estomaqué. Bien sûr, ce n'était pas exactement le contenu de mon rêve, mais les similitudes étaient frappantes. Je ne parvenais pas à comprendre pourquoi j'avais fait ce rêve et surtout ce qu'il pouvait bien signifier. Je n'avais rien lu ni entendu récemment qui aurait pu me porter à fabuler ainsi. Je me sentais totalement dépourvu devant cette vision dont la structure se retrouvait presque intégralement dans un texte biblique dont le nom, par surcroît, m'avait été révélé dans mon sommeil même.

Je décidai d'en parler à notre prochaine réunion, à la Ferme. Le maître pourrait peut-être m'aider à bien interpréter ce que j'avais vu. Qui d'autre aurait pu le faire avec une autorité suffisante ? Je ne connaissais personne à qui confier un tel secret.

***

10 mars 2002, Ferme de la conscience épanouie, 20 h

J'entrais là avec une certaine anxiété. De vouloir révéler les deux rêves mystérieux que j'avais faits me surexcitait, comme si j'allais découvrir que j'étais un être exceptionnel, non pas par mes qualités personnelles, mais du fait que quelque chose de surnaturel m'arrivait. Je ne voulais pas y croire vraiment. Pourtant, je ne parvenais pas à éliminer cette hypothèse. Car les deux rêves n'étaient pas, du moins dans mon esprit, de purs rêves que l'on oublie dès le réveil. Tout seul, je n'aurais jamais pu en déterminer le contenu. Ce soir-là, je n'avais pas véritablement besoin de courage pour me lancer dans mon récit. Non, j'avais très hâte, je serais le premier à lever la main lorsque le maître nous donnerait la parole.

Une fois dans la grande pièce vouée à la réflexion subtile, je me rendis à la table où on pouvait trouver quelques livres et fascicules publiés par le maître au nom de Anatma. Il les publiait lui-même à compte d'auteur sous un nom d'édition qui nous paraissait, à toutes et à tous, bien évident : les Éditions de la conscience épanouie. Nous n'avons jamais su combien d'exemplaires s'étaient véritablement vendus de ces livres. Ce que je découvrais en feuilletant l'un d'entre eux, intitulé *Le voyage de la conscience au-delà d'elle-même*, c'est qu'il en était à sa troisième édition, ce qui, en fait, ne voulait strictement rien dire. En regardant ces livres, je me surpris à songer à un détail que je n'avais pas considéré depuis que je venais à la Ferme : aucun membre n'était obligé d'acheter les livres ou fascicules écrits par le maître. Bien sûr, à la fin de ses conférences, plusieurs membres du groupe s'en procuraient, mais aucune pression n'était faite sur personne en ce sens. Le maître nous avait d'ailleurs déjà confié que la Ferme ne pouvait être assimilée à une secte, parce que chacun était libre d'y entrer et d'en sortir quand il le voulait. En outre, personne n'était obligé de croire ce qu'il disait. La première fois qu'il avait fait cette confidence, je dois dire que cela avait eu un effet important sur le groupe. J'ai pu voir des yeux et des sourcils, parfois même un léger sourire, acquiescer. Les membres étaient heureux que de telles règles président à leur voyage dans les profondeurs de la conscience.

Le maître devait donc avoir publié une douzaine d'ouvrages, dont la plupart ne dépassaient pas cent pages, mais qui se détaillaient trente dollars. Je regardais ces livres, quand je sentis deux mains chaudes se poser sur mes hanches. Instinctivement, comme s'il eût fallu me protéger d'une bête sauvage, je me retournai pour découvrir le visage provocant de Priscilla. Elle me prit dans ses bras, comme on fait à l'arrivée de tous et chacun. Mais elle me fit un long et très suggestif baiser sur la nuque. Je ne voulais pas la repousser. Je dois avouer que je ne désirais pas non plus qu'elle stoppe le manège. Pourtant, je savais que je jouais avec le feu. Tout de même, c'était la compagne de vie du maître! Heureusement pour moi, elle s'est arrêtée au bon moment, lorsque son compagnon a fait son entrée. Avait-il assisté ou non à la scène? Mon espoir était qu'il n'ait rien vu des gestes provocants de Priscilla ni, par voie de conséquence, du fait que je n'aie opposé qu'une résistance trop passive à ses avances.

Bien assis devant nous dans la position du lotus, le maître nous entretint durant quelques instants du pouvoir de la pensée. Je sentais qu'il me regardait plus que d'habitude, mais je n'arrivais pas à percer le secret de son regard, jusqu'à ce qu'il termine son discours de la manière suivante: «Il y a dans la salle une âme qui se pose des questions, de graves questions suite à des événements dont il ne comprend pas le sens. Que cette âme se sente bien à l'aise de nous révéler la raison de son angoisse. Nous sommes là pour l'aider à traverser les vents et marées de l'existence». J'aurais pu croire que ces mots s'adressaient à quelqu'un d'autre. En effet, les paroles étaient si vagues que c'aurait pu être le cas. Mais, ce soir-là, je ne voyais que ma propre perspective. Je pensais qu'il ne s'adressait qu'à moi. Je fus le premier à lever la main, bien que j'aie remarqué que Georges avait également la main levée et les yeux larmoyants. Je n'en fis aucun cas. J'avais trop besoin de me raconter. C'est ce que je fis dans les dix minutes qui suivirent. Je racontai les deux rêves en détail, alors que le maître me regardait droit dans les yeux. Quand j'eus fini, il fit une pause et, plutôt que de demander comme c'était son habitude si quelqu'un dans le groupe avait quelque chose à ajouter pour éclairer l'âme en peine, il décida de procéder autrement.

— Que cherches-tu? me demanda-t-il avec un visage déjà sévère.

— Euh!.. Le sens de ces rêves.

— C'est en toi que ce sens réside, au plus profond de ton âme. Mais c'est en même temps si près, si proche de toi que...

— Comment cela peut-il être à la fois profond et proche? demandai-je, perplexe.

— Les choses nous apparaissent habituellement de façon linéaire. On les voit selon les dimensions habituelles, conventionnelles. Mais, elles ne sont pas comme elles nous semblent être, du moins pas dans leur essence. C'est ce paradoxe du conventionnel et de l'essentiel qui peut expliquer ce qui pourrait paraître contradictoire.

—Prenons d'abord la dimension profonde. De quoi s'agit-il?

—Il s'agit de ta conscience subtile, à laquelle tu n'as généralement pas accès. C'est là que résident les réponses à toutes tes questions.

—Et la dimension essentielle?

—C'est ce que ton être retient de tes nombreuses réincarnations.

—Ah, nous y voilà. Avec tout le respect que je vous dois, je n'ai jamais cru à la réincarnation. Bien sûr, c'est une explication très utile en l'occurrence. Vous me direz que mes rêves sont faciles à expliquer. Dans une autre vie, j'ai été la prophétesse Hulda, puis Jeanne II de Navarre, je suppose? Cela n'a pas de sens. Bien sûr, voilà une explication qui me clouerait le bec. Désolé, je ne peux pas croire que j'aie pu avoir plusieurs vies antérieures, des millions mêmes!

—On peut comprendre qu'il est difficile de croire en la réincarnation, ajouta le maître. Cela exige un haut niveau de développement spirituel.

—Comment pouvez-vous...? Excusez-moi, je ne voudrais pas être désagréable, mais d'une certaine manière, je me sens... Comment pouvez-vous affirmer que j'ai un niveau moindre de développement spirituel que d'autres membres du groupe et que c'est pour cette raison que je ne peux adhérer à la croyance en la réincarnation? dis-je, abasourdi.

—Simplement par expérience, répondit lentement le maître.

—Est-ce que votre expérience, comme vous dites, a déjà pris en considération d'autres hypothèses que la réincarnation pour expliquer le genre de rêves que j'ai eus?

—J'ai effectivement considéré d'autres hypothèses, mais aucune n'atteint le niveau souhaité de plausibilité.

—Mais c'est vous qui définissez ce niveau souhaité. C'est vous qui décidez d'éliminer ces hypothèses, peu importe qu'elles vous paraissent raisonnables ou non.

—Ce n'est pas le caractère raisonnable des hypothèses qui est en jeu.

—Je crois que ces rêves me sont envoyés d'en-haut, par des esprits, comme des preuves qu'il y a une vie après la mort.

—Comme si vous étiez un privilégié? demanda le maître de manière presque sarcastique.

—Oui, je me sens privilégié de recevoir ces messages de l'au-delà comme des preuves qui renforcent ma foi.

—Votre foi est bien faible, si elle a besoin de ces rêves pour continuer à exister en vous.

Le maître avait dépassé les bornes. Il jugeait de ma foi, de sa force ou de sa faiblesse. Pour moi, c'était un manque de respect. Cela supposait qu'il se croyait investi du pouvoir d'évaluer les autres. Avait-il un instrument pour y arriver? Son attaque envers moi m'apparaissait déraisonnable. Je me sentais trahi. Je me demandais comment j'avais pu être assez bête pour croire qu'il pouvait être mon guide spirituel. J'avais poussé l'aveuglement jusqu'à l'appeler *maître*. C'était vraiment absurde. Je prenais conscience que ma vie n'était qu'une recherche de sens et que l'existence de la Ferme avait simplement répondu à mes attentes. Mais ce n'était plus le cas. Ce maître n'était plus le mien. À partir de maintenant, il serait pour moi, Anatma, car je ne connaissais pas son véritable nom.

—Anatma, dis-je en sachant que l'appeler ainsi était une insulte irréparable, Anatma, je crois que je n'ai plus rien à faire ici.

—Vous êtes toujours libre d'entrer et de sortir, répondit-il.

—Je vais profiter de cette liberté, justement. Jamais je ne me laisserai plus dicter par qui que ce soit comment je dois trouver un sens à ma vie. Jamais plus personne ne tentera d'évaluer la force ou la faiblesse de ma foi. Qui es-tu, Anatma, pour nous manipuler ainsi à ta guise?

—Tu ne devrais pas parler comme cela au maître, dit Georges, le ton réprobateur.

—Ça ne fait rien. Il a bien le droit de parler, tout comme celui de partir sur-le-champ, précisa le maître en espérant probablement que je quitte dans les prochaines secondes.

C'est ce que je fis. Je ne voyais pas ce que je pouvais ajouter de plus. Je regardai les visages des uns et des autres, pour n'y voir que de la honte ou de la colère réprimée. Je quittai, sans dire un mot. J'allais sortir à l'extérieur quand Mariette est accourue. Elle m'a demandé si elle pouvait m'accompagner. J'acceptai, sans vraiment penser à ce qu'elle pouvait bien avoir en tête. Partait-elle pour me convaincre de revenir dans le groupe et donc de modifier ma décision? Ou au contraire, quittait-elle les lieux, parce qu'elle partageait la même perception que moi? Ou était-elle simplement fatiguée et profitait-elle de l'occasion pour se retirer? J'acceptai sa présence, sans rien attendre en retour et sans me soucier des motivations qu'elle pouvait avoir de ne plus revenir à la Ferme. Nous sommes sortis à l'extérieur et avons bravé une tempête de neige qui faisait rage. Une de ces tempêtes soudaines qui ne durent qu'une demi-heure, mais qui bloquent toute vision. J'étais inquiet pour la route. Le voyage n'était pas bien long pour revenir à Montréal, mais, dans ces conditions, ce serait tout autre chose. J'étais heureux d'avoir de la compagnie. Cela m'aiderait à supporter l'angoisse que me causait cette subite bordée de neige.

—Tu avais bien raison quand tu as apostrophé le maître, euh, je veux dire... tu sais qui, commença Mariette en ayant l'air de vouloir se rapprocher de moi. Je ne veux même plus l'appeler Anatma, je préférerais qu'il s'appelle Pierre Laframboise. Mais on ne saura jamais son vrai nom.

—Je n'ai dit que ce que je pensais. En fait, j'étais dans le doute depuis un certain temps, mais je n'arrivais pas à saisir exactement ce dont je doutais.

—Ça prend du temps pour identifier là où on se sent exploité, écrasé dans notre âme, précisa Mariette.

—Je ne me sentais pas exploité ni écrasé au début. Il y avait plutôt un malaise qui ne voulait pas partir, mais auquel je m'étais habitué, comme s'il faisait partie de la vie à la Ferme.

—C'est vrai que tout cela prend du temps, que c'est progressivement qu'on se rend compte de...

—J'ai dit ce que je devais dire. Il y a un moment dans la vie où on n'accepte plus d'être dénigré, écrasé ou nié comme personne. Ce moment est différent selon les gens, mais, lorsqu'il survient, c'est qu'on a franchi le seuil de tolérance. À partir de là, plus jamais rien ne sera pareil. Plus personne ne pourra même essayer de nous écrabouiller comme une fourmi. C'est un moment béni.

Nous avons continué à bavarder tout le reste du voyage. Ses paroles me faisaient du bien, car elles me distrayaient de l'angoisse qui me serrait à la gorge et de l'anxiété causée par la tempête qui faisait rage sur l'autoroute. Plus elle parlait, plus elle me révélait quelque chose d'elle-même qui me semblait être à des lieues de ce que j'étais. Je ne sais si mon cœur était troublé par la séparation que je venais de provoquer, mais tout ce qu'elle me disait n'avait plus l'effet de me rapprocher d'elle.

Je suis allé la reconduire chez elle. À Montréal, déjà, la tempête avait diminué. J'étais arrivé dans les rues de la métropole, il n'y avait plus à m'en faire. Mariette resta dans l'auto une bonne quinzaine de minutes. On aurait dit qu'elle ne voulait plus se détacher de moi. En y repensant, je me souviens qu'elle bougeait beaucoup, elle se tortillait. C'était fait de manière si subtile que ce n'est qu'aujourd'hui que je m'en souviens. À un certain moment, voyant probablement que je répondais peu à ses questions, elle annonça son départ, me salua et détourna la tête en ouvrant la portière. Mais elle suspendit son geste et se rapprocha dans un mouvement brusque. La portière encore ouverte, elle se tourna rapidement et m'embrassa le plus vivement qu'elle pût. Mon état d'esprit n'y était pas du tout. Elle avait beau user de tous ses charmes, c'était inutile. Pourtant, je ne peux pas dire que ce court baiser me déplut. Mais, mon cœur n'y était pas. Elle le sentit, se retira et prit congé. Et moi, sans bouger, je n'ai pu lui dire ce que probablement, en d'autres circonstances, je lui eusse dit sans hésitation. Je la regardai marcher jusqu'à la porte de son duplex. Je la voyais chercher sa clé fébrilement, sans regarder derrière elle, mais avec un léger pincement au cœur qui se devinait. Je la perdis de vue, la porte de nos existences parallèles s'étant refermée.

**

11 mars 2002, chez moi, vers 7 h 20, à mon réveil

Je venais d'ouvrir les yeux et le rêve qui était encore frais dans mon esprit me paraissait des plus réels. J'avais vu ma grand-mère maternelle s'approcher de moi, alors que j'étais couché dans mon lit. Je sentais qu'elle me visitait cette nuit-là, et pas une autre auparavant. C'était comme si j'avais fait un rêve éveillé, et que je l'avais vue venir vers moi, toute souriante. Elle avançait lentement et avait un visage rayonnant. Loin derrière elle, je percevais une lumière blanche intense qui lui donnait un éclat particulièrement frappant. Je me rappelle avoir remarqué sa robe aux imprimés de petites fleurs des champs. C'était surprenant pour moi. Je savais que, pendant des années, lorsqu'elle couchait au chalet familial, les étés où j'y allais à l'occasion, je savais qu'elle cueillait de petites fleurs dans des champs qui étaient situés à une vingtaine de minutes de marche. Elle y allait avec mon grand-père, un costaud au cœur tendre qui fumait la pipe de manière élégante et qui avait un sens de l'humour très raffiné. Chaque fois que je la voyais revenir, tenant son bouquet de minuscules fleurs d'une main et celle de son mari attentionné de l'autre, je prenais conscience de la beauté de l'amour, une beauté à laquelle on ne s'habitue jamais.

La robe qu'elle portait dans mon rêve m'avait donc fait accomplir un retour en arrière, comme si mes connexions mentales avaient instauré un lien entre mes souvenirs, pour des raisons qui me sont encore inconnues. Ma grand-mère portait dans les mains un de ces bouquets cueillis dans les champs et elle venait me le porter avec un large sourire. Je remarquai que son sourire était différent de celui qu'elle me faisait habituellement. La raison en était qu'elle n'avait pas 90 ans, son âge actuel, mais plutôt le début de la cinquantaine, selon la vision que j'en avais. Le rêve s'est terminé lorsque j'ai pris son bouquet dans mes mains.

Je n'avais aucune hypothèse pour expliquer ce songe. Mais il m'apparaissait plus simple que les deux autres qui m'avaient ramené plusieurs siècles en arrière. Je me disais simplement que ma grand-mère, à qui je pensais souvent, était un sujet de préoccupation pour moi. Elle avait d'ailleurs eu un malaise cardiaque dernièrement, mais tout était rentré dans l'ordre. Peut-être mon inconscient n'avait-il pas compris le message!

Je me fis du café et entamai la lecture du journal que je venais de récupérer au bas de ma porte. Je lisais rarement plus que les grands titres, du moins le matin. La lecture plus analytique des articles qui pouvaient m'être utiles était réservée à certains moments de mes soirées libres.

Le téléphone sonna, à ma grande surprise. Qui pouvait bien appeler à cette heure? C'était ma mère. Elle avait la voix enrouée et le discours tellement saccadé qu'au début, je ne saisis presque rien de ce qu'elle me racontait. Je compris à force de la questionner qu'elle voulait m'annoncer une grave nouvelle. Ma grand-mère maternelle, celle qui avait hanté ma dernière nuit, était justement morte à trois heures et quart du matin. J'étais sidéré. Comment ne pas l'être? Qu'avait-elle voulu me dire? Avait-elle vraiment pénétré mon rêve avant de rendre l'âme? Ou peut-être était-ce partie du processus de sa mort que de me rendre visite, une fois que son cœur s'était arrêté de battre. J'étais impressionné. Je sentais que ma grand-mère m'avait ainsi donné un beau cadeau, comme une assurance que l'au-delà est merveilleux et que ce n'est pas la peine de s'angoisser à ce sujet. Je tentai de consoler ma mère. Comment peut-on y arriver, alors que c'est sa mère, et non la mienne, qui nous a quittés? Pouvons-nous mieux consoler ceux qui subissent la même peine que nous? Dans bien des cas, la situation est encore plus difficile lorsqu'il s'agit de ces personnes avec qui nous avons avancé dans l'enfance et dans l'adolescence. Il n'y a aucune garantie que la compassion soit plus facile avec les uns ou les autres, peu importe la situation ou les personnes concernées.

C'est notre cœur qui fait la différence, car c'est lui qui module l'intensité de cette sympathie que nous ressentons à l'égard de ceux qui pleurent un disparu.

Je raccrochai, en étant convaincu de n'avoir rien fait qui mérite l'attention. Mais tout de même, c'était ma mère; mes propos ne l'avaient certainement pas laissée indifférente. L'avais-je aidée quelque peu? Je l'espérais. Pouvons-nous faire autre chose que d'espérer que l'aide que nous offrons aux autres leur soit bénéfique?

Avant d'aller au boulot, je me rendis chez le fleuriste le plus près. Je devais être le premier client du jour. En entrant, je sentis que les odeurs qui se mélangeaient avaient justement pour but de ne pas être reconnues individuellement. Si je pénétrais dans les lieux pour une occasion heureuse, je serais ravi, tandis que si j'y allais pour un décès ou la grave maladie d'un être cher, je serais déchiré entre la nécessité d'acheter des fleurs, comme si elles symbolisent la vie, et l'hésitation à les acheter parce qu'elles préfigurent la mort. Non pas tant celle de la personne décédée, que celle qui guette tous les vivants. Lorsqu'on va chez le fleuriste pour choisir un bouquet à poser à côté du cercueil, on ne peut s'empêcher de penser, ne fût-ce qu'un instant, que nous y retournerons dans l'avenir pour des êtres chers qui sont encore là, mais qui marchent inexorablement vers leur mort. On peut facilement oublier que ce sera notre tour un de ces jours. Car notre propre mort ne fait pas partie des possibles auxquels nous réfléchissons longuement. C'est la mort des autres qui nous est constamment présente.

Je suis allé au comptoir. Un jeune homme trapu, à la chevelure ondulée tout autant que les manières, particulièrement le mouvement de ses mains, me demanda s'il pouvait m'aider. Quand j'hésitai, la gorge nouée, j'ai vu dans ses yeux qu'il avait compris ce qui me tenaillait. Il se retira doucement, à la manière d'un nuage qui disparaît de notre champ visuel sans que l'on s'en rende trop compte. Comme je ne trouvais rien qui puisse signifier quoi que ce soit pour ma grand-mère, je lui demandai de me faire un bouquet de fleurs des champs. Même si elle était décédée, je voulais lui faire plaisir, comme si je pressentais que dans l'autre dimension dans laquelle elle avait pénétré, tel un ange, elle pouvait ressentir du plaisir. Il sourit et, d'un mouvement rapide, il choisit de petites fleurs mauves, blanches et roses, ainsi que quelques-unes bleues. C'était merveilleux. Le bouquet qu'il m'avait fait n'était pas identique à celui que j'avais vu en rêve, mais je dois avouer qu'il s'en rapprochait. Toutes les fleurs des champs devaient se ressembler, pensai-je. Je suis retourné à la maison mettre les fleurs dans l'eau. J'apporterais le tout au salon funéraire le lendemain soir.

***

11 mars 2002, mon travail, 17 h 15

J'avais rendez-vous avec le grand boss. Cela concernait le harcèlement que Helena subissait de la part de Frank Lamarre. J'entrais dans son bureau l'âme fébrile, ne sachant trop ce que le président pouvait bien penser de cette affaire, et surtout ce qu'il allait entreprendre ou non pour régler le problème. Je me suis assis lentement, mais avec une certaine détermination. Il me regarda plusieurs secondes, sans dire un mot. Ça ne faisait qu'augmenter mon angoisse.

—Je suis heureux que vous m'ayez mis au courant

de cette affaire, commença-t-il. Le bureau ne tolérera jamais ce genre de conduite. Ça va à l'encontre de nos principes et de nos valeurs.

— C'est bien ce que je pensais. Mais je suis content de l'entendre de...

— J'ai fait ma petite enquête et effectivement, Frank Lamarre a commis des gestes et prononcé des paroles très regrettables.

— Que voulez-vous dire par regrettables? demandai-je, en perdant presque tout espoir qu'il puisse démontrer du leadership dans cette affaire.

— Regrettables veut simplement dire que cela n'aurait jamais dû arriver. Rien ne justifie un tel comportement.

— C'est aussi ma conviction. C'est pourquoi je suis venu vous en parler directement.

— Mais j'ai eu aussi connaissance d'autres faits troublants.

J'eus un malaise soudain. Helena m'avait-elle tout dit? Si ce n'était pas le cas, que pouvait-elle m'avoir tu de si important? Si des événements connus d'elle étaient venus aux oreilles du président, il devait me considérer comme un pauvre con qui défend la veuve et l'orphelin sans réfléchir.

— Disons qu'Helena n'est pas toute blanche. Si j'en crois ce que dit Frank Lamarre.

— Comment pouvez-vous considérer la parole d'un homme qui harcèle?

— Je comprends que vous puissiez douter de sa parole, mais je connais Frank depuis longtemps. Je sais ce dont il est capable. Il a vraiment harcelé Helena au tout début. J'en suis convaincu. Elle n'a pas apprécié, mais le temps a passé et les avances de Frank sont devenues plus acceptables pour elle. Quand Frank me raconte cette partie de l'histoire, j'ai tendance à le croire. Avec les années, j'ai appris à détecter quand il cherche à mentir ou à manipuler l'information.

— On peut bien aimer flirter, mais ça ne veut pas dire qu'on acceptera d'être harcelé sexuellement, dis-je, bien convaincu de ce que j'avançais. Ce sont des choses qui sont évidemment très différentes.

— Je m'accorde avec vous là-dessus. Le problème, c'est qu'il semble qu'Helena ne se satisfasse pas des avances de Frank. Ce n'était jamais assez. Frank s'en est lassé et c'est là qu'elle a crié faussement au harcèlement.

— Il y aurait donc eu trois épisodes dans cette affaire : au début, Frank l'a harcelée. Puis, Helena l'a enjoint d'arrêter et c'est ce qu'il a fait. Par la suite, il est revenu à la charge plus doucement et elle a paru apprécier. Mais, plus il faisait des avances, plus elle en désirait de plus explicites. Frank en devint exaspéré. Et c'est là qu'Helena a crié au scandale. Ai-je fait un bon résumé des prétentions de Frank ?

— Ce ne sont pas des prétentions, c'est... Disons que oui, c'est ce que croit Frank, et j'ai tendance à être de son avis.

J'étais renversé par une analyse aussi tordue des comportements répréhensibles de Frank Lamarre. Je ne croyais pas du tout à ce scénario bien compliqué et qui ne cadrait pas avec la personnalité d'Helena, du moins à ce que j'en connaissais. Le président s'aperçut probablement de mon incrédulité et fronça les sourcils.

— Je ne vous demanderai pas de me croire. Je vous donne simplement ma position comme président. De plus, j'apprécierais que vous ne vous mêliez plus de cette histoire. D'ailleurs, il y aura certains changements qui étaient imprévus et qui affecteront certains postes au bureau.

— Je ne vous suis pas très bien, monsieur, dis-je, intrigué.

— Ne cherchez pas à faire quelque lien que ce soit. Mais il y aura des changements chez les responsables de dossiers ainsi que parmi le personnel. Certains postes seront coupés. Helena fait partie de ces coupures. Il y a également Jean-Claude et Sacha.

— Vous me demandez de ne pas faire de lien. C'est ça?

— C'est bien ça. Je ne peux évidemment pas vous empêcher de penser quoi que ce soit. Soyez simplement assuré qu'il n'y a aucun complot pour...

— Je n'ai jamais pensé qu'il y ait un complot pour...

— Je suis heureux que vous soyez aussi serein. S'il vous plaît, n'en parlez pas à Helena, du moins pas encore. J'en discuterai à une prochaine réunion.

Je sentais en moi monter un volcan émotionnel. J'étais convaincu qu'il se débarrassait d'Helena afin de ne plus avoir de problème sur les bras. Je ne pouvais rien faire pour elle. Tout était bien camouflé sous l'apparence de la rationalisation des ressources et la recherche d'une meilleure rentabilité. J'en avais des haut-le-cœur. Je me levai. Le président me présenta la main.

J'étais tellement dans mes pensées que je ne me suis rendu compte qu'une fois sorti du bureau que j'avais, en fait, refusé sa poignée de main. Il avait dû se sentir insulté. Mais c'était le dernier de mes soucis. Juste avant de sortir, je revins une dernière fois à la charge.

— Pas de lien, vous dites?

Il leva les yeux vers moi et esquissa un sourire en coin, mais avec des yeux qui pouvaient vous tuer en un instant.

— Non, pas de lien, répondit-il sur un ton sec.

— Eh bien, si c'est ainsi que vous voyez les choses, vous aurez ma démission aujourd'hui, lui lançai-je en sortant, n'attendant aucune réponse de sa part et ne cherchant même pas à voir quelle mimique il arborait.

Je suis allé au bureau d'Helena et lui ai demandé de

139

venir prendre un café avec moi, ce qu'elle fit avec empressement. Elle devait sentir que j'avais du nouveau qui pourrait l'intéresser. Lorsque je lui racontai tout ce que m'avait dit le président, elle éclata en sanglots et nia catégoriquement l'hypothèse qui avait été avancée et qui l'incriminait. Je savais qu'elle ne mentait pas, qu'elle en était incapable. Je lui ai alors simplement demandé si elle accepterait de me suivre dans le bureau que j'allais ouvrir incessamment. J'avais décidé de partir à mon compte. Cette idée avait germé en moi depuis quelque temps. J'avais une clientèle assez fidèle et bien nantie. Je pouvais espérer en attirer une partie dans mon nouveau bureau, afin de pouvoir m'assurer un salaire minimal pour la première année. Helena accepta d'emblée, bien qu'elle ne sût pas qu'elle allait être mise à la porte incessamment. L'avantage, c'est qu'elle partirait avec dignité. J'étais fier de pouvoir le lui permettre.

Nous nous sommes laissés là-dessus. J'ai quitté prestement le bureau pour aller avaler un morceau chez moi et prendre les fleurs des champs que j'avais destinées à ma grand-mère. Je me dirigeai vers le salon funéraire. J'arrivai là une vingtaine de minutes plus tard. Quand on se rend à un salon funéraire pour voir un proche décédé, on voudrait retarder le moment où l'on entre, et pourtant, on ressent une certaine hâte de revoir le mort pour lui dire combien on l'aime et jusqu'à quel point il nous manquera. Je stationnai l'auto à l'endroit réservé aux visiteurs, et je marchai lentement, en comptant presque chaque seconde où je pouvais respirer un air qui ne fût pas imprégné à l'année par les morts et ceux qui les pleurent. En entrant, je fus tout de suite confronté à l'atmosphère du lieu. Je n'avais qu'à déposer mon manteau au vestiaire et je devenais libre de circuler. Je rencontrai un de mes oncles maternels en plaçant mon manteau sur un cintre. Le genre d'oncle qu'on a plaisir à revoir une ou deux fois par année, mais qu'on ne supporterait pas de rencontrer plus souvent. En arrivant au salon réservé à ma grand-mère, je voyais des gens partout, certains debout, d'autres assis, certains en pleurs, d'autres qui souriaient. Ma mère me vit arriver et délaissa les gens avec qui elle parlait pour venir me rejoindre. Elle me prit longuement dans ses bras, comme si j'avais été son unique refuge. Sa mère était très importante pour elle. Une mère est toujours extrêmement importante pour ses enfants. Mais elle était devenue, avec les années, comme une confidente, une amie pour sa propre mère. Dans les derniers temps de sa vie sur terre, ma grand-mère avait commencé à avoir des cheveux gris. Cela peut paraître surprenant, mais c'est la stricte vérité. Elle disait toujours que les cheveux gris sont un emprunt sur l'avenir et un gage que notre passé n'est pas vraiment mort. Elle avait plaisir à répéter cette phrase énigmatique que je n'arrivais pas à saisir, même à l'âge adulte. Personne ne lui avait jamais posé de question sur l'interprétation à donner à cet adage, ni même sur l'auteur de l'aphorisme. Peut-être était-ce elle-même qui l'avait inventé!

Ma mère me prit par le bras et m'emmena près du cercueil. Elle se ressemblait beaucoup. Son visage était resté presque intact. Je m'agenouillai devant elle, à l'endroit réservé aux prières. J'ai toujours trouvé cet endroit presque mythique. On y prie, bien sûr, mais on est presque collé au mort. Nos mains jointes en un geste de prière pourraient presque toucher celles du défunt si on les tendait vers l'avant un tant soit peu. Comme je n'arrivais pas à me concentrer, le visage de ma grand-mère me rappelant constamment qu'elle n'était plus de ce monde, je fermai les yeux le temps de méditer à mon aise, comme j'en avais l'intention. En les rouvrant, j'aperçus non loin des mains de ma grand-mère, autour desquelles était enroulé un chapelet, un livre à la couverture foncée qui se confondait avec sa robe fleurie. Je notai au passage que, même dans la mort, elle portait des fleurs sur elle. Comme la présence de ce livre m'intriguait, je demandai à ma mère de quoi il s'agissait. Elle prit le livre et me le montra. C'était *L'éternel mari*, de Fedor Dostoïevski.

Ma grand-mère lisait les grands quotidiens tous les jours, de la première à la dernière page. Elle était très cultivée. Dans sa bibliothèque, on pouvait trouver de grands classiques français : Balzac, Stendhal, Proust et même Voltaire. Je ne savais pas qu'elle lisait Dostoïevski. Ma mère m'expliqua qu'en effet, elle s'intéressait à ce romancier russe, mais qu'à sa connaissance, ma grand-mère ne devait avoir lu de cet auteur que le livre qu'elle emportait dans sa tombe. Je lui demandai pourquoi elle avait choisi ce livre pour l'éternité. Quel livre prendrions-nous pour meubler le temps qui ne s'écoule pas? Ma mère me répondit que ce devait être en souvenir de son mari qu'elle avait tant aimé. J'acquiesçai, étant convaincu qu'elle avait raison.

Ma mère me passa le livre. Il s'ouvrit spontanément sur une page où se trouvait une photo remontant au début des années 1960. On y voyait six enfants qui devaient être âgés de quatre ou cinq ans, assis par terre dans un long couloir. Derrière eux, une jeune religieuse tout habillée de blanc et portant un crucifix comme collier regardait la caméra, d'un air qui semblait procéder davantage de la détresse que de tout autre sentiment. Ma mère était éberluée. Elle n'avait jamais vu cette photographie. Elle me demanda de la garder, car sa mère n'en aurait plus besoin là où elle allait. Je répliquai que je ne ferais pas cela. «Grand-maman, dis-je, a voulu emporter avec elle cette photo. Elle doit signifier quelque chose pour elle. Il faut respecter son choix de ne l'avoir jamais montrée à personne». Ma mère ne fut en rien convaincue par mes dires. Bien au contraire, son visage ébahi laissait transparaître sa détermination à enquêter sur cette photo. Afin d'éviter toute mauvaise interprétation de sa part, je l'ai rassurée en lui disant que je ne m'impliquerais pas dans une telle investigation. Elle resta silencieuse.

Je regardai le texte que ma grand-mère avait souligné au stylo à la page même où la photo avait été soigneusement placée: *...l'habitude ou plutôt la manie qu'ont beaucoup de dames et de messieurs de conserver chez eux toutes sortes de vieilleries se rapportant à leur correspondance amoureuse [...] chaque chiffon de papier, ils le conservent soigneusement dans leurs boîtes, dans leurs nécessaires, en le numérotant même par année, par date, en le classant. Cela les console peut-être, je ne sais; mais c'est probablement afin de renouveler des souvenirs agréables.*

Je demandai à ma mère ce qu'elle savait de la correspondance amoureuse de ma grand-mère. Rien, elle ne se rappelait rien. Jamais elle n'avait prononcé un mot à ce sujet, ni ne lui avait montré quelque objet ou paquet de lettres liés à ses relations amoureuses passées. Elle m'a indiqué qu'elle en glisserait un mot à ses frères, tout en doutant qu'ils puissent en savoir plus qu'elle à ce propos.

Je fis mon signe de croix et saluai ma mère. Je rencontrai un cousin avec qui je discutai quelques instants. Nous nous ressemblions beaucoup. C'était pour moi une source de fierté, car j'admirais mon cousin pour sa très grande générosité. Lorsque je le saluai pour prendre congé de tout le monde, ma mère me prit une dernière fois dans ses bras et glissa la photo dans ma poche de veston. Je ne lui rendis qu'un sourire gêné. Une mère peut bien tenter de comprendre ce que

LE RETOUR DES OUBLIÉS

sa propre mère lui a caché toute sa vie. Ça ne rimait peut-être à rien, mais, si elle voulait se lancer dans cette entreprise, qui eût été en position de l'en empêcher? Certainement pas moi. Chacun a le loisir de chercher à comprendre son passé, et ce, même si cette quête est vouée à l'échec.

***

15 mars 2002, chez moi, 18 h 03

Ce soir-là, j'arrivai épuisé chez moi et je lançai mon courrier sur la table du salon où je posai peu délicatement mon manteau, avant de me placer à l'horizontale. J'avais un mal de tête lancinant, si pénible que je décidai tout de même de me lever pour aller prendre deux comprimés d'acétaminophène et mouiller une débarbouillette que j'aurais le plaisir de me placer sur le front. J'allais me coucher, quand l'idée me vint de vérifier mon courrier. J'y découvris une lettre de Julie que je décachetai en un temps deux mouvements.

Le texte était plutôt court, mais si émouvant que je le relus trois fois pour être certain que je ne ressentirais pas d'émotion inutile, non fondée sur une réalité quelconque, bien objective :

Papa, merci pour le cadeau de Jonathan, il apprécie énormément. Je ne sais pas si tu aurais du temps, mais j'aimerais bien, on aimerait tous les trois que tu viennes nous rendre visite à Los Angeles. Ce n'est pas tout à côté, mais si tu pouvais te libérer quelque temps, le plaisir serait grand pour nous trois. Je t'aime, Julie.

Je ne pouvais espérer davantage. Comment aurais-je pu ne pas être ébranlé par un si beau message d'amour venant de ma fille dont j'étais resté trop longtemps sans nouvelle? J'anticipais déjà dans ma tête ces moments bienheureux où nous pourrions nous étreindre en toute quiétude. Je fabulais, me direz-vous. Peut-être était-ce le cas, mais je préférais fabuler en aimant ma fille plutôt qu'en me distançant d'elle ou en développant une indifférence malsaine à son égard. Bien étendu sur le divan, j'élaborais divers scénarios autour de mon arrivée à l'aéroport de Los Angeles. Je tentais de m'imaginer dans quel type de milieu elle vivait. Je créais dans mon esprit des jeux fictifs auxquels je m'adonnerais avec Jonathan. C'est sur cette dernière phase de mes réflexions que je perdis la conscience du réel et tombai endormi pour la nuit.

DEUXIÈME PARTIE

LE MONDE DES OBJETS

Chapitre 4

Les amours et le poids du temps

*Certains vêtements ont comme défaut d'être trop à la mode,
ce que font toujours des tailleurs consciencieux,
mais qui n'ont pas grand talent.*

Fedor Dostoïevski, *L'idiot*

*18 mars 2002, à l'appartement de ma grand-mère
récemment décédée, 19 h 50*

Ma mère m'avait demandé de me rendre avec elle
à l'appartement de sa mère qui venait d'être enterrée
quelques jours auparavant. Étant donné la photographie mystérieuse que nous avions découverte dans le
livre de Dostoïevski qui l'accompagnait dans la mort,
et surtout la phrase qu'elle avait soulignée en rouge
dans ce livre, ma mère demeurait perplexe et avait
besoin de mon aide pour découvrir quelques indices
sur les lieux. Elle s'avérait beaucoup plus curieuse que
moi dans ce genre de choses ayant trait aux messages
cachés laissés par les morts. Je dois dire qu'elle croyait
fermement à la communication avec l'au-delà. Elle ne
lisait rien de ces livres ésotériques qui pullulent dans
les librairies de tous genres. Non, elle avait
simplement fait des expériences depuis son tout jeune

âge qui l'avaient convaincue de la possibilité réelle d'une telle communication, bien qu'elle ne pût l'expliquer. Je n'étais pas de cet avis. Je considérais que tout ce qu'elle m'avait raconté comportait, bien sûr, un aspect inexplicable, mais je ne parvenais pas à me laisser convaincre qu'il puisse y avoir un chemin vers l'au-delà qui nous eût permis de nous mettre en communication avec les âmes des morts, ou par lequel ces âmes auraient pu à l'inverse nous contacter. Car, si tel chemin existait, il devait bien être possible de l'emprunter dans les deux sens.

J'étais donc allé chercher ma mère, et nous discutions de la mort, alors que nous nous rendions à l'appartement de grand-mère. Elle me disait ne pas avoir peur de mourir, parce que la mort est une porte ouverte vers un autre monde, non pas tant meilleur que totalement différent du monde terrestre. Elle ne croyait pas que l'après-vie soit un monde terrestre amélioré. Le monde des morts n'était simplement pas du tout de même nature et n'avait rien de commun avec celui que nous connaissons sur Terre. « Le Ciel, disait-elle, peut bien être meilleur que le monde d'ici-bas, mais c'est simplement par le fait qu'on n'y souffre pas. Pour le reste, on n'a aucune idée précise de ce en quoi il consiste. L'après-vie est tout de même une vie, mais celle-ci se passe dans l'éternité plutôt que dans le temps terrestre. La souffrance ne peut être éternelle, quoi qu'en pensent les fans de l'enfer. Il n'y a que le bonheur qui puisse être éternel ».

Je n'avais pas le goût de contester ses affirmations. C'étaient là les croyances qui lui permettaient de donner un sens à sa vie et surtout de supporter plus facilement le deuil de sa mère. Il aurait été inhumain de m'attaquer à son argumentation, si faible soit-elle. Tout n'est pas que délibération entre gens qui argumentent au sujet d'une réalité. La vie n'est pas qu'un ensemble de débats. La vie est un train d'émotions, de perceptions et de croyances, de valeurs et d'attitudes qui nous font visiter différentes contrées de notre âme.

Nous arrivâmes à l'appartement de grand-mère. Un long escalier d'une vingtaine de marches nous séparait des pièces où elle vivait, au deuxième d'une maison de quatre appartements. En montant ces marches, je me mis à penser que chacune représentait une portion du chemin qui nous séparait non pas de la résolution du mystère, mais plutôt du fait d'y être confronté.

Nous étions les premiers arrivés. Mes oncles et tantes n'étaient pas encore là. Je sentis un lourd silence peser sur les lieux, qui ne devait pas être très différent de celui qui entourait ces pièces tous les jours où il n'y avait personne. Pour moi qui entrais après avoir assisté aux funérailles de ma grand-mère, c'était bien différent. Mon grand-père maternel était mort, il y avait une dizaine d'années, de sorte que ma grand-mère vivait là toute seule depuis ce temps. Il m'avait toujours semblé qu'elle s'était bien remise de ce deuil qui devait pourtant avoir été terrible à vivre, étant donné les liens très forts qui l'unissaient à son mari attentionné et généreux. Je voyais ma mère entrer avec de grands yeux contemplatifs. Je ne savais ce qu'elle percevait, mais il semblait y avoir dans son regard des images du passé lointain, du regret face au temps qui passe inexorablement, du chagrin devant la perte de sa mère qui, mieux qu'une amie, la conseillait, la supportait et la consolait comme personne d'autre n'aurait pu le faire. Je la laissai ainsi rassembler tout ce qu'elle avait besoin de réunir et abandonner ce qui méritait de l'être.

Dans la cuisine où j'étais, je revoyais des images

passer dans ma tête: mon grand-père, affublé d'un long tablier blanc, se délectait en mangeant une soupe au riz et aux tomates préparée par sa douce épouse qui, elle, continuait de préparer le repas en lui jetant, à l'occasion, quelques regards complices. C'était un dîner auquel moi-même j'avais assisté avec mes parents. J'étais perdu dans ces pensées, quand ma mère revint vers moi.

—Tu sais, cette chaise berceuse signifie beaucoup pour moi, me dit-elle, les yeux en larmes.

—Ah oui, je ne savais pas. Tu...

—Je crois te l'avoir déjà raconté, mais peut-être ne t'en souviens-tu pas, répondit-elle en observant mon visage si rempli de questions que cela l'encouragea à me raconter à nouveau cette histoire.

—Raconte, veux-tu?

—Maman a accouché ici, sur cette chaise. Cela peut sembler incroyable, mais c'est la vérité. Papa était au travail, à une trentaine de kilomètres d'ici. Maman n'a pas eu le temps de téléphoner. Tout est allé trop vite. Il y avait une femme avec elle et, quand elle a vu maman qui lui demandait de l'aide pour accoucher, elle est partie sans dire un mot et l'a laissée s'arranger toute seule.

—Ça n'a pas de bon sens!

—Évidemment que c'est insensé, mais cette femme a paniqué et n'a même pas pensé demander de l'aide ou faire venir le médecin. Non, cette bonne amie l'a abandonnée là.

—Est-ce que l'accouchement s'est bien passé? Il n'y avait pas de médecin. Grand-mère était toute seule.

—Tout s'est très bien passé. Le bébé est sorti rapidement, sans trop de problèmes.

—C'était qui, le bébé? Oncle George? Tante Lucie?

—C'était moi, dit-elle, ne pouvant retenir ses larmes.

J'avais le goût de prendre ma mère dans mes bras.

Mais je la voyais revivre en pensées un événement dont elle ne pouvait se souvenir et qu'elle avait certainement imaginé depuis que sa mère le lui avait raconté. Elle était prisonnière des images qu'elle s'était faites de cet événement terrible. Je ne pouvais lui être d'un quelconque soulagement. Chacun se débrouille avec son passé. On le traîne toute sa vie et on cherche à se délester des épisodes les plus lourds.

Ma mère me demanda de l'aider à chercher la correspondance amoureuse, s'il y en avait, que ma grand-mère aurait voulu tenir secrète et emporter symboliquement avec elle dans la mort. J'entrai dans la chambre. Elle était plutôt austère. Les meubles dataient d'un autre siècle, mais paraissaient avoir vieilli en sagesse. Je me dirigeai instinctivement vers la garde-robe, ma mère étant occupée à fouiller la commode. Je vis de nombreuses robes de diverses couleurs, simples, aux motifs d'une autre époque. L'une m'étonna. Je la touchai comme pour me confirmer qu'elle était bien réelle.

—Maman, viens, viens voir ça, dis-je la voix étouffée par l'émotion.

—Qu'y a-t-il, mon garçon? Ah oui, c'est une belle robe que ta grand-mère portait voilà bien des années. Je ne me souviens même pas de la dernière fois qu'elle l'a mise.

—Non, non, ce n'est pas ça. J'ai déjà vu cette robe, j'ai...

—C'est impossible ou, en tout cas, tu devais être bien jeune quand elle l'a portée. Je ne sais même pas pourquoi elle l'a conservée si longtemps, étant donné qu'elle ne la portait plus.

—Je l'ai vue en rêve!

Je racontai à ma mère le rêve que j'avais fait le matin où grand-mère était morte. La robe qu'elle portait alors était celle qui était dans cette garde-robe et que je touchais aujourd'hui. Elle était bien réelle, et non le fruit de mon imagination. Je n'en revenais tout simplement pas. Ma mère se mit à pleurer, doucement, presque tendrement. Elle ne put que me confirmer que les morts communiquent avec les vivants, et que je devais me compter chanceux d'avoir eu ce message d'outre-tombe. Ma chance, je la connaissais, en effet. Le problème, c'était que je ne savais pas pourquoi j'avais cette chance. Qu'est-ce que tous ces rêves voulaient me dire? Je ne pouvais me satisfaire de supposées communications avec l'au-delà. C'était une explication très attirante, mais je ne pouvais taire en moi des résistances à adopter une vision aussi simpliste.

— Tu devrais y croire, mon garçon. Ce n'est pas tout le monde qui a ta chance. Ce n'est pas un rêve, que tu as fait. Ta grand-mère est venue de saluer avant de partir pour l'autre monde.

— J'aimais beaucoup grand-mère, dis-je, toujours ému.

— Je sais, oui. Elle aussi. C'est pour ça qu'elle est venue te visiter dans tes rêves.

— Oui, mais elle aurait dû aller te voir, toi, maman, plutôt que moi. Quand même!

— C'est sûr que j'aurais, oui, j'aurais..., disait-elle, à la fois ébranlée et envieuse. Mais on ne contrôle pas du tout ce genre de phénomènes. Il n'y a rien à faire. Ce qui arrivera arrivera, quoi qu'on fasse. On n'en connaît jamais la raison, mais ça survient ainsi, comme si ça faisait partie d'un grand plan, probablement celui de Dieu lui-même.

— Tu ne vois pas d'autre explication, comme ça? demandai-je, perplexe.

— Non, tu me connais. Je serais bien ouverte à croire autre chose si on me présentait une hypothèse plausible. Mais personne n'a encore réussi à me convaincre d'abandonner ma croyance en la communication entre âmes décédées et personnes bien vivantes.

Notre conversation s'arrêta brusquement. On frappait à la porte. C'était oncle George et tante Julie. Oncle George était un homme délicat, doux et réservé. Sa personnalité contrastait fortement avec celle de sa sœur Julie, exubérante, à la poigne ferme et au discours souvent cassant. Je dois avouer que ma tante ne m'aimait guère, qu'elle n'a jamais eu d'affection pour moi. Je me souviendrai toujours d'un Noël, alors que je devais avoir six ou sept ans. On était tous chez grand-mère et, dans le salon, il y avait un sapin de Noël aux décorations étincelantes, au pied duquel étaient entassés les cadeaux qui me faisaient tant rêver. Je désirais avoir une automobile à coller. J'allai secouer les boîtes aux emballages merveilleux pour découvrir le cadeau que me destinait tante Julie, lequel allait certainement répondre à mon attente impatiente, puisque j'entendais les pièces de plastique bouger à l'intérieur. Je replaçai le cadeau et revins dans la cuisine. Je me souviens avoir remarqué que tante Julie était alors allée devant le sapin et s'était penchée vers les cadeaux, comme pour y effectuer un geste discret. Je ne comprenais pas ce qu'elle faisait mais, dans ma tête d'enfant, je sentais que quelque chose se passait. Quand ce fut le temps de déballer les cadeaux, j'étais tout excité. Je savais que mon désir avait été satisfait. Lorsque tante Julie me donna le cadeau qu'elle m'avait fait, je découvris que ce n'était pas celui qui portait mon nom quand j'étais allé les secouer. Tante Julie avait échangé les noms pour que l'automobile aille à mon cousin qu'elle adorait. Je me souviens encore l'avoir regardée en me disant: «Pourquoi m'as-tu fait ça, tante Julie? Je t'aime, moi. Pourquoi ne m'aimes-tu pas?» Ses yeux durs me semblaient d'une méchanceté glaciale. J'ouvris le paquet. Il contenait des pantoufles. Ce n'était guère emballant pour un garçon de mon âge. Je suis allé l'embrasser tout de même, comme il se doit. Elle m'a glissé dans l'oreille sur un ton sarcastique : «J'espère que tu es content de ton cadeau». Je n'ai pas répondu. C'était Tante Julie.

Oncle Georges était beaucoup plus généreux. Il m'avait appris les rudiments de la voile, très jeune, alors que j'étais fasciné par les vents qui poussaient un bateau à une vitesse que je ne croyais pas possible. Il était également bon pêcheur. Un jour qu'il ramassait ses filets tendus dans une petite baie près de son chalet, j'étais venu le voir, et il m'avait alors appris comment défaire des nœuds bien solidement faits. C'était une technique simple, mais étonnante d'efficacité. J'ai toujours gardé sa leçon bien en tête, et elle me revient lorsque des nœuds se nouent contre ma volonté.

C'étaient donc ces deux parents bien différents qui entraient dans l'appartement déserté par leur mère. Je vis entrer une Julie gaillarde et presque enjouée, comme si elle ne recherchait que l'héritage. Il faut avouer qu'elle a longtemps fait des courbettes afin d'obtenir de l'argent de ses parents qu'elle voyait peu souvent et dont elle n'était, en définitive, que peu éprise. Quant à oncle George, il entra la mine basse, le teint pâle et le regard évasif.

Après les bonjours d'usage, ma mère commença par expliquer qu'elle faisait le tour, afin de se faire une idée de l'inventaire. Je croyais, en l'entendant, qu'il n'y avait guère de travail à effectuer. Ma grand-mère avait si peu de choses que quelques boîtes de grandeur moyenne auraient tôt fait de vider l'appartement de toute trace de son passage. Ma mère continua, en abordant la question de la correspondance amoureuse antérieure à l'époque où ma grand-mère et son mari s'étaient rencontrés la première fois. Des sourcils remplis de doute se sont alors dessinés sur les visages de tante Julie et d'oncle George, blanchis par les dernières nuits trop courtes. Ils ne rajoutèrent rien qui puisse nous aider à trouver quelque indice que ce soit. Maman, qui agissait comme exécutrice testamentaire, distribua les tâches visant à dresser la liste des biens. La répartition entre tous les héritiers se ferait ultérieurement, conformément aux dernières volontés très simples de grand-mère: tout serait séparé également entre les enfants vivants; le cas échéant, la part de l'enfant décédé devait être répartie entre tous les membres de sa descendance.

Je me suis retrouvé avec maman, dans la chambre de ma grand-mère, et nous avons repris les recherches là où nous les avions laissées, à cette différence près qu'elle devait commencer à faire l'inventaire des objets. Je suis revenu vers cette robe que j'avais vue en rêve, attiré irrésistiblement. Je l'ai touchée comme si en frottant mes doigts le long de la dentelle qui faisait le tour du col, j'allais sentir le message qu'elle avait cherché à me livrer. J'arrivai à la griffe du tailleur. La signature était bien usée, mais on pouvait voir encore lisiblement Russia, puis Tokine ou Fokine. Je n'en croyais vraiment pas mes yeux.

— Regarde, Maman, ce que je viens de trouver, lui dis-je éberlué.

— Russie? Cette robe a été faite en Russie. Ce n'est pas possible. L'étiquette a dû être ajoutée après coup. Ça n'a aucun sens, me confia-t-elle.

— Je suis d'accord avec toi que c'est insensé, mais pourquoi aurait-on cousu cette étiquette sur une robe faite au Canada?

— Je ne sais pas, mais ça me semble plus plausible

que de croire que cette robe vient de Russie. Comment se la serait-elle procurée? As-tu une idée?

—Aucune, non.

—Écoute, me dit-elle en décrochant le vêtement de son cintre, prends cette robe et essaie de trouver d'où elle peut bien venir. Tu ne trouveras probablement rien, mais on ne sait jamais. Si ta grand-mère est allée te parler dans tes rêves vêtue de cette robe, c'est peut-être qu'elle signifiait beaucoup pour elle.

Maman mit la robe dans un sac qu'elle m'enjoignit de cacher dans la manche de mon manteau. Ce que je fis immédiatement, sans discuter. Comme je ne souhaitais pas être pris en flagrant délit, surtout devant ma tante Julie, je les saluai tous les trois et les laissai à leur travail. Ma mère me lança un regard complice, convaincue qu'on se reparlerait sous peu de tout ce qui demeurait mystère dans la vie de grand-mère.

Je descendis les marches avec la rapidité de l'éclair, presque inconscient qu'elles étaient légèrement mouillées et que j'aurais pu tomber. J'étais mal à l'aise de rapporter cette robe chez moi et pourtant, je voyais là un certain espoir d'élucider le rêve étrange que j'avais fait. Si je ne trouvais rien à partir de cet indice, j'aurais du moins pu toucher le mystère de plus près. La mort laisse des traces, même si on ne désire pas qu'il en soit ainsi. La vie également, même si on souhaite que ce ne soit pas le cas. La mort n'est pas plus saisissable que la vie. Nous gardons simplement l'illusion qu'avec la vie tout est plus simple, puisque l'objet de réflexion est encore là, sous nos yeux.

***

158

29 mars 2002, rue Jeanne-Mance, Montréal,
mes nouveaux bureaux, 8 h 15

J'avais réussi à me trouver un espace commercial assez rapidement. Ce n'était pas encore l'idéal, mais pour repartir en affaires, il faut être juste assez ambitieux et encore plus prudent que la raison nous le commande. J'étais entré tôt le matin, car il y avait beaucoup de nettoyage et de peinture à faire. Les murs n'étaient pas endommagés, ni les planchers. Ils avaient juste un grand besoin d'être frottés de manière à faire disparaître des taches qui auraient peut-être dû être combattues une vingtaine d'années auparavant. C'est dire la tâche qui m'attendait. J'en avais pour plusieurs jours. Helena n'entrerait qu'une fois ces travaux terminés. Je l'en avais avertie en lui donnant l'adresse exacte de ma place d'affaires. L'endroit lui avait plu, car ce n'était pas beaucoup plus loin de son domicile. J'avais dû bosser ainsi durant près de deux heures, dans une musique qui faisait pas mal de décibels, quand on cogna à la porte. Je n'y aurais pas prêté attention, si les coups ne s'étaient pas faits plus insistants.

Je ne l'ai pas reconnue toute de suite, à cause de son habillement mal agencé et multicolore. C'était Helena.

—Je vous avais dit de...

—Je désirais venir vous aider. Je me suis habillée en conséquence...

—D'accord, d'accord, entrez. Ne restez pas là.

J'ai vu son visage s'éclairer au fur et à mesure qu'elle visitait l'endroit. Cela n'avait rien à voir avec l'édifice à bureaux d'où elle était sortie, en ma compagnie, d'ailleurs. Non, c'était plutôt typique des travailleurs autonomes qui ne comptent pas les heures, surtout celles réservées au sommeil. Elle découvrait les lieux avec stupéfaction et pourtant, dans ses yeux, il semblait y avoir quelque chose qui était de l'ordre du bonheur. Peut-être était-ce seulement mon regard qui interprétait le sien à ma manière et selon mes propres paramètres. À un certain moment, elle me dit simplement: «C'est un bel endroit. Ce sera bon de travailler ici avec vous». Je n'en demandais pas plus. Elle s'est mise au boulot, en ayant soin d'abord de ramasser ses cheveux sous un foulard écarlate. Je la trouvais fort jolie. C'est incroyable comme la beauté d'une femme a mille facettes. Un rien lui suffit: un foulard soyeux au cou, des boucles d'oreilles aux perles d'eau douce, un collier de pierres même douteuses, quelques bracelets bien agencés, une coiffure qui fait ressortir les yeux et le sourire. Des riens qui font toute la différence. Chaque jour ne suffit pas pour épuiser la beauté d'une femme.

Helena s'est mise à travailler avec un acharnement qui m'étonna. On aurait dit qu'elle respirait autrement, qu'elle était libérée intérieurement de la présence même fantomatique de Frank Lamarre. Nous nous appréciions aussi beaucoup l'un et l'autre. Cette complicité, même mêlée de timidité, nous donnait à chacun le plaisir d'être en présence de l'autre. Le temps passait, et j'entendis soudain une douce voix féminine entonner une chanson. C'était Helena. Elle chantait sans doute une pièce de son pays d'origine. C'était très lyrique. Helena avait un timbre fascinant, doux et mystérieux. Je suspendis mon travail, juste pour l'écouter. Je me suis assis par terre simplement pour mieux entendre sa voix résonner sur les murs dégarnis de mon futur bureau. Sa voix langoureuse me fit partir dans des contrées imaginaires, de sorte que je n'entendis pas les coups que frappait un inconnu à l'entrée du bureau. C'est Helena qui, arrêtant de chanter, me sortit, sans le savoir, de ma torpeur. Elle se dirigea vers l'entrée et se mit à parlementer dans une langue qui m'était inconnue, mais qui sonnait slave.

Je m'approchai et vis un homme dans la cinquantaine, cheveux grisonnants, moustache ébouriffée et vêtements d'un autre monde. D'après ses traits et la forme de son visage, je pensai qu'il devait provenir d'Europe de l'Est. Il avait l'air de chercher de l'aide, et Helena ne semblait pas pouvoir satisfaire à ses demandes. Elle vint m'expliquer que cet homme était Igor Kropotkine, un Russe qui avait émigré au Québec en 1991, comme beaucoup d'autres qui n'avaient pu trouver du travail et de la nourriture pour leur famille après la chute du communisme russe en 1989. Cette période de deux années avait été si difficile que nombre de Russes avaient décidé de quitter leur pays. C'est ainsi qu'Igor s'était retrouvé à Montréal avec sa famille. Il cherchait du travail. Helena avait eu beau lui dire que mon bureau n'était pas un centre de recherche d'emploi, dès qu'il avait pu parler russe avec Helena, il savait qu'elle lui viendrait en aide. Je demandai à Helena ce que faisait Igor. Elle nous servit de truchement. Nous avons échangé ainsi un moment, bien que nos yeux parlassent bien plus rapidement que nos bouches, alors que Helena peinait à traduire nos paroles. Igor venait de perdre son emploi dans une manufacture de meubles. La compétition chinoise était en cause. La Chine devenait, avec la Malaisie et l'Inde, un grand fabricant de meubles d'une qualité assez bonne et dont les prix ne pouvaient être égalés par aucun compétiteur canadien.

J'étais bien désolé pour Igor, mais je ne voyais pas ce que je pouvais faire pour lui. Il me regarda, les yeux mouillés, le visage creusé par le désespoir. Il frottait sa casquette entre ses mains fortes et moulées par le temps. Il pencha la tête, en signe de respect, probablement. Il allait franchir la porte, lorsque je lui fis signe de revenir. Une idée venait de me traverser l'esprit: pourrait-il me faire quelques meubles? S'il était vraiment habile, cela pourrait donner un look très spécial à mon bureau. Igor donna par des gestes et des explications diverses des exemples de ce qu'il pourrait faire. Il semblait avoir du talent. C'est du moins ce qu'il essayait de nous faire croire. Mais j'avais tendance à le voir comme quelqu'un de foncièrement honnête. Nous avons convenu qu'il me ferait des bibliothèques vitrées. Je lui indiquai la longueur et la hauteur désirées, le type de bois que je souhaitais, ainsi que le prix que je m'attendais de payer à la livraison. Quant au style des meubles, je le laissais libre de faire ce qu'il voulait. Je me suis dit qu'au pire j'aurais contribué à l'aider, j'aurais fait ma bonne action pour une personne dans le besoin. Les bibliothèques que je lui demandais ne seraient pas très visibles pour les clients. Il n'y avait guère de risque. S'il s'avérait bon, alors là, j'avais bien autre chose à lui proposer. Mais je ne me faisais pas trop d'idées. Igor repartit souriant, laissant entrevoir une dentition usée par le temps. Son allure déterminée et enjouée était tonifiante. Je le voyais déjà annoncer la bonne nouvelle à sa famille désespérée, et je ressentais un certain plaisir à créer un petit bonheur, même éphémère, chez des gens confrontés à un avenir incertain.

Au moment où je retournais au nettoyage du bureau, j'eus une nouvelle idée. Je demandai immédiatement à Helena de retrouver Igor. Elle le ramena au bureau. Il paraissait un peu anxieux à son arrivée. Je le rassurai immédiatement en lui disant que j'avais bien hâte de voir ces bibliothèques, mais que j'avais autre chose à lui demander.

—J'aurais besoin d'un renseignement. Cela vous paraîtra bizarre. Je cherche le nom d'un tailleur Russe, des vêtements de femme. Est-ce que Fokine, ou Tokine ou Eokine vous disent quelque chose?

—Non, rien du tout, me répondit-il par le biais d'Helena qui traduisait.

—C'est un tailleur qui devait confectionner des robes, entre la Première et la Seconde Guerre mondiale.

—Après la révolution... Je vois. Mais je ne sais pas. Je ne peux pas vous dire. J'en parlerai à ma femme. Elle travaillait dans les textiles avant que nous quittions la Russie. Peut-être qu'elle connaît ce nom.

—Je vous remercie, lui dis-je en lui remettant ma carte professionnelle. Si elle a une petite idée, dites-lui donc de m'appeler ici au bureau, ou chez moi. Le bureau sera ouvert dans environ une semaine.

—Elle le fera certainement si cela lui dit quelque chose. Elle parle un peu français, elle a étudié la haute couture à Moscou. C'est là qu'elle a appris à parler cette langue, me dit Igor, qui avait l'air fier de sa femme. Elle s'appelle Anna.

Il repartit d'un pas léger, comme si l'aide que j'aurais aimé recevoir de lui était un gage de bonnes relations futures, comme s'il venait de se faire un nouvel ami. Helena me posa quelques questions sur le mystère de la robe provenant d'un tailleur russe. Je lui expliquai vaguement les choses.

—Vous avez bien fait d'aider Igor.

—Merci, mais je crois qu'il va lui aussi m'aider. Si mon bureau est attrayant, s'il se distingue des autres par des meubles qu'on ne voit nulle part ailleurs, ça pourrait faire la différence entre venir ici ou aller ailleurs pour nombre de clients bien nantis.

Helena resta silencieuse, observant sur mon visage une expression de jouissance mercantile qui venait de se manifester devant elle.

—Votre aide sera très précieuse pour Igor. Il a tout de même sept enfants, dont un qui est assez malade.

—Je... je ne savais pas que...

—Votre geste lui est d'un grand secours, vous ne pouvez pas savoir jusqu'où ils vous en seront reconnaissants.

—Bien sûr, mais je ne cherche pas la reconnaissance à tout prix, vous savez.

—Oui, je sais, me dit-elle. Vous n'êtes pas ce genre d'homme. Mais je vous le dis au cas où vous n'auriez pas remarqué.

—Remarqué quoi, Helena?

—Bien, en l'aidant, vous vous aidez vous-mêmes. C'est toute la communauté russe que vous secourez.

—Mais je ne donnerai pas un contrat à chacun des...

—Non, pas dans ce sens-là. Aider l'un, c'est secourir toute la communauté. Tout le monde vous en sera reconnaissant.

—Ah bon, dis-je, surpris. Je comprends, oui, je saisis bien ce que vous dites là. Merci.

Nous nous sommes remis au récurage. Je croisai Helena une ou deux fois durant le reste de la journée, mis à part le dîner que nous avons pris ensemble dans un petit resto pas très loin. Je trouvais curieux qu'elle me paraisse plus belle, plus étincelante avec ses quelques taches de peinture au visage et dans les mains. J'avais l'impression que les taches me faisaient de l'effet, comme si c'eût été un maquillage avant une cérémonie particulièrement fastueuse. En repensant à Igor et au travail d'interprète qu'Helena avait fait pour moi, j'ai revu son regard faire l'aller-retour entre le Russe et moi. J'ai ressassé ces instants et ces regards qui m'avaient uni à elle, sans trop le savoir. C'est là qu'elle avait acquis ses lettres de beauté à mes yeux. Le visage d'une femme est si fascinant, qu'il vous berce de son mystère et vous enveloppe de sa douceur infinie.

***

1ᵉʳ avril 2002, rue Jeanne-Mance, Montréal,
mes nouveaux bureaux, 10 h 15

Nous étions à notre dernière journée de peinture, Helena et moi. Je savais que Patricia viendrait ce matin. Elle m'avait appelé, en me disant qu'elle passait à Montréal pour des affaires familiales, sans plus de précision, mais avec un mal à l'âme qui se discernait aisément. J'avais hâte de la revoir, comme si je l'avais quittée depuis un an. Son visage souriant me revenait à chaque soir. Je m'endormais avec elle et j'étais peiné de me réveiller sans son épaule à côté de la mienne. Pourtant, ce matin-là, quelque chose me préoccupait. Helena s'était habillée comme on le fait pour peindre. Elle avait revêtu un jean délavé. Mais elle portait un tee-shirt un peu plus féminin ou délicat que ce qu'on met ordinairement quand on peut raisonnablement prévoir qu'on va se salir. Mon hésitation touchait la perception que Patricia aurait d'Helena. Les femmes sont si imprévisibles en amour. Elles peuvent voir les désirs clairement exprimés chez une autre femme envers un homme qu'elles convoitent ou qu'elles ont déjà dans leur filet, alors que l'homme en question n'y voit que du feu. Mais il y a l'envers de la médaille. La jalousie crée des distorsions dans la vision que l'on a de l'autre. Il y a aussi nombre de situations où la femme n'est pas vraiment jalouse, mais où ses désirs et ses besoins la font fantasmer au point qu'elle n'arrive plus à distinguer la réalité aussi finement qu'à l'habitude. C'est justement ce genre de situations que pouvait créer l'habillement d'Helena, pensais-je.

Lorsqu'on frappa à la porte, je savais que c'était Patricia. Il y a de ces mouvements de l'être aimé qui ne trompent pas. Je me précipitai comme si j'allais être introduit dans un nouveau monde qui m'était encore inconnu. Patricia était plus belle et plus ronde que je ne le croyais. Les souvenirs ne sont pas aussi fiables que nous avons tendance à le croire. Nous les falsifions, nous en faisons ce que nous voulons bien croire ou garder dans notre mémoire, pour des motifs qui nous échappent consciemment. Elle était plus belle, oui, comme à chaque fois que l'être aimé nous revient après une heure, une semaine où l'on n'a pu être ému en sa présence. Elle était plus ronde. C'est ce qui m'est venu à l'esprit en la voyant. Cela voulait dire qu'elle était plus désirable. Pour moi, plus une femme est ronde, plus elle est désirable. Je ne parle pas du poids qui n'a pas d'importance, mais des courbes prononcées. J'avoue avoir toujours été fasciné par ces rondeurs, bien rendues d'ailleurs dans nombre de sculptures antiques, que ce soit en Mésopotamie ou en Amérique latine. Elles m'ont toujours fait vibrer. Je me souviendrai toujours de cette Vénus de Willendorf que j'avais vue au Musée d'histoire naturelle de Vienne, en Autriche, qui date de plus de vingt mille ans. Si quelqu'un veut comprendre pourquoi j'aime tant les rondeurs, qu'il prenne le temps de contempler les multiples mondes que comporte cette Vénus admirable.

J'embrassai Patricia avec toute la fougue de l'impatience accumulée du fait de son absence et la fis entrer dans mes nouveaux bureaux, qu'elle admira. Je venais de lui expliquer un peu ce que je faisais, j'allais lui dire qu'Helena était avec moi pour faire tout ce boulot, lorsque je vis Patricia blêmir. Helena avait fait son entrée dans la pièce, sans ce que j'aie pu la voir s'amener. En un instant, Patricia avait analysé Helena des pieds à la tête. Les femmes portent, en général, un jugement sur l'habillement des autres femmes en regardant d'abord les souliers, puis en remontant systématiquement jusqu'à la coupe de cheveux. Les hommes font très souvent le mouvement contraire. Patricia avait porté un jugement négatif sur Helena, si je me fiais à son faciès. Même les explications qui ont suivi n'ont guère réussi à changer son attitude. Je vis un brin de compassion se faire jour sur le visage de Patricia, quand je lui résumai les conditions qui avaient fait qu'Helena s'était retrouvée à mon bureau. Cela, j'avais omis de le lui expliquer au téléphone. Il y a des choses qu'on garde inconsciemment pour un instant futur où on pense pouvoir les livrer, comme un objet perdu, à l'être qui se serait morfondu de cette perte s'il l'avait sue.

Son visage s'est à nouveau crispé lorsque ses yeux se sont fixés sur le contour de dentelle de son tee-shirt. Je semblais lire dans ses yeux la question suivante: «Pourquoi s'habiller de la sorte pour peindre un bureau si ce n'est pour séduire l'homme que j'aime?» Peut-être avait-elle raison. Quant à moi, j'avais une autre interprétation. J'ai souvent remarqué que les femmes d'Europe de l'Est accordent une grande importance à leur apparence extérieure, quelles que soient les circonstances. J'avais rencontré des femmes de République tchèque et de Roumanie; dans les deux cas, c'est ce qui m'avait frappé. Mais je me rendis compte en regardant Patricia qu'un gouffre séparait nos deux analyses: la mienne était purement rationnelle et reflétait ce que j'avais observé chez les femmes d'Europe de l'Est, tandis que la sienne n'était qu'émotion brute ou, plus précisément, intuition fondée sur l'expérience d'être femme. Qui avait raison? Je ne sais pas. Les femmes ont souvent plus de flair que les hommes pour détecter ce que l'une d'entre elles est en train de concocter comme plan de séduction. Par contre, il y a des limites à cette analyse qui rejette bien des conditionnements tout aussi importants. C'est ce que je me disais en regardant le visage de Patricia passer du clair à l'obscur en peu de temps. Nous sommes restés là encore un peu de temps à discuter de mes projets. Patricia me posa bien des questions auxquelles je ne portai guère attention au début, de sorte qu'Helena se sentit vite de trop et retourna à son travail. Ce fut lorsqu'elle nous laissa seuls que je me demandai ce que venait de faire Patricia, peut-être inconsciemment. Elle avait tellement centré la conversation sur mes projets futurs, qu'Helena n'avait rien de plus à faire dans la discussion. Je ne sais si j'avais raison, mais cette seule pensée instaura en moi une incompréhension supplémentaire de la psyché féminine.

Patricia et moi sommes partis dîner, après avoir salué Helena. L'au revoir de Patricia fut presque inaudible, et la réception qu'Helena lui réserva ne fut guère remplie d'émotion. Pourtant, je ne suis pas sûr qu'Helena en voulait à Patricia. J'avais toujours décelé chez elle une espèce de froideur qui ne se veut pas désintéressement, mais plutôt engagement progressif dans la relation. Était-ce culturel? Je tendais personnellement à le croire. J'ai toujours été renversé de constater que mes collègues de travail n'attachaient aucune importance à la culture des étrangers. Ils s'attendaient toujours à avoir devant eux les mêmes repères, principes, valeurs et désirs que les leurs. J'ai été éduqué dans la compréhension des étrangers pour ce qu'ils sont et non pour ce que je souhaiterais qu'ils soient. Chacun porte le poids de son éducation et les exigences que cela lui impose. Pour moi, c'est de devoir comprendre. Il est plus facile de ne pas avoir ce devoir entre les mains. Mais, ce doit être dans mon karma d'avoir à comprendre les gens d'autres cultures. Anatma m'avait déjà dit que la raison en est que je devais avoir vécu, lors d'une vie antérieure, dans les cultures asiatiques pour lesquelles j'ai une forte attirance, consciente mais inexplicable. Le seul petit problème, c'est qu'Helena venait d'Europe de l'Est et non pas d'Asie.

En marchant, Patricia n'a jamais prononcé le nom d'Helena. J'en fus seulement surpris. Les réactions qu'elle avait eues demeuraient dans son jardin secret. Je la respectai et me concentrai sur celle que j'aime. Elle avait à la main un de ces grands sacs de cuir qui contiennent des esquisses ou des plans. Je lui demandai ce qu'elle faisait avec ça et elle me répondit qu'elle m'en parlerait *entre quatre yeux*. J'ai bien aimé l'expression car, sans trop le savoir distinctement, quand nous disons cela, nous renvoyons à deux regards, alors que chacun se concentre, à différents moments de la discussion, sur un œil puis sur l'autre. N'est-ce pas ce que nous faisons inconsciemment lorsque nous regardons la personne à qui nous parlons?

Alors que nous marchions ensemble, je me mis à regarder Patricia et à voir en elle une beauté qui se modifiait au fur et à mesure où nous franchissions des intersections aux architectures différentes. Son corps m'apparaissait plus désirable à chaque fois que je pouvais le replacer dans un environnement différent. Je me faisais le film de sa beauté et, quand le décor se modifiait, j'avais d'autres scènes à ajouter, de sorte qu'il n'y aurait jamais de générique à présenter. Cela n'avait rien à voir avec sa coupe de cheveux qui changeait sans cesse, ni même avec son habillement. C'était plutôt la beauté de son corps, et donc de son âme, que je pouvais mettre en contraste avec l'environnement. Je n'avais jamais vu auparavant la beauté d'une femme de cette manière. Peut-être n'était-ce que l'effet de l'amour.

Alors que nous dînions, Patricia sortit un objet de son grand sac de cuir auquel je n'avais plus prêté attention.

—J'ai quelque chose de spécial à te montrer. Cela va peut-être te rappeler quelques bons souvenirs. En tout cas, moi, j'ai toujours gardé cela précieusement. Voici la carte de fête que tu m'avais faite pour mes 18 ans, quand on était au Cégep ensemble.

Je n'avais pas revu cette carte depuis cette époque. Elle comportait de grands cartons de couleur d'environ vingt-quatre pouces sur trente. Il y avait quatre cartons remplis de photos, de dessins et de mots évoquant l'amour. Le tout m'apparut typique d'un amour d'adolescent, idéaliste et passionné. Et pourtant, je ne pouvais m'empêcher d'être ému en voyant ce que j'avais confectionné avec tant d'affection. Le passé nous rattrape, quand il comporte quelque chose que nous cherchons à tout prix à éviter. Je n'aurais pas demandé à Patricia de me montrer cette carte, si toutefois elle l'avait gardée, parce que tout ce travail fait pour son anniversaire avait été vain. Mon amour ne l'intéressait pas. Elle se passionnait à l'époque pour les joueurs de hockey. Je n'avais rien qui pouvait leur ressembler, ni même s'approcher des attributs qu'elle désirait en eux. Cette carte de fête, si belle soit-elle, me rappelait un échec que j'avais eu beaucoup de mal à surmonter. À chaque fois que je revoyais Patricia dans les corridors du Cégep, je lui faisais des sourires gênés. Bien qu'il n'y ait pas eu de froid entre nous, il demeure qu'une distance s'était installée, une distance qui nous semblait hors de contrôle, tant à Patricia qu'à moi.

—Cela me rappelle tant de choses, Patricia.

—À moi, aussi. Tu sais, j'ai lu et relu cette carte à tous mes anniversaires jusqu'à mon mariage.

—Comment? demandai-je, ébahi.

—Je n'ai jamais pu la jeter. On ne se voyait plus, mais je n'ai jamais oublié... je n'ai jamais pu t'oublier. Relire cette carte à tous mes anniversaires, c'était une manière de me rappeler que pas un autre garçon n'avait eu ce genre de délicatesse avec moi. Et puis, quand je me suis mariée, ce n'est pas tant que je ne voulais pas la relire, mais plutôt que j'aurais trouvé indécent de le faire.

—Ça peut se comprendre, en effet. Mais je n'aurais jamais pensé... non, je...

—On ne sait pas ce que l'autre pense ou croit. On s'en fait une vague idée et on décide que c'est la vérité. Mais, comme tu vois, je ne t'avais pas oublié après...

—J'ai trouvé le temps bien long, toutes ces années où tu es sortie de ma vie. Je n'avais plus d'espoir de te revoir. En fait, non. J'espérais – ne ris pas, s'il te plaît –, j'espérais te rencontrer par hasard, aux galeries Bonaventure ou ailleurs dans de grands magasins de Montréal, quand tu reviendrais voir ta famille de temps à autre.

—On était donc deux à vivre des rêves dans la solitude.

Nous avons terminé notre dîner en ressassant quelques bons souvenirs. Puis, elle m'a parlé avec beaucoup d'émotion de la raison qui l'amenait. Sa mère était atteinte de la maladie d'Alzheimer et son état était si avancé qu'elle devait être placée dans une institution pour personnes âgées en perte d'autonomie. Elle venait libérer l'appartement qu'elle avait sous-loué et vendre quelques meubles. Elle me confia à quel point cela était difficile à supporter pour elle. Sa mère ne la reconnaissait pas. À chaque fois, elle devait dire qui elle était et, grâce à une photo datant de quelques années, sa mère subitement se rappelait sa fille sans toutefois pouvoir la nommer. Mais, quelques instants plus tard, tout était oublié et elle se faisait interpeller, souvent rudement, comme si elle était une étrangère. C'était à vous retourner le cœur à chaque visite.

J'aurais bien voulu la consoler. Mais comment? Que peut-on dire à quelqu'un que sa mère ne reconnaît pas? Quelles paroles peuvent apaiser lorsque votre mère ne peut reconstituer le souvenir de sa propre maternité dans ses trop courts moments de lucidité?

Nous avons quitté le restaurant en nous embrassant tendrement. Un vent fort nous gelait les sourcils. Je repartis travailler avec Helena, tandis que Patricia se rendait à l'appartement de sa mère où je la rejoindrais en début de soirée. Helena devait avoir travaillé sans relâche, car je trouvais que le bureau avait beaucoup changé pendant le peu de temps que j'étais parti. Je ne l'ai guère vue de l'après-midi. Elle m'évitait, comme si elle avait senti sur elle le regard sévère de Patricia, un regard de louve auquel elle n'aurait voulu être confrontée pour rien au monde. Cela donnait beaucoup de dignité à Helena qui en était déjà bien pourvue.

Lorsque nous avons quitté le bureau vers dix-sept heures trente, tout était prêt pour accueillir les meubles que j'avais achetés et qui devaient être livrés dans trois jours. J'ai remercié Helena pour tout ce qu'elle avait fait. Son dévouement était sans pareil. Je savais qu'au-dedans d'elle-même, elle faisait tout cela pour me montrer combien elle avait apprécié que je tente de la sortir du guêpier dans lequel elle était tombée et surtout que j'aie pensé à la prendre avec moi dans mes nouveaux bureaux. Il faut dire que cètte décision spontanée, je m'en rendais compte maintenant, avait été plutôt surprenante, presque théâtrale.

Je la vis partir, visiblement épuisée, la démarche lente mais fière. Je pris le métro pour me rendre chez moi. Je pris une douche bien chaude et me changeai, avant de me rendre à l'appartement de la mère de Patricia. En arrivant, je vis des acheteurs qui négociaient le prix des meubles. Je les dévisageai comme s'ils étaient des vautours. Peut-être en étaient-ils. Comment peut-on négocier un prix, déjà raisonnable, pour des biens que l'on sait provenir d'une dame âgée souffrant d'Alzheimer et qui ne reconnaît sa fille que l'espace de quelques secondes par jour? Ces étrangers ne connaissaient probablement rien de cette situation. Je ne sais si Patricia les avait ou non mis au parfum. Je ne pouvais simplement pas m'empêcher de penser qu'ils allaient trop loin en négociant les prix à la baisse.

Au mur, on pouvait voir de très vieux cadres avec une vitre bombée qui contenaient chacun une photographie. C'était sa mère à l'âge de vingt et un ans et son grand-père maternel au début de la cinquantaine, regard sérieux, mais empreint de dignité, d'honneur et même de noblesse. Lorsque les acheteurs furent partis avec une table et quatre chaises, je demeurai seul avec Patricia qui avait les larmes aux yeux.

— Tu sais, ce n'est pas facile à vivre, me dit-elle, embêtée.

— Je ne sais pas, mais je m'imagine, oui.

Qu'aurais-je pu dire d'autre? C'est toujours ce que l'on se demande dans ce genre de situation.

— Ma mère ne m'aimait pas. Elle ne m'a jamais aimée. J'étais de trop. Elle m'en a voulu de vivre, parce que j'ai contrecarré ses plans de carrière. Ma mère voulait être infirmière. Je suis arrivée au mauvais moment. C'est tout. Ce qui l'intéressait, m'avait-elle confié un jour, c'était la médecine de brousse qu'elle souhaitait expérimenter dans les réserves amérindiennes et les coins les plus au nord du Québec.

— Mais ta mère, tout de même, a dû...

— C'était ma mère, oui. Tout de même *ma* mère. Ses moments de tendresse ne duraient jamais bien longtemps. J'ai compris, un jour, que je devais profiter de ces moments au maximum car, après les roses, je recevrais le pot en pleine figure. La vie avec ma mère m'a appris cette leçon.

— C'est une leçon que bien des gens n'ont pas encore saisie, en dépit de leur âge.

— L'ironie, c'est que c'est moi qui, dans la famille, s'occupe le plus d'elle.

— On est toujours soigné par ceux qu'on a le plus mal aimés!

L'endroit était triste, il mettait une profonde mélancolie dans la gorge. Ce n'est pas que j'avais peur de la mort, mais plutôt que j'étais confronté avec la détresse humaine: celle de la mère qui, atteinte d'Alzheimer, sait qu'elle oublie, puis oublie qu'elle le sait l'instant d'après; celle de sa fille, aussi, qui se voit forcée d'aider sa mère qui ne la reconnaît plus, tout en partageant avec elle quelques courts instants de tendresse, ceux-là même qu'elle recherche depuis qu'elle est toute petite. Ces instants bénis sont peut-être tout ce qui la retient à sa mère, tout ce qui lui permet de se donner autant pour elle.

J'aidai Patricia à placer certains objets dans des boîtes ou de grands sacs de plastique. Patricia mit tout à coup la main sur un petit livret racontant la vie de sœur Marie Léonie Paradis, née en Acadie le 12 mai 1840 et décédée à Sherbrooke le 3 mai 1912. Sœur Marie Léonie avait fondé, en 1880, l'Institut des

Petites Sœurs de la Sainte-Famille. Le Pape Jean-Paul II l'avait béatifiée lors de son séjour au Canada, le 11 septembre 1984. Patricia ne savait pas pourquoi sa mère admirait sœur Léonie. Elle en avait entendu vaguement parler lorsque, dans sa jeunesse, sa mère faisait état des miracles accomplis par le frère André, lui aussi béatifié par Jean-Paul II deux ans plus tôt, le 23 mai 1982. Sa mère avait eu des propos élogieux pour sœur Léonie. Pour le reste, c'était le noir total. Patricia allait lancer le petit livret dans la boîte placée devant elle, lorsque je lui demandai de me le confier, si elle n'avait pas d'objection. Patricia n'émit aucun commentaire et me le laissa. Une biographie de la bienheureuse en quelques toutes petites pages ne pouvait plus guère intéresser sa mère, dont la mémoire avait abdiqué. « C'est tout juste si elle se rappelle ses prières! Pour le reste, il ne faut même pas y penser », me dit-elle avant de passer à autre chose. Une heure plus tard, Patricia refermait à clef l'appartement de sa mère qui était pratiquement vide. Les ventes avaient été meilleures que ce qu'elle avait prévu.

Nous sommes arrivés à son hôtel tous deux très fatigués. Le lit nous attendait. J'ai demandé à Patricia de garder le beau foulard qu'elle avait au cou: un foulard de soie aux motifs orientaux avec de multiples teintes et une mince ligne dorée qui le traversait de toute part. Je trouvais qu'avec ce foulard, elle aurait un chic particulier, ce genre de petit quelque chose qui nous fait croire à l'impossible.

Fut-ce l'effet de ce foulard? Nous avons fait l'amour avec une tendresse renouvelée. Tout se passait comme si les anxiétés de la journée trouvaient dans notre union charnelle une soupape pour sortir de notre corps et libérer notre âme. On n'a pas idée comme ces petites anxiétés banales, la plupart du temps inconscientes, s'additionnent pour créer un véritable trouble intérieur dont on cherche vainement les origines. La source n'est pas une, mais multiple. De tout petits moments d'anxiété s'agglutinent pour former une montagne qui nous écrase. La transmission de l'amour nous libérait de ce poids insupportable.

Dans les moments d'agitation que nous cherchions à créer, je découvris pourquoi j'aimais les courbes de son corps. Je n'ai aucun attrait pour les lignes droites. Elles sont froides, impersonnelles, mais surtout elles ne stimulent en rien mon imaginaire. La ligne courbe, au contraire, me fait voyager. Elle initie en moi une odyssée vers des pays inconnus qui changent à chaque fois que j'y mets les pieds. L'amour en couple n'est rien sans le voyage que chacun crée dans sa tête, par les désirs qui l'habitent et les besoins qu'il ressent la nécessité de satisfaire. Dans une courbe prononcée, nous nous sommes tous deux endormis, les bras enlacés.

***

2 avril 2002, à mon appartement, 19 h 45

Aujourd'hui, j'avais commandé la plaque d'identification de mon bureau. Cela m'avait pris un certain temps pour trouver la bonne manière de me présenter, à la fois succincte et complète. Sous mon nom, j'avais simplement indiqué : Avocat spécialisé en commerce international et fiscalité. Le résumé de mes diplômes universitaires en quelques lettres ne ferait un effet important qu'à ceux qui sauraient les déchiffrer : B.A. pour baccalauréat en administration, LL.L pour licence en droit, M. Sc. pour maîtrise en administration (cheminement recherche), MBA, pour maîtrise en administration des affaires, Ph.D. pour doctorat. J'étais un animal curieux dans le zoo des firmes de consultant et études légales. J'avais à la fois une expertise en droit et en administration. J'étais le parfait candidat pour négocier des contrats au nom de multinationales dans les pays étrangers. C'était aussi l'essentiel de ce que je faisais auparavant. En ouvrant mon propre bureau, j'espérais continuer dans la même ligne. Déjà, j'avais eu quelques appels de clients qui m'avaient confirmé vouloir me rencontrer dans les prochains jours. Ils me suivraient donc et ne se laisseraient pas rebuter par la taille réduite de mon bureau. L'expertise avant la taille, pourrait-on dire. Je ressentais beaucoup de fierté à imaginer la plaque à mon nom. Cela représentait pour moi un nouveau départ. Quelque chose au-delà de toute attente et de tout espoir. La plaque serait installée dans deux jours.

J'étais plutôt fatigué du travail réalisé avec Helena ces derniers jours. Je me reposai au salon en écoutant un CD de musique écossaise. Je ne pourrais en expliquer la raison, mais à chaque fois que j'entends cette musique, particulièrement le son aigu de la cornemuse, cela m'émeut grandement. C'est comme une résonance que j'ai au creux du ventre et qui monte jusqu'au torse en un mouvement si rapide, que cela me donne une sensation de vertige. Je ne fais pas qu'aimer la musique écossaise. J'ai l'impression qu'elle me colle à la peau comme si elle appartenait à mon épiderme.

J'étais en train d'écouter l'un des grands hymnes traditionnels de l'Écosse quand le téléphone sonna. C'était Anna, la femme d'Igor.

—Je veux vous remercier pour ce que vous avez fait. C'est vraiment une aide bienvenue, que vous avez apportée à notre famille.

—C'est avec plaisir, chère madame.

—Vous avez des questions sur un tailleur russe, je crois?

—Oui, en effet, c'est une robe de ma grand-mère qui porte la griffe d'un tailleur russe, un nom qui ressemble à Fokine ou quelque chose comme ça. C'est bien russe, puisqu'on voit sous le nom du tailleur le mot *Russia*.

—Vous dites que cette robe appartient à votre grand-mère. Quel âge a-t-elle?

—Elle vient de mourir, je...

—Excusez, je suis désolée. Mes condoléances, je ne voulais pas...

—Ce n'est rien. Ma grand-mère avait 90 ans quand elle est morte. Mais quelle différence cela fait-il? demandai-je, intrigué.

—Je ne sais pas. Mais si c'est bien le mot Fokine que vous voyez là, la robe a été fabriquée par quelqu'un. Je veux dire que ce ne devait pas être un vrai tailleur qui portait ce nom-là.

—Pourquoi ça? La griffe m'a l'air tout à fait authentique.

—Cher monsieur, le tailleur Fokine n'existe pas, sauf dans un roman.

—Comment?

—Oui, c'est un écrivain soviétique qui a écrit *Les merveilleuses aventures du tailleur Fokine*. Cet écrivain est né un peu avant les années 1900 et est décédé dans les années 1960, je crois. Il s'appelle Vsevolod Ivanov.

—Vous voulez dire que cette robe n'a pas été faite par un tailleur du nom de Fokine, mais par un admirateur de ce romancier soviétique?

—Si je me souviens bien, Ivanov faisait partie d'un mouvement littéraire dont j'ai oublié le nom, durant les années 1920. C'est grâce à ce groupe qu'il est devenu plus connu. Autre détail à remarquer, l'inscription Russia n'appartient pas aux années de l'ère soviétique.

—Je vous remercie beaucoup, mais cela ne m'avance pas énormément. En fait, peut-être dois-je conclure qu'il n'y a rien à comprendre non plus...

—Écoutez, cher monsieur, un des amis de la famille en connaît plus que moi sur la littérature russe. Il pourrait peut-être vous aider. Son nom est Stanislav Bougakov. Il tient une petite boutique dans le Vieux-Montréal. Je n'ai pas l'adresse exacte, mais...

—Bougakov. Oui, je connais, Pas de problème. Merci beaucoup, madame.

—Au revoir, c'est moi qui vous remercie pour tout.

J'ai raccroché avec la conviction de n'être guère plus avancé. Pourquoi ma grand-mère aurait-elle acheté une robe dont l'étiquette avait été volontairement modifiée pour évoquer un romancier qui ne devait être connu que des cercles littéraires de l'époque? Pour moi, ça n'avait guère de sens, et pourtant, la robe était bien devant moi. Je regardai encore l'étiquette pour m'apercevoir d'un détail qui m'avait échappé : les lettres avaient été brodées à la main. Il ne s'agissait pas d'un imprimé. Quelqu'un s'était donné de la peine pour vouloir imposer un nom connu de peu de gens. Le mot Russia avait été tissé avec du fil de couleur différente de celui qui avait été employé pour le nom Fokine. À ma connaissance, ma grand-mère, ni mon grand-père, d'ailleurs, n'avait pas eu de contacts avec la communauté russe de Montréal. Mais peut-être qu'il y avait des choses qui m'échappaient. L'histoire de nos parents est souvent remplie d'inconnues qui nous sont révélées quelques années, quelques mois ou quelques semaines seulement après leur mort. Lorsqu'il s'agit des grands-parents, la distance entre le connu et l'inconnu peut certainement être multipliée par un facteur de dix.

Je me suis endormi en ressassant des souvenirs de grand-mère qui ne tarissaient pas dans ma mémoire.

***

Le lendemain matin, je me levai tôt pour être le premier client à la boutique de Stanislav Bougakov. Cette boutique avait ouvert ses portes il y avait une dizaine d'années. On pouvait y trouver nombre d'articles d'artisanat russe; des matriochkas, des samovars, et même quelques balalaïkas. Le tout était plutôt raffiné et de bon goût. Bougakov s'était vite fait une bonne clientèle, car ces objets étaient plutôt rares dans les pays occidentaux à cette époque, contrairement au début des années 2000. Sa clientèle lui était restée fidèle, si je me fiais au nombre de personnes que je voyais dans son échoppe à chaque fois que j'y faisais une visite.

Quand j'entrai dans la boutique, je devais très certainement être le premier client, puisque l'homme que j'ai toujours tenu pour Bougakov lui-même venait tout juste de tourner ce genre de cartons vieux genre retenu à la porte par une cordelette et qui indique *Ouvert* ou *Fermé* selon le côté qui est placé bien visiblement devant la porte. Je m'adressai à lui directement, car je voulais profiter du fait que nous étions encore seuls.

— Monsieur Bougakov?

— Oui, c'est moi.

— C'est madame Anna Kropotkine qui m'envoie, l'épouse d'Igor...

— Ah oui, très bien, me dit-il en arborant soudainement un sourire qui lui faisait exposer ses dents décolorées.

— J'aurais besoin d'un renseignement. Je crois que vous connaissez bien la littérature russe.

—En effet, j'ai étudié la littérature en URSS, la période comprise entre 1917 et 1989. J'ai fait une thèse de doctorat en philosophie sur le sujet à Moscou.

—Que pourriez-vous me dire de Vsevolod Ivanov?

—Bien des choses. Cet auteur se situe justement au début de la période que j'ai étudiée. Ivanov a fait partie du mouvement des Frères Sérapion avec...

—Il a probablement été en contact avec d'autres romanciers. Mais savez-vous si Ivanov connaissait quelqu'un de vraiment très illustre ou de très influent dans la société soviétique de l'époque?

—Bien sûr, Ivanov était un ami de Maxime Gorki, qui est né le 28 mars 1868 et est décédé le 14 juin 1936. Vous avez probablement entendu parler de Gorki. Il fut d'abord marxiste. Il a même soutenu Lénine, mais il s'est opposé à la Révolution de 1917 conduite par Lénine.

—Gorki n'était-il pas quelqu'un de torturé intérieurement? Je crois avoir lu ça quelque part.

—Torturé? Disons, d'un point de vue politique, oui. Il a quitté l'URSS en 1921 pour aller vivre en Italie, parce qu'il était désillusionné du système soviétique.

À ce moment, deux clients firent leur entrée. Le regard de mon interlocuteur s'illumina comme s'il s'agissait de deux vieux amis. Si j'en juge par l'empressement avec lequel ils se sont étreints, je pourrais confirmer que c'étaient de vieilles connaissances. Je trouvai indécent de rester plus longtemps et saluai monsieur Bougakov, qui me rendit la pareille avant de détourner son regard vers ses amis.

Je me rendis dans deux galeries d'art, afin de trouver quelques toiles pour mon bureau. J'essayais d'identifier des œuvres qui se marieraient bien avec le style international que je voulais donner à l'endroit. J'espérais que les bibliothèques d'Igor iraient dans ce sens. Je fus littéralement saisi par deux toiles d'Alfred Pellan. Son style me semblait emprunter à des légendes latino-américaines, tout en étant d'emblée situé, enraciné dans la terre québécoise. Il y avait en elles une âme qui dépassait les déterminismes régionaux. Peut-être était-ce son attirance vers le surréalisme qui le faisait se centrer sur ce qui dépasse le quotidien tout en l'incluant. L'art n'est-il pas le dépassement du particulier vers l'universel? J'indiquai au commis l'adresse où il devait livrer ces œuvres.

***

5 avril 2002, mes nouveaux bureaux, rue Jeanne-Mance

Ce matin, j'attendais la livraison de mes bibliothèques. Igor y avait travaillé intensivement, compte tenu des délais serrés dont nous avions convenu. J'étais un peu anxieux, même si ces bibliothèques n'allaient pas déterminer le cachet final de mes bureaux. Helena arriva une quinzaine de minutes après moi. Elle était vêtue de noir, avec colliers et boucles d'oreilles finement assortis et des souliers vernis. C'était à la fois sobre et particulièrement élégant. Je la voyais resplendissante de bonheur. C'est du moins ce que me renvoyaient son sourire et ses yeux. Je me demandai si c'était à la fois le fait d'être si belle et de commencer un travail dans un nouvel environnement qui la rendait ainsi. Les deux facteurs ne font souvent qu'un, sans qu'on puisse distinguer clairement l'un de l'autre. Le sentiment d'être belle, désirable, bien dans sa peau rend heureuse. Mais aller au travail avec le sentiment d'un avenir prometteur, dans un climat de respect de la personne, voilà qui rend tout aussi heureuse. La beauté et le sentiment de bien-être se mélangent dans l'être pour créer un état où l'un ne se sépare plus de l'autre, tout en pouvant être considéré à part. Paradoxe? Je dirais simplement que c'est la condition humaine : tout n'est jamais aussi clair et évident pour soi-même que les autres le voudraient. Je regardai Helena et remarquai que les yeux que je portais sur elle semblaient être une douceur pour son âme.

Les meubles seraient livrés ce matin-là, ainsi que les toiles de Pellan. J'avais fait l'achat de matériel informatique qui me serait également apporté dans la journée. Le tout mettrait un terme à l'ouverture de mon bureau. D'autres tâches nous attendaient: la papeterie et la salle de photocopie, les boîtes de livres pour la bibliothèque, pour ne donner que ces deux exemples. La journée nous permettrait de tout parachever. J'étais en train d'expliquer à Helena ce que nous allions commencer par faire, quand on sonna à la porte. Je croyais que c'était les livreurs. J'avais tort.

À ma grande surprise, il s'agissait de Jean-Pierre, Suzie et Francine, trois de mes collègues du bureau que je venais de quitter. J'étais heureux de les voir, même si je trouvais qu'ils poussaient le zèle un peu loin en venant me voir dans mes nouvelles installations pour me souhaiter une bonne nouvelle carrière. C'est Suzie qui prit la parole, comme si les deux autres l'avaient implicitement reconnue comme porte-parole.

—On est venus te voir. C'était très important pour nous trois.

—C'est bien apprécié, entrez donc. Jetez un coup d'œil sur mon installation. C'est un peu grand pour l'instant, mais, avec le temps, les choses changeront.

—Justement, on n'est pas venus pour voir tes installations.

—Je sais oui, la manière dont j'ai quitté le bureau

était peut-être un peu maladroite, mais je ne pouvais accepter de continuer à y travailler, dans les conditions que vous connaissez sûrement.

—Oui, ça s'est su très vite qu'Helena subissait du harcèlement, ajouta Suzie. Je le savais bien avant que tu ne menaces de quitter le bureau. Ces choses-là se savent entre femmes.

—On a trouvé votre geste très courageux, dit Francine. Peu d'hommes auraient fait la même chose. Vous allez dire que c'était bien normal, mais non. Votre réaction est exceptionnelle.

—Euh. Oui, je... Merci. Je vous souhaite bonne chance dans la poursuite de votre carrière. J'imagine que vous n'aurez pas à revivre ce genre d'événement. Ça n'arrive guère souvent, je dois l'admettre.

—Je ne suis pas si certain que des choses comme ça ne pourraient pas se reproduire, intervint Jean-Pierre, la voix remplie d'amertume. Quand on est d'accord implicitement pour supporter des pratiques de harcèlement, tout peut dégénérer en un rien de temps.

—Nous sommes venus ici pour t'offrir nos services. Nous voulons quitter le bureau et, si tu le désires, nous serons tes collègues, lança Suzie.

Je dois dire que je ne m'attendais pas à une telle chose. Jean-Pierre avait une douzaine d'années d'expérience. Suzie et Francine en avaient huit et cinq respectivement. C'étaient de très bons avocats avec des spécialités en droit international privé, en droit comparé et en droit des transports. De plus, tous trois maîtrisaient parfaitement des langues étrangères. Suzie connaissait bien l'italien, Jean-Pierre travaillait intensément le mandarin, et Francine était à l'aise aussi bien en espagnol qu'en portugais. De ce point de vue là aussi, ils constituaient des atouts pour tout bureau qui veut faire des affaires au niveau international. Une fois passée la surprise, je les invitai à venir s'asseoir sur des chaises d'appoint dans ce qui servirait de salle de conférence. La grande table ovale et ses chaises capitonnées seraient livrées au cours de la journée. Nous avons discuté plus concrètement de ce qu'ils me proposaient. D'abord, leurs salaires et la possibilité qu'ils puissent amener une partie de leur clientèle. Je devais évaluer quelles entrées potentielles d'argent pouvaient être escomptées quand ils intégreraient le bureau. Nous avons convenu qu'ils donneraient leur démission dans une semaine et qu'ils se retrouveraient à mes bureaux la semaine suivante. Il importait que tout se fasse rondement, afin que le plus de gros clients possible ne soient pas désemparés et qu'ils puissent sans discontinuité obtenir des services juridiques de la part du nouveau bureau, en travaillant avec le même conseiller. Nos discussions ont duré plus d'une heure.

Nous allions quitter la salle, quand Helena frappa à la porte. Elle était allée chercher une bouteille de champagne et quelques coupes de plastique, question de fêter la nouvelle alliance. Quelle prévenance! Helena avait ce goût des choses bien faites, des fêtes bien organisées, des messages clairement énoncés, un penchant raffiné pour toutes ces petites choses qui font toute la différence. Mes nouveaux collègues ont tous trois apprécié la délicatesse d'Helena. Nous avons trinqué tous les cinq, le bonheur dans les yeux, celui-là même qui nous accompagne lorsque notre cœur est ouvert sur l'avenir et que nos proches ne sont pas ceux auxquels on se serait le plus attendu.

Nous en étions à notre second verre quand on sonna à nouveau à la porte. C'était Igor qui livrait ses bibliothèques. Il avait le sourire fendu jusqu'aux oreilles. Les étagères vitrées étaient à la fois sobres et très distinguées. Igor précisa à Helena qu'il avait travaillé presque nuit et jour pour les livrer aussi rapidement. Je pouvais le croire sur parole, car elles avaient de jolis motifs stylisés et un vernis translucide qui faisait voir la belle qualité de bois. J'adorais ces bibliothèques. Je trouvais que sa manière de sculpter le bois avait quelque chose d'Europe de l'Est, mais sans pouvoir préciser davantage. C'est Helena qui confirma mon intuition. « Ces bibliothèques sont faites dans le style le plus pur de l'époque tsariste. Évidemment, elles ont une taille réduite, mais le style est là, exempt de toute déformation », me dit-elle fièrement. Je remerciai chaleureusement Igor en lui remettant un chèque dont je pris soin d'augmenter la somme de 10 %, afin qu'il saisisse bien à quel point je lui étais reconnaissant. En constatant que le chèque était plus élevé, il montra des yeux d'incompréhension et fit remarquer à Helena qu'il y avait erreur. Je lui fis signe que non, avant même qu'Helena ne termine la traduction. Devant mon expression silencieuse, avec un léger sourire de contentement, Igor comprit. Ses yeux devinrent limpides. Il sortit de sa poche une vieille carte professionnelle. Son épouse avait encore cette carte avec elle. Il s'agissait de celle d'un maître de la haute couture renommé en Russie : Boris Navratilova. Sa griffe était simplement *Boris*. Le couturier n'avait pas voulu mentionner son nom de famille qui aurait pu être confondu avec celui de la championne de tennis. Ce designer, aux dires de mon interlocuteur, concevait des toilettes de choix pour les défilés pompeux. Sur la carte professionnelle, j'avais l'adresse de son bureau à Moscou. « Peut-être pourra-t-il vous en dire plus sur le tailleur du nom de Fokine », me dit Igor, lui-même incertain que je puisse en savoir davantage. Je le remerciai, tout en me demandant ce

186

que j'allais faire d'une telle carte. En effet, les avocats, même en droit international, ne se rendent pas si souvent en Russie. Du moins, était-ce le cas en ce début du XXIᵉ siècle. Igor repartit tout heureux en me saluant une dernière fois encore avant de franchir la porte.

Une heure plus tard, alors que mes trois futurs comparses de travail avaient quitté le bureau, les livreurs de meubles et d'appareils informatiques arrivaient avec mes commandes. Je verrais la fin de ces installations qui n'en finissaient plus, pensai-je, tout en me demandant d'où pouvait me venir une telle impatience.

***

8 avril 2002, à l'appartement de ma grand-mère, 18 h 15

Ce soir-là, ma mère m'avait donné rendez-vous à l'appartement de ma grand-mère. L'inventaire des biens avait été effectué et vérifié. Mais ma mère voulait encore tenter de percer certains secrets de sa mère, peut-être des histoires d'amour. Quand je sonnai, elle était déjà là. Elle me prit dans ses bras, comme on prend son garçon qui a grandi sans qu'on s'en rende vraiment compte. Elle me révéla la tristesse qu'elle ressentait à l'idée de devoir vider ce grand appartement. Ma mère y avait vécu toute sa jeunesse, de sorte que je pouvais comprendre que la séparation des lieux fût douloureuse.

Elle me fit visiter quelques chambres. Elle s'arrêta à la chambre du fond dont les fenêtres donnaient sur une rue très passante.

— Tu sais, c'est ici que j'ai commencé à croire vraiment à l'au-delà. J'y croyais déjà, mais un peu par habitude. Tandis que là, j'ai vraiment été saisie. Il y a eu, en fait, deux événements qui sont survenus durant la même semaine. J'avais 19 ans. Un soir, j'étais au salon, assise dans ce sofa. Je faisais donc face à cette chambre dont la porte était ouverte. La lumière était fermée, de sorte que la pièce était sombre. Comme tu le vois, c'est un luminaire très rustique qu'on ouvre en tirant sur une corde. J'ai vu la lumière s'allumer toute seule. Tu peux me croire, il n'y avait personne dans la chambre. Je suis allée vérifier. Personne, non, il n'y avait personne.

— Qu'est-ce que tu as pensé quand tu as vu ça? C'est tout de même troublant, non?

— Oh ça, oui. Je n'ai pas pensé à grand-chose, si ce n'est que parmi toutes les rumeurs qui circulaient à l'époque sur le surnaturel, il devait bien y avoir quelque chose de vrai. Mais rien de plus, je ne suis pas allée plus loin dans ma réflexion.

— Ça t'en prenait plus pour y croire, j'imagine? Ces choses-là, on ne les croit pas la première fois qu'on en prend conscience, je suppose.

— Le lendemain, j'étais dans la cuisine et j'aidais ma mère à faire le repas, quand nous avons entendu toutes les deux des coups martelant les tuyaux. Comme tu le sais, le frère de ta grand-mère demeurait au rez-de-chaussée, juste en bas de nous. Ma mère avait convenu avec lui que s'il y avait quelque chose d'important, on cognerait sur les tuyaux pour avertir. Ma mère m'a demandé de descendre voir ce qui se passait. Mon oncle qui demeurait là depuis de nombreuses années m'a dit qu'il n'y avait rien eu et que personne n'avait frappé sur les tuyaux. Je remontai pour raconter cela à ma mère, et nous sommes demeurées perplexes.

— Vous n'avez tout de même pas inventé ça!

— Non. En réalité, une heure plus tard, mon oncle téléphonait à ma mère pour annoncer la mort de mon grand-père, le père de ma mère, qui demeurait dans la région des Bois-Francs. Ma mère et moi, nous nous sommes regardées. Notre tristesse était très grande, car cet homme bien connu dans son village et dans les alentours était d'une grande générosité, même pour les itinérants à qui il réservait une place pour dormir un jour ou deux. Il était l'ami de tous; autant des pauvres que des riches, autant des gens d'affaires que des politiciens. Il avait même des contacts privilégiés avec le premier ministre du Canada de l'époque. C'était un homme d'une grande simplicité et d'un immense altruisme. Cela ajoutait à la peine causée par le départ d'un père attentif, aux yeux de ma mère. Quant à moi, je perdais un grand-père qui adorait les enfants. C'était un homme préoccupé par les autres, par leur bien-être avant toute chose.

— C'est à partir de là que tout a commencé, que tes contacts avec l'au-delà sont devenus réalité? demandai-je, avec intérêt.

— Oui, je n'ai pu me résoudre à croire que ces manifestations n'étaient que des coïncidences inexplicables.

Ma mère me fit signe que nous devions chercher pour essayer de trouver s'il y avait quelque chose que grand-mère aurait voulu cacher à des regards indiscrets. Nous n'avions qu'une heure avant que les autres héritiers n'arrivent pour procéder à la répartition ou à la mise en vente des biens. Chacun de nous s'est chargé de quelques pièces. Instinctivement, je me suis dirigé vers la chambre de grand-mère. Je me disais qu'il n'y avait que là qu'elle aurait pu cacher un objet ayant une valeur sentimentale. Je rouvris chaque tiroir de la commode et regardai sous le matelas du lit, ainsi que dans la garde-robe. Rien. J'ouvris ensuite la petite armoire qui semblait tout aussi vide et j'allongeai la main pour en tâter le fond. J'y remarquai une plaque de bois amovible. Je crus d'abord que certains clous manquaient. J'étais penché jusqu'à terre pour investiguer davantage, quand ma mère arriva dans mon dos en criant « Viens voir ça ». À ces mots, je me frappai la tête contre la plaque de bois qui ne devait plus tenir qu'à un clou et qui s'en détacha.

Ma mère me montra quelques images qu'elle venait de trouver dans un tiroir. C'étaient de vieilles photographies qui avaient l'air d'esquisses. Elles représentaient le grand-père dont ma mère venait de me parler, ainsi que sa femme, la maison familiale sur la terre agricole située dans les Bois-Francs et la piste pour chevaux de course que le grand-père de ma mère avait créée sur l'une de ses terres. Ma mère était bouche bée. Tant de souvenirs remontaient à la surface. Ces images la ramenaient à son enfance, lorsqu'elle avait foulé ces lieux ancestraux. Sans trop s'en rendre compte, elle prit les photographies et se réfugia dans le salon. Elle les plaça sur une table et les contempla avec cette fascination pour le passé qui n'est plus et qui pourtant, est encore bien imprégné en nous. Je la laissai à elle-même pour aller replacer la plaque de bois dans l'armoire. J'étais déçu d'avoir endommagé quelque chose, mais deux coups de marteau seraient probablement suffisants pour arranger le tout.

Je me penchai pour estimer l'ampleur des dommages et découvris une petite boîte métallique qui gisait, là, derrière ce qui restait de la plaque de bois. Ce devait être une boîte de bonbons ou de chocolat. On y voyait le dessin d'une campagne aux couleurs bleutées et jaunâtres, des champs et une maison sur le haut de la colline. Le dessin faisait songer à un monde idéal. J'appelai ma mère par deux fois, jusqu'à ce qu'elle finisse par s'amener. La boîte devait faire douze pouces de longueur sur huit pouces de largeur.

— C'est ça. Tu as trouvé, mon garçon, me dit-elle.

— Je crois que c'est à toi de l'ouvrir. En tout cas, moi, je ne l'ouvre pas.

— D'accord, me dit-elle en prenant la boîte délicatement.

Dès qu'elle l'ouvrit, ma mère blêmit.

— Des lettres, ce sont des lettres, dit-elle en me les donnant, comme si elle avait peur d'en voir le contenu.

— C'est tout?

— Non, il y a cette photo. Je reconnais ma mère, mais pas les autres personnes. Ce ne sont pas des gens de la famille, en tout cas.

— Grand-mère avait des secrets, dis-je calmement.

— Oui, mais ce n'est pas tout, ajouta-t-elle en me montrant un morceau de tissu aux couleurs que l'on peut observer sur des jupes écossaises traditionnelles.

Nous sommes restés là une bonne vingtaine de minutes, à toucher les lettres sans les ouvrir, à regarder la photographie sans y reconnaître qui que ce soit, jusqu'à ce qu'un objet métallique qui devait être inséré dans l'une des lettres tombe par terre. C'était une clé.

— Ma mère n'avait pas de coffre-fort. Je ne comprends pas.

— Non, ce n'est pas une clé de coffre-fort. Tu vas peut-être rire, mais ça semble être la clé d'un coffret de sûreté.

— Maman n'a jamais eu de coffret de sûreté. Du moins, elle ne m'en a jamais parlé. Peut-être, oui, peut-être qu'elle a...

— Il faudrait seulement savoir à quelle banque s'adresser, dis-je.

— Ce ne peut être que la succursale de la Banque de Montréal, sur la rue Saint-Jacques. Ma mère y détenait un compte jusqu'à sa mort. Je l'ai découvert en exécutant son testament. Je passerai à la banque et tenterai de vérifier si maman y avait un coffret de sûreté. Merci, mon garçon, pour tout ce que tu as fait.

Je me suis mis à réfléchir au temps qui passe et à ce que nous laissons à ceux que nous aimons, mais surtout au mystère que nous représenterons toujours pour les autres, y compris pour nos proches. Ma grand-mère était un mystère pour ma mère. Ma mère est un mystère pour moi. Je suis un mystère pour quelqu'un d'autre. Chacun doit se débrouiller pour résoudre le mystère laissé par la vie des gens qu'il a aimés.

Chapitre 5

Une présence au musée

Partout, on est quelqu'un avec de l'argent.

Fedor Dostoïevski, *Les frères Karamazov*

9 avril 2002, à mon réveil, 7 h 15

J'ouvris les yeux lentement, comme si je parvenais difficilement à revenir au réel. Une lumière tamisée traversait les stores pourtant baissés. Le soleil levant me donnait envie d'ouvrir la fenêtre. Mais quelque chose me retenait couché. J'avais un vague souvenir d'un rêve qui me trottait dans la tête. Comme il ne s'agissait nullement d'un cauchemar, je refermai les yeux pour me laisser bercer par ces images bizarres que je voulais reconstituer avant qu'elles ne disparaissent.

Je tenais entre les mains un objet fait de cuir noir. C'était un carré d'environ six pouces de côté. Je savais, en le tenant ainsi, que cet objet avait été fait pour le centenaire de la mort de Mozart. Il y avait également un petit portrait que je croyais être celui d'un pape, mais sans pouvoir dire lequel. Je vous précise immédiatement que je ne connais rien à la musique classique ni à l'histoire des papes ou de l'Église catholique. L'intérieur de l'objet était fait de velours bleu ciel. Il y avait une mince pochette numérotée 170 ou 175. Je ne suis pas très certain si c'est l'un ou l'autre chiffre, mais je sais que ce ne pouvait être un autre chiffre que l'un de ces deux-là. Il y avait enfin un tout petit objet cylindrique ressemblant à une pilule sur lequel il se trouvait une inscription que je pouvais lire, mais dont je ne peux me souvenir. J'ai trouvé ce rêve si bizarre que je décidai de me précipiter sur Internet afin de trouver quoi que ce soit qui puisse m'aider à l'interpréter. Ce que je découvris comme détails explicatifs me rendit plus perplexe encore. Le centième anniversaire de la mort de Mozart nous ramène en 1891. C'est Léon XIII qui était alors Pape. Le 20 avril 1884, Léon XIII publie l'encyclique *Humanum genus* contre les francs-maçons. Or, Mozart était franc-maçon; il fut initié à l'ordre maçonnique en 1784, soit exactement cent ans avant l'encyclique de Léon XIII contre la franc-maçonnerie. J'étais abasourdi, mais guère plus avancé. Peut-être l'objet existait-il quelque part, dans un musée consacré à la franc-maçonnerie ou à l'histoire des papes, ou bien dans un musée portant sur l'œuvre de Mozart. Je n'ai pas cherché à le retrouver, bien que le chiffre 170 ou 175 qui identifiait l'objet puisse ressembler à une manière habituelle de cataloguer les objets dans un musée, quel qu'il soit.

Je regardai dans les quelques rares CD de musique classique que j'avais si Mozart était parmi les compositeurs représentés. C'était des disques que je n'écoutais jamais. Je découvris une *Messe* de Haendel, *Le Sacre du printemps* de Stravinski, les *Tableaux d'une exposition* de Rimsky-Korsakov et *Le Requiem* de Mozart. Tout ce que je me souviens, c'est qu'un collègue de travail m'avait recommandé ces œuvres. Mais après avoir suivi ses conseils quatre fois de suite, sans développer quelque passion que ce soit pour cette musique trop hermétique pour moi, je ne fréquentai plus les rayons de ce genre de mélodies que je trouvais, somme toute, ennuyeuses. J'ouvris le CD de Mozart afin de vérifier si la description du *Requiem* pouvait m'éclairer. Mais je ne trouvai rien qui eût pu se rapprocher du contenu de mon rêve. Il fallait que je me rende à l'évidence. Encore une fois, mon cerveau avait pris cette information quelque part sans que je puisse ni expliquer l'origine du phénomène ni prévoir sa répétition après un laps de temps plus ou moins long.

Il devait pourtant y avoir une explication. Peut-être serait-elle ou paraîtrait-elle irrationnelle, mais il fallait que ces rêves qui commençaient franchement à s'accumuler, aient une même origine. Je ne voyais aucun lien entre eux, aucune relation au plan de l'histoire ou du contenu. Aucun indice de parenté entre ces rêves. Assis sur le bord de mon lit, je tentai de faire le point, mais je ne parvins à rien déduire. Que devais-je faire de ces bizarreries? Partir à la recherche des objets entrevus? Je ne pouvais m'y résigner. Laisser ces rêves m'envahir sans rien faire? Il ne s'agissait pourtant pas de songes ordinaires. Je ne pouvais les laisser passer ainsi sans rien dire, sans rien tenter afin d'en comprendre le message, si message il y avait. C'était la manière dont je voyais alors les choses. Il devait y avoir une possibilité d'interprétation de ces rêves. Mais où en était la clé? J'étais littéralement perdu, sans aucune piste de solution.

Je me levai et ramassai le journal qui m'attendait au bas de ma porte. Je pris un café allongé et entamai une lecture rapide des titres. Ce jour-là, je me suis dit que c'en était fait des supposées coïncidences. En voyant un article sur les phénomènes psy, je crus avoir la berlue. Il s'agissait d'un professeur d'université dont la spécialité concernait l'ensemble des phénomènes parapsychologiques et l'expérience de l'extension de la conscience. Son nom était Johan Van den Hayden. Il pouvait paraître pompeux avec un tel nom de famille, mais en fait, si je me fiais aux descriptions qu'on faisait de lui dans le journal, il avait l'air de quelqu'un de bien branché sur le réel et d'une grande simplicité. Le professeur Van den Hayden faisait état de ses recherches comparatives réalisées dans plusieurs pays européens, ainsi qu'en Amérique du Nord, quant au pouvoir de la pensée : prémonition, télépathie, télékinésie. Le cœur de ses recherches semblait être l'étude de la variabilité de ces phénomènes selon les déterminismes culturels et religieux affectant les personnes qui étaient confrontées à ce genre d'expériences. Cela me paraissait être une approche sérieuse, en dépit du fait que le paranormal m'était toujours apparu comme anormalement subjectif. J'avais un très fort préjugé contre ces supposées sciences et, bien que je demeurasse ouvert à comprendre ces phénomènes la plupart du temps inexpliqués, je savais que ma résistance était forte et durable, puisque cela contredisait ma compréhension du monde. Ma mère me l'avait déjà dit : « Change ta vision du monde et tu verras que tout peut être réinterprété de manière bien différente. » Mais justement, je ne voulais pas changer de vision du monde. Celle que j'en avais me satisfaisait tout à fait.

Je pris une douche et m'habillai sans plus penser à tout cela. Mais, alors que je terminais ma deuxième tasse de café, j'eus l'idée d'appeler ce mystérieux professeur pour discuter avec lui de ce qui m'arrivait. Peut-être pourrait-il m'aider. Peut-être avait-il connu des cas semblables au mien. Peut-être que la solution de l'énigme était si claire, si évidente que les bras m'en tomberaient.

196

En tout cas, je ne risquais rien à essayer. Et pourtant, je ne suis pas sûr qu'à cette époque je me serais vanté auprès de mes collègues de travail ou de mes amis d'avoir fait cette démarche. Il n'y a rien d'emballant à frôler l'irrationnel comme si on y adhérait aveuglément. Ce n'est pas de bon ton dans nos sociétés centrées sur le développement de la science et de la technologie, sur la vérité tangible et observable, sur le savoir théorique au détriment du savoir expérientiel. Je décidai de me verser une troisième tasse de café avant de tenter d'appeler à l'université où enseignait ce professeur. Bien qu'il ne fût que huit heures trente-cinq, il pouvait déjà être à son bureau, devant son ordinateur, qui sait.

— Professeur Van den Hayden? demandai-je, alors qu'une voix à la fois douce et rauque répondait à mon appel.

— Oui, c'est moi. Que puis-je faire pour vous?

— C'est vous qui vous intéressez aux phénomènes paranormaux?

— Disons plus précisément que je prends ces phéno-mènes comme des objets de recherche scientifique. Je veux voir s'ils peuvent subir la démarche scientifique. Vous le savez peut-être, j'ai fait de nombreuses recherches un peu partout dans le monde, mais toujours en gardant la rigueur et la démarche qui caractérisent la science, en ne faisant aucun compromis là-dessus. Je ne suis pas de ceux qui mélangent leurs convictions et la démarche scientifique.

— Très bien, écoutez. Je voudrais vous faire part de ce qui m'arrive depuis quelque temps et avoir votre avis sur l'interprétation que je devrais donner à ces événements.

— Je vous arrête tout de suite. On en sait trop peu encore sur ces phénomènes pour pouvoir affirmer que la répétition des mêmes expériences dans des circonstances identiques conduira aux mêmes résultats. Nous ne sommes justement pas très sûrs que les circonstances sont toujours identiques, quoi qu'on fasse pour que ça aille dans ce sens. Autrement dit, certaines circonstances existent peut-être sans que nous le sachions, de sorte que cela influence de manière décisive les résultats qui sont obtenus. Si on ne peut être sûr de rien quant aux conditions qui prévalent avant l'arrivée du phénomène, je pourrais difficilement vous indiquer comment interpréter ce qui vous arrive. Mais allez, racontez-moi toujours. Je verrai si je peux vous aider.

Je racontai les trois rêves bizarres que j'avais faits, en n'omettant aucun détail et en lui garantissant que je ne m'étais jamais intéressé aux sujets que ces rêves abordaient. Un long silence suivit la fin de mon récit. J'attendais avec impatience une réaction de mon interlocuteur, spécialiste des phénomènes parapsychologiques en tous genres.

— Tout d'abord, je dois vous avouer n'avoir jamais entendu rien de pareil. Je ne sais trop quoi vous dire.

— Je ne sais pas moi non plus quoi en penser.

— Je peux vous comprendre, en effet. Mais avez-vous ce genre de rêves très souvent?

— Non rarement, en fait. Ces trois rêves sont tout de même survenus sur une courte période.

— Est-ce une période où vous étiez particulièrement angoissé?

— Non, pas vraiment... Bien oui, peut-être y avait-il un facteur d'anxiété dans ma vie. Peut-être est-il encore là, dis-je en pensant à ma fille Julie.

— Certains niveaux d'anxiété peuvent créer des conditions telles que l'extension de la conscience puisse s'accomplir. Le problème est de comprendre comment vous seriez entré en relation avec ces éléments qui vous étaient inconnus. Si je me fie à ce que vous me racontez, ces rêves font état d'objets ou de textes dont vous n'aviez jamais entendu parler.

—Jamais, non. J'avoue n'avoir jamais regardé un documentaire sur l'un ou l'autre de ces sujets, ni lu aucun livre qui en aurait parlé.

—C'est là que votre histoire me rend perplexe. Je ne doute pas de votre sincérité. Mais je ne comprends pas ce qu'aurait pu faire votre conscience, si on admet que c'est elle qui a produit ces rêves. Votre conscience est-elle allée lire quelques lignes dans des livres poussiéreux d'une bibliothèque, et ce, durant votre sommeil? Cela apparaît pour le moins douteux et même farfelu.

—Et vous ne voyez pas d'autre solution, d'autre piste pour comprendre ce qui m'arrive?

—Désolé, non. Je crois que, l'important, c'est le chemin.

—Je ne comprends pas ce que vous me dites. Désolé.

—L'important, c'est le chemin que vous parcourez dans la vie. Le sens que vous donnez à votre vie, à ce qui vous arrive. À moins de preuves plus évidentes, vous devrez vous contenter d'attendre que ces phénomènes se répètent. En attendant, tentez de leur trouver un sens quelconque. C'est le seul conseil que je puisse vous donner.

Je remerciai le professeur Van den Hayden. Je me sentais aussi perdu qu'au début. Cependant, il avait dit quelque chose d'important qui résonnait fort dans ma tête : je devais trouver moi-même un sens à ce qui m'arrivait. N'est-ce pas, de toutes manières, le lot de nous tous qui sommes à bord du même bateau qui nous trimballe dans l'existence?

***

10 avril 2002, chez moi, 18 h 55

Dès mon arrivée, je me jetai sur le sofa. Je ne sais pourquoi, mais mon énergie diminuait depuis quelques jours. Je m'étendis de tout mon long et fermai les yeux dans un mouvement qui vous détend tout le corps en un rien de temps. Les bras instinctivement placés en croix sur ma poitrine, je devais ressembler aux morts que les Égyptiens sculptaient sur les sarcophages. C'était ma manière à moi de me laisser emporter par le sommeil. Je tenais cela de mon père. J'avais remarqué cela un jour qu'il s'était endormi au salon, après avoir lu quelques pages d'une encyclopédie mondiale qu'il paraissait dévorer. Il y a de ces gestes qui passent d'une génération à une autre, on ne peut s'expliquer pourquoi, sinon par la sempiternelle intervention du mimétisme. Mes pensées allaient et venaient sans que mon esprit s'y arrête, de sorte que, peu à peu, de moins en moins de pensées semblaient naître en moi. Le sommeil devait se préparer ainsi, j'imagine. Soudain, j'ouvris les yeux et me rassis rapidement. Je venais de me rappeler que ma mère m'avait demandé de vérifier ce qu'il y avait à comprendre dans le contenu de la boîte de métal de grand-mère. Maman avait conservé la boîte. J'avais les enveloppes originales qui étaient restées bien longtemps dans ce contenant métallique, si j'en jugeais à leur style vieillot.

Je me levai et me rendis dans ma chambre où j'avais déposé mon attaché-case. J'en sortis les précieux documents. Avant de constater ce qu'ils pouvaient bien contenir, je fermai les yeux et me dis que le passé de ceux que l'on aime ou que l'on a aimés, quand ils sont disparus, nous est peu accessible. L'amour demeure éternellement, mais de là à pouvoir comprendre le passé qui a littéralement construit l'être aimé, il y a un grand pas que la vie ne nous fait que très rarement franchir. Dans l'enveloppe où maman et moi avions identifié de l'argent qui datait de plusieurs décennies, il y avait également deux enveloppes scellées. Grand-mère devait avoir des secrets à cacher, peut-être un passé qu'elle aurait souhaité différent. Je pensais ne jamais pouvoir accéder à ce passé qui devait être si important pour elle, qu'elle avait cru essentiel de le sceller à jamais. Mais, en fait, j'avais tout de même devant moi un tas d'indices, chacun renvoyant à une énigme, ou peut-être que tous ces indices formaient un tout. Comment et où chercher quand on n'a aucune clé pour comprendre?

J'ouvris l'enveloppe et concentrai d'abord mon attention sur l'argent et les pièces de monnaie qu'on y trouvait. D'abord, un 100 000 marks allemands de 1927. J'eus une joie soudaine en me disant que cela devait bien valoir une fortune. Je me ravisai rapidement en me rappelant que mon père m'avait raconté que, durant la Seconde Guerre mondiale, les soldats canadiens se roulaient des cigarettes avec ces 100 000 marks, car ils n'avaient plus aucune valeur. Je laissai cette coupure de côté, pour découvrir qu'il y avait également beaucoup de francs français qui dataient des années 1930. Où grand-mère pouvait-elle avoir eu ces monnaies de papier? Je n'en avais aucune idée. Quelques pièces de monnaie s'ajoutaient au lot; elles étaient de diverses provenances: Canada et États-Unis évidemment, mais aussi Tchécoslovaquie, Finlande et Suède. Il y avait également un sou noir canadien, daté de 1900. Je disposai tout cela sur la table et essayai d'y voir clair. Rien, il n'y avait aucune piste qui ressortait de ces quelques monnaies anciennes.

Je me dis alors que si je ne pouvais pas comprendre, c'était soit que je n'avais pas la clé de l'énigme, soit qu'il n'y avait simplement rien à saisir. On a souvent le réflexe de se concentrer sur la première hypothèse, de sorte qu'on cherche sans cesse une clé qui peut-être n'existe pas. C'est justement le fondement de la deuxième hypothèse qu'il n'y a pas de telle clé. Je regardai la grande enveloppe qui contenait l'argent dispersé au hasard et les deux enveloppes scellées. Je compris qu'il pouvait y avoir là un message relatif à l'agencement de ces objets. La grande enveloppe n'était qu'utilitaire, elle servait de contenant. Les vieilles monnaies n'étaient pas contenues dans une petite enveloppe scellée, ce qui pouvait signifier qu'elles n'étaient pas particulièrement précieuses aux yeux de grand-mère; cela lui rappelait peut-être quelques souvenirs ou peut-être n'avait-elle pour but que d'amasser de vieilles monnaies, comme pour entreprendre une collection. Dans l'un ou l'autre cas, il n'y avait pas à se préoccuper de ces monnaies, puisque grand-mère n'avait pas pris le soin de les cacher d'une façon particulière. J'étais satisfait de ma déduction, quoique je ne saurais probablement jamais si j'avais visé juste.

Je regardai les deux autres enveloppes en me disant que, scellées comme elles l'étaient, elles devaient représenter quelque chose de très significatif pour grand-mère. L'une des deux portait une inscription bien au centre: 1950. Je décidai de la décacheter. J'y trouvai de vieux timbres. Je dois dire que je ne suis pas un philatéliste. Cependant, je me suis intéressé à la philatélie dans mes temps perdus, de sorte qu'au fil des années j'ai pu commencer à reconnaître, sans aucune prétention, ce qui a de la valeur et ce qui n'en a pas du tout. Avant d'examiner chacun de ces timbres, je suis allé chercher mes albums et ouvrages spécialisés dans le domaine; mes informations n'étaient pas tout à fait à jour. Mais il valait mieux partir à zéro, sans outil, pour déterminer la valeur des timbres ainsi que leur rareté. J'ai analysé chacun des spécimens contenus dans l'enveloppe. Deux choses ont attiré mon attention.

D'une part, il y avait toutes sortes de timbres, certains plus intéressants que d'autres. En voici la liste: Canada, série 1912-1924 portant sur George V, États-Unis, série des présidents 1938-1943, dont un perforé S-; divers timbres des années 1965-1968 illustrant des figures connues tels Georges Washington, Albert Einstein, John F. Kennedy; Grande-Bretagne, série Reine Élisabeth II 1952-1961 perforé CM; campagne contre la faim dans le monde, 1963; Irlande, divers, 1922-1945; France, série 1936-1948 sur George VI; Auguste Renoir, 1968; Russie, les 50 ans de la révolution russe, 1967; Tchécoslovaquie, divers 1918-1919. Je ne savais trop quoi penser en regardant ces timbres. Commençait-elle une collection? Si c'était le cas, elle n'était pas allée bien loin. Les réservait-elle pour quelqu'un qui était collectionneur? Pourquoi dans ce cas les avoir gardés cachés derrière une commode si longtemps? Non, chacun de ces timbres devait bien signifier quelque chose d'important pour grand-mère. Ou bien, y avait-il une constante dans les thèmes abordés? Non, il ne s'y trouvait que quelques séries de timbres portant sur la monarchie britannique et la présidence américaine. Pourtant, il y avait aussi deux timbres intrigants: l'un avait pour thème une cause humanitaire, la faim dans le monde, alors que l'autre portait sur la révolution russe conduite par Lénine en 1917. Ils semblaient faire contrepoids à la monarchie britannique et à la présidence américaine. Mais pourquoi grand-mère aurait-elle voulu opposer ainsi le symbole du pouvoir à celui de la révolution sociopolitique? Je n'en avais strictement aucune idée à ce moment-là et, en fait, je croyais me faire des lubies avec peu de choses. Pourtant, un doute persistait en moi, comme celui qui nous fait nous questionner, dans certaines situations, sur les intentions de l'être que nous aimons sans condition.

D'autre part, je fis d'autres types de découvertes fascinantes. Il y avait dans le lot de timbres un 12 pence noir du Canada de 1851, un bloc de quatre timbres de France de 15 c verts également de 1851 et une bande verticale de trois timbres de 2 pence bleus de 1840. J'avais la vague intuition que ces timbres valaient assez cher, mais sans trop savoir pourquoi. Je vérifiai dans mes livres pour m'apercevoir qu'il s'agissait de timbres rares. Comme je ne m'étais jamais tenu au courant des cotes, je n'en connaissais pas la valeur. Il me faudrait obtenir l'information d'un spécialiste, ce que je comptais faire dans les prochains jours. Mais si mon intuition s'avérait juste, pourquoi grand-mère qui avait vécu dans une certaine simplicité aurait-elle gardé ces timbres cachés dans une armoire, dans sa chambre? « Oui, bien sûr! Que je suis bête! Elle ne devait pas en connaître le prix, puisque je prends pour hypothèse qu'elle les a amassés non pour leur valeur pécuniaire, mais pour le plaisir de le faire ».

Restait l'inscription 1950 sur l'enveloppe. Cette année devait signifier quelque chose d'important pour grand-mère, puisqu'elle avait été soulignée avec beaucoup d'énergie et comme avec application, de sorte qu'on ne pouvait voir là une simple habitude de souligner les titres. Qu'est-ce qui s'était passé cette année-là qui avait pu pousser grand-mère à mettre cette inscription sur l'enveloppe remplie de timbres? Tout ça était très mystérieux pour moi. Je nageais dans un fouillis total. J'étais pourtant convaincu d'une chose, c'est que grand-mère ne laissait rien au hasard. Le soin qu'elle avait pris pour tout conserver intact démontrait un trait de caractère assez marqué. C'était comme si elle avait laissé derrière elle des signes que peu de gens pourraient comprendre. Dans ce cas, à qui s'adressaient ses messages? Je ne le saurais probablement jamais. Ou peut-être n'avait-elle même pas le souci d'être comprise de qui que ce soit, et qu'il s'agissait simplement de son jardin secret, que je venais d'ouvrir au grand jour, sans pouvoir en rien décoder par ailleurs.

Je rassemblai délicatement les timbres et les replaçai chacun dans une petite enveloppe, en vue de ma rencontre avec un philatéliste. Je me suis ensuite reposé l'esprit avant d'entamer le contenu de la seconde enveloppe. Quelles surprises nous attendent à la mort de nos proches? Quels secrets, ne nous ont-ils jamais divulgués et qui seront révélés au grand jour, sans que nous puissions rien y faire, pas même les comprendre! Chacun conserve probablement ce jardin secret à l'abri des regards, espérant que personne, même à sa mort, ne tentera d'en saisir le contenu. Je nuancerais en disant que dans notre jardin secret, il y a des choses que l'on veut voir disparaître avec notre mort, et d'autres qu'on espère que nos survivants réussiront à déchiffrer, comme si on voulait ressentir, une fois mort, la satisfaction d'être compris dans son for intérieur, dans les profondeurs du moi que nous n'avons jamais eu le courage de montrer aux autres.

J'ouvris la seconde enveloppe pour découvrir quatre cartes postales qui me semblaient assez anciennes. Avant d'en lire le texte, je m'intéressai à leur provenance et à l'année approximative des timbres, là où l'envoyeur avait négligé d'inscrire la date. La première, que je pris sur le dessus de la pile, provenait de Grande-Bretagne et avait été affranchie à l'aide d'un timbre commémoratif *Victoria-George, 1840-1940*. Je me suis dit que la monarchie britannique revenait dans le décor. Ce devait être un signe important. La seconde carte postale venait de France. Son timbre faisait partie des armoiries de Marseille 1955 et avait été imprimé en 1957. La troisième provenait d'Irlande et portait un timbre commémoratif imprimé en 1958 sur Thomas J. Clarke, un leader révolutionnaire irlandais. Le thème de la révolution sociale et politique refaisait surface. La dernière carte provenait de Russie et arborait un timbre commémoratif des sports extérieurs pour la jeunesse, l'alpinisme, en l'occurrence; il datait de 1959. Je fus frappé par la progression chronologique. On aurait dit qu'il y avait une séquence dans ces cartes postales, qui peut-être renvoyait à des événements. Je ne pouvais imaginer qu'elles aient été placées au hasard et que la seule coïncidence expliquait le classement par ordre chronologique. Je prenais pour hypothèse que les timbres de l'autre enveloppe ainsi que ces cartes postales pouvaient avoir quelque chose en commun.

Je décidai ensuite de lire les textes, ne sachant trop si ce que j'allais découvrir serait compréhensible pour moi qui ne connaissais pas toutes les relations que pouvait avoir grand-mère avec sa parenté et ses amis. Je tentai tout de même de saisir ce que je pourrais raisonnablement tenir pour véridique et décidai de commencer la lecture dans l'ordre où elles se présentaient à l'intérieur de l'enveloppe.

La première carte postale venait d'Écosse et illustrait le fameux Château d'Édimbourg. Elle était datée du 15 octobre 1940.

Chère Lydia, j'espérais que tu pourrais venir en Écosse cet été, mais la Guerre n'arrange rien. N'oublie jamais tes racines. Je t'envoie par la poste un petit colis pour t'aider à te rappeler un passé qui n'est pas si lointain. Je pense souvent à toi. Je t'embrasse, Mary T.

Ça commençait bien. Qui était cette Mary T.? Je n'en avais aucune idée. Peut-être maman le savait-elle. Je lui en parlerais certainement bientôt. Mais il y avait plus important encore : qu'avait-elle voulu dire par les racines de grand-mère? Serait-ce qu'elle avait du sang écossais dans les veines? Si c'était le cas, je n'en savais rien. Et qu'est-ce que Mary T. avait envoyé à grand-mère par la poste afin de lui rappeler le passé? Tout cela semblait tellement mystérieux. Si Mary T. disait, à la fin de sa lettre, qu'elle embrassait grand-mère, c'est donc qu'elles étaient soit de bonnes amies, soit de proches parents. Je remis la carte postale sur la table et remarquai la beauté du Château d'Édimbourg. Encore un rappel de la royauté, comme s'il en manquait!

La seconde carte postale venait de Paris et illustrait le *Relais Hôtel du Vieux Paris*. Elle était datée du 28 juin 1957.

Chère amie, j'ai pensé à vous en marchant au Jardin des Tuileries. Comme j'aurais aimé que vous soyez avec moi. Les fleurs auraient pris de tout autres couleurs. Un ami qui souhaite votre bonheur et qui anticipe le moment de vous revoir, Peter Osgoode.

Mais qui était ce Osgoode? Grand-mère avait décidément des secrets auxquels elle devait tenir énormément. Quelle relation avait-elle eue avec cet homme? Cela ressemblait à une lettre d'un ami qui aurait préféré être l'amoureux de la femme à qui il écrivait. On pouvait percevoir dans le ton du texte de la mélancolie de ne pas être en présence de grand-mère. Était-ce un amoureux ou un ami qui déborde d'affection? Je caressais moi-même une hypothèse que je devrais vérifier avec maman.

La troisième carte postale provenait de Dublin, en Irlande, et montrait le Trinity College à son meilleur. Elle était datée du 18 décembre 1958.

Chère Lydia, j'ai eu la chance de suivre quelques cours de littérature irlandaise au Trinity College. La culture d'ici me touche beaucoup, le désespoir que j'y vois aussi sur plusieurs visages croisés au hasard. Quelques trésors familiaux à conserver absolument. Je t'embrasse fort, Mary T.

Cette Mary T. était décidément très mystérieuse. Si elle vivait à Édimbourg, comment s'était-elle payé le luxe de suivre des cours en Irlande, durant probablement toute la session d'automne 1958? Mary T. avait l'air d'avoir cette sensibilité à fleur de peau qui caractérise les artistes. Deux éléments curieux apparaissaient pourtant dans cette courte lettre. D'une part, de quels trésors familiaux pouvait-il s'agir? Pourquoi fallait-il tant les conserver? Étaient-ils menacés? Finalement, Mary T. signait en embrassant «très fort» grand-mère. C'est qu'elle devait beaucoup se languir d'elle. Était-ce sa nature, de se désoler de l'absence de ses proches? Se sentait-elle isolée des siens, si tant est que grand-mère était une parente pour elle? Ou bien n'avait-elle soif que d'être en présence de sa plus grande amie? Tout cela n'était guère clair.

La quatrième et dernière carte postale avait été achetée en Russie et illustrait le Kremlin, à Moscou. Elle était datée du 14 août 1959.

Chère amie, pour votre recherche, je vous enverrai les coordonnées de Vladimir Nikitine, qui pourra certainement vous aider. Par ailleurs, vous ne pouvez imaginer le choc que cela fait d'être devant le Kremlin et d'assister au relèvement de la garde devant le mausolée de Lénine. Ça vous donne des frissons dans le dos. J'aurais aimé partager ces frissons avec vous. Nous aurions débattu ensemble et refait le monde comme nous l'avons fait il y a neuf ans. Votre ami éternel, Peter Osgoode.

Cette dernière carte était intéressante, car elle supposait que ce Osgoode voyageait beaucoup, très probablement à cause de son travail qui l'emmenait dans des coins assez peu visités à cette époque. Autre élément significatif: Osgoode aurait aimé faire de grands débats philosophiques ou politiques sur la manière de refaire le monde. Il y avait un certain idéalisme dans le ton, mais également un tant soit peu d'élan révolutionnaire. Enfin, grand-mère devait avoir rencontré ce Osgoode en 1950. Je fus frappé de constater que cette année était la même que celle inscrite sur l'enveloppe contenant les timbres.

Je posai les cartes postales sur la table en les collant les unes aux autres pour créer un petit rectangle. Qu'est-ce que je pouvais bien conclure de ces documents provenant de gens qui m'étaient totalement inconnus? Pour l'instant, peu de choses, tant que je ne savais pas ce que Mary T. et Peter Osgoode avaient fait d'important dans la vie de grand-mère. J'ajouterais cependant que ces deux personnes, chacune à leur manière, devaient être très importantes aux yeux de mon aïeule. Mary T. semblait rappeler à grand-mère ses racines, son passé ancestral, tandis que Osgoode voulait la projeter vers l'avant, dans un élan révolutionnaire aux accents philosophiques et politiques. Grand-mère devait avoir en son cœur un peu des deux. Je replaçai le tout dans les différentes enveloppes et m'étendis sur le sofa pour réfléchir.

J'essayais de donner un sens à tous les éléments que je venais de trouver dans cette mystérieuse boîte métallique. Tout ce que j'arrivais à accomplir, c'était de tourner autour du mystère que constituait la vie de grand-mère, qui avait été cachée derrière une armoire pendant plus de cinquante ans. Je décidai d'appeler ma mère afin d'en discuter. Elle parut surprise que je communique avec elle si tôt. Mais, voyant que j'avais l'air non pas tant perturbé que perplexe, elle m'invita à passer la voir, même s'il était déjà vingt heures. Je me rendis chez elle sans tarder, avec l'enveloppe placée dans mon attaché-case. Je n'aurais pas voulu perdre quoi que ce soit en accrochant quelqu'un ou en étant bousculé par des gens dans le métro ou l'autobus.

Quand j'arrivai chez ma mère, je sonnai et elle s'empressa de me faire entrer, non sans me faire remarquer que j'avais l'air fatigué. Je lui racontai, en lui montrant, preuves à l'appui, ce que j'avais trouvé dans l'enveloppe et lui fis part de mes observations ainsi que des nombreuses questions que je me posais.

— Mon garçon, ta grand-mère a toujours été un peu mystérieuse, même pour moi. Tu vois, c'était ma mère, mais je ne peux pas dire que je la connaissais tant qu'il n'y aurait pas entre nous d'espace sacré dont je ne pourrais mesurer ni l'étendue, ni le contenu.

— Je peux comprendre cela, mais en quoi grand-mère était-elle si mystérieuse?

— Elle avait un jardin secret. Je l'ai senti à plusieurs moments lorsque j'étais jeune. C'était le cas, par exemple, quand elle racontait comment elle avait rencontré ton grand-père et était tombée follement amoureuse de lui. Je suis sûre qu'elle était très sincère. Ils se sont beaucoup aimés. Mais je suis tout aussi certaine que la réalité était plus complexe, que bien des péripéties ne me seraient jamais racontées, de sorte que je n'aurais à ma disposition que les histoires officielles. Je n'ai jamais essayé d'en savoir davantage, sauf peut-être une fois. Elle était dans la cuisine et préparait sa fameuse soupe aux légumes que tu aimais tant. Je lui ai posé une question indiscrète. Elle m'a regardée avec des yeux si tristes que je n'ai pas insisté.

— Que faisait grand-père à ce moment-là? demandais-je.

— Il regardait au fond de son assiette, ou bien par la fenêtre. C'était aussi sa réaction qui me disait que des choses demeuraient mystérieuses et que même mon père n'avait jamais osé demander quelque détail que ce soit à ma mère sur ces questions. S'il avait su de quoi il s'agissait, je suis convaincue qu'il n'aurait pas fait ces yeux presque perdus dans l'amertume.

— Comment peux-tu dire ça? Tu dis que tu n'as jamais su que...

— Je n'ai jamais su, non, mais un jour, j'ai trouvé ta grand-mère, le visage meurtri, en train de lire une carte postale dans sa chambre. Comme je suis rapidement passée devant l'entrée de sa chambre, elle ne s'était peut-être pas aperçue que je l'avais vue. J'ai ensuite entendu un bruit de métal, puis une armoire qui s'ouvrait. Je n'y ai pas porté attention, à ce moment-là. Elle est sortie de sa chambre en s'essuyant légèrement les yeux et m'a donné des tâches à faire à la cuisine. J'ai compris alors que je ne devais plus rien demander qui pourrait l'ébranler.

— Grand-mère a-t-elle déjà parlé de Mary T.?

— Non. Mais je me souviens qu'elle m'a parlé de mon arrière-grand-mère Emily à quelques reprises. C'est à ce moment-là que le nom de Mary a été mentionné. Ça me revient maintenant, oui, elle avait aussi raconté qu'en 1950, si je me souviens bien, elle s'était rendue à Londres en bateau. Elle devait approcher les quarante ans.

— Comment avait-elle pu faire ce voyage? Elle ne devait pas être bien riche!

— Ta grand-mère était fière d'avoir fait ce voyage. Je n'ai jamais bien compris pourquoi il avait été si important, mais il avait été payé par la mystérieuse Mary. Un voyage de trois semaines dont nous, les enfants, n'avons guère su les détails. En fait, j'en ai appris quelques bribes quand ton grand-père était absent et qu'elle se sentait d'humeur à en discuter. Car je sentais toujours de la fébrilité dans sa voix, le peu de fois où elle m'a parlé de ce voyage.

—Qu'est-ce que tu connais sur mon arrière-arrière-grand-mère Emily?

—Peu de choses. Dans la famille, on a toujours dit qu'elle était d'origine irlandaise et qu'elle avait traversé en bateau durant les célèbres épidémies qui ont ravagé l'Irlande dans les années 1840. Lucia, qui était ton arrière-grand-mère et donc la fille d'Emily, parlait un excellent anglais et l'écrivait tout aussi bien, il paraît. Emily a donné naissance à Lucia à Saint-Michel-de-Bellechasse en 1872.

—Rien d'autre?

—Non, sauf son nom qui m'a toujours intriguée.

—Quoi, Emily?

—Non, Emily Dimitri Meredith.

—Dimitri? Je ne sais pas si Meredith fait très irlandais, mais Dimitri ressemble fort à un prénom masculin d'origine russe.

—Lorsque ma grand-mère en parlait, elle utilisait toujours les deux prénoms Emily Dimitri. Et ne cherche pas d'origines russes dans la famille, il n'y en a pas, du moins à ma connaissance. Je ne m'occupe pas de généalogie, mais si j'avais entendu parler d'une telle ascendance, je m'en serais souvenue.

—Et Peter Osgoode, ça te dit quelque chose?

—Non, rien du tout.

Maman et moi avons discuté de tous ces mystères qui entouraient la vie de grand-mère, particulièrement du contenu de l'enveloppe. Les timbres, l'argent, les cartes postales ne lui disaient absolument rien. Peut-être que je cherchais pour rien, mais j'étais poussé par une force rebelle à ma volonté qui m'incitait à tout connaître de ce que le passé familial avait laissé d'incompréhensible. Plus j'en apprenais sur la vie de grand-mère, plus j'étais fasciné, et plus je gardais espoir qu'un jour, je découvrirais ce qu'elle avait tenté par tous les moyens de cacher. J'aurais pu me dire que j'allais trop loin, que ce que grand-mère voulait garder secret méritait peut-être de le rester. Je ne pouvais cependant pas m'en convaincre. Au contraire, son apparition dans mon rêve, juste après son décès, me laissait croire qu'elle cherchait à me faire comprendre quelque chose. Le fait qu'elle ait porté cette robe intrigante avait tout déclenché, et je ne pouvais pas m'imaginer que, même dans la mort, son esprit n'ait pas pensé à l'importance de ce minuscule détail. En m'entendant réfléchir ainsi en moi-même, je me suis alors dit que je commençais à subir l'influence de ma mère qui croyait depuis belle lurette aux conversations avec les morts et à tout ce qui entoure ce genre de phénomène. Peut-être était-ce le cas, mais je tendrais plutôt à croire que l'apparition de ma grand-mère dans mon rêve avait déclenché en moi un processus d'ouverture de mon esprit et que l'esprit, une fois ouvert au monde et au cosmos, en vient à saisir bien des choses qui lui étaient jusque-là inaccessibles.

***

17 avril 2002, chez ma cousine Alicia, à La Prairie,
soit à une quinzaine de minutes de Montréal, en voiture

Ma cousine Alicia m'était plutôt inconnue. Je ne l'avais vue qu'à quelques reprises, particulièrement à des mariages et à des funérailles. Comme elle devait avoir une bonne douzaine d'années de plus que moi, je ne me suis jamais tenu près d'elle durant ces ren-contres singulières. Je me souvenais pourtant de la fois où maman me l'avait présentée, alors que je devais être dans la vingtaine. Elle avait été froide, distante et peu encline à la conversation. Je me rappelais avoir cherché des sujets sur lesquels nous aurions pu échanger; à chaque tentative, ses réponses à mes questions avaient été laconiques et peu encourageantes. Je ne m'attendais guère à une rencontre stimulante. Maman avait « préparé le terrain » avec elle. Qui sait, cette démarche serait peut-être finalement plus intéressante que prévu!

Alicia demeurait dans une maison qui devait être deux fois centenaire. De l'extérieur, la bâtisse imposait déjà le respect, comme si le passé pouvait nous lancer le message que le présent ne peut lui donner aucune leçon. Les vieilles pierres dont elle était maçonnée parlaient plus fort que toutes les fleurs qui garnissaient la façade. Je sonnai et n'attendis que quelques secondes avant qu'Alicia vienne répondre. Je ne la reconnus pas immédiatement. Elle avait vieilli, mais elle avait conservé ce regard qui vous juge à la seconde où vous vous présentez devant lui.

—Votre mère m'a appelée. Entrez, entrez, me dit-elle d'un ton qui se voulait amical.

—Merci, je...

—Enlevez vos chaussures, s'il vous plaît. Les planchers sont très anciens, et donc très fragiles.

—Bien sûr, c'est...

—Venez avec moi. J'ai servi le thé. J'espère que vous l'aimerez.

Elle amorçait la rencontre sur un ton directif que je n'aimais guère. Mais avais-je le choix? Les familles sont constituées d'autant de surprises que vous pouvez leur compter de membres. J'ai toujours été fasciné de voir comme elles regroupent des gens que certains traits rapprochent, alors que d'autres les opposent, au point de faire que des parents proches se considèrent presque comme de purs étrangers. De mon point de vue, Alicia illustrait éloquemment ce constat.

—Alors, vous vous intéressez à la généalogie? me

demanda-t-elle avec cette certitude de détenir une expertise que je ne possédais pas.

—Non, pas vraiment. C'est plutôt que ma grand-mère...

—Je sais, oui, votre mère m'a expliqué, en gros, de quoi il s'agit. Je ne m'étais jamais arrêtée au cas d'Emily Dimitri Meredith. J'ai consulté les données généalogiques que nous avons rassemblées scrupuleusement dans notre famille depuis une cinquantaine d'années. Je suis même allée consulter le recensement de 1851. J'y ai découvert qu'Emily était déclarée comme étant née dans un lieu inconnu. Mais on mentionnait tout de même qu'elle était Irlandaise. J'ai appelé un de mes amis à Grosse-Île, qui m'a confirmé, après avoir vérifié les registres au Mémorial des Irlandais, qu'Emily est arrivée par bateau en 1842. Elle n'avait alors que neuf ans. Il semble que ses parents, qui l'accompagnaient, soient morts pendant le voyage et enterrés à Grosse-Île avec beaucoup d'autres Irlandais. À cette époque, les Irlandais avaient été très impressionnés par la générosité des familles québécoises qui avaient accueilli en leur sein de jeunes enfants ou adultes dont les parents étaient morts durant la longue traversée de l'Atlantique. Il y a pourtant un élément inexplicable que j'ai trouvé.

—Ce ne sera certainement pas le dernier, je vous l'assure.

—En fait, le bateau serait parti d'Édimbourg, en Écosse. Nous n'avons aucune idée du lieu de naissance d'Emily, ni même de son lieu de résidence avant son départ pour le Québec. Elle pouvait être Irlandaise et demeurer à Édimbourg, bien sûr, conclut-elle sur un ton peu convaincant.

—Ou bien peut-être était-elle Écossaise, dis-je spontanément.

—Votre hypothèse peut paraître farfelue, en effet.

Mais je ne serais pas prêt à la négliger. Il ne faut jamais éviter des hypothèses qui nous paraissent d'emblée inacceptables, car le passé ne nous révèle pas toujours très clairement les informations dont nous aurions besoin pour porter un jugement éclairé.

— Avez-vous des éléments qui pourraient vous faire croire qu'Emily aurait été Écossaise?

— Non, aucun. Cela ne rend pas moins plausible votre hypothèse. C'est simplement que rien ne permet de l'étayer. Mais le plus intéressant, c'est ce qui est arrivé ensuite à Emily, une fois qu'elle a mis le pied au Québec, saine et sauve.

— Qu'a-t-elle fait de si remarquable?

— Ce n'est pas vraiment ce qu'elle a fait qui importe. Nous n'en savons rien, à part le fait qu'elle ait eu dix enfants. Quand j'ai vu *Meredith*, son nom de famille, j'ai tout de suite compris qu'elle n'était ni Irlandaise ni Écossaise.

— Mais le Recensement de...

— Les recensements ne sont pas toujours fiables, surtout les plus anciens. *Meredith* est le nom d'un clan gallois. Le Pays de Galles a été peuplé d'Irlandais qui y ont apporté avec eux leurs traditions familiales. Mais si Emily est de descendance galloise, alors qu'on la déclarait Irlandaise, pourquoi est-elle partie d'Édimbourg en bateau? Je n'ai encore rien trouvé qui me permette de comprendre cette curiosité. Par contre, j'ai identifié un indice particulièrement intéressant. Emily a vécu à Saint-Michel-de-Bellechasse jusqu'à sa mort. Par ailleurs, il y a une période de sa vie qui paraît très mystérieuse, entre son arrivée en 1842 et son voyage à Paris, vingt ans plus tard.

— Comment? Emily est allée à Paris en 1862?

— Je reviendrai là-dessus dans quelques minutes. Mais disons pour l'instant que j'ai pu mettre la main sur des certificats de baptême de ses enfants, où son nom de famille changeait constamment. Le fait qu'elle n'ait pas pris le nom de sa famille d'adoption ne nous en apprend guère plus. Peut-être n'était-elle pas véritablement adoptée, légalement parlant? À cette époque, surtout avec le nombre d'enfants irlandais devenus orphelins, on ne s'embarrassait guère des procédures légales d'adoption. Mais on sait qu'en décembre 1850, le père adoptif se rend à Québec et revient avec Emily et son bébé qui vient de naître. Cela ressemble bien à une naissance illégitime, hors mariage. C'est à partir de cette date qu'elle signera de son nom de famille, Meredith. Nous ne pouvons en avoir la certitude absolue, mais il est possible qu'elle ait travaillé comme bonne dans une famille galloise demeurant à Québec ou aux alentours, et qu'elle ait eu un enfant illégitime avec un membre de cette famille. De toute manière, le bébé est mort durant le voyage de retour vers Saint-Michel-de-Bellechasse. On ne sait pas ce qui est arrivé à Emily, mais les preuves sont à l'effet qu'elle se soit mariée en 1852 et qu'elle ait alors commencé sa famille. Son mari était agriculteur et matelot.

— Comment? Agriculteur et matelot? Comment pouvait-il...

— Il semble qu'il avait une très grosse ferme dans la paroisse de Saint-Michel-de-Bellechasse, mais qu'il ne travaillait sur la ferme que d'avril à octobre, chaque année. De novembre à mars, il œuvrait dans le transport maritime, à l'étranger. On n'a pas plus de détails. Mais je pourrais croire que c'était un homme à l'esprit très ouvert, puisqu'il a laissé partir sa femme Emily pour un long voyage à Paris. Ce n'était guère courant, à l'époque.

— Paris? J'aurais compris qu'elle retourne en Écosse ou en Irlande. Mais pourquoi diable allait-elle à Paris?

—Nous n'en savons rien. Aucun document ne nous permet de comprendre pourquoi elle s'y est rendue.

Alicia et moi avons continué à échanger sur notre émoi d'avoir entre les mains des mystères qui dataient de plus de 140 ans. Nous ressentions une certaine fébrilité à jouer ainsi avec des éléments du passé qui nous échappaient et pourtant nous fascinaient. Plus elle me faisait part de ses états d'âme, plus je commençais à avoir de la considération pour elle. Je dois avouer que ses airs de bourgeoise m'avaient toujours beaucoup incommodé. Je comprenais maintenant que ce n'était qu'une couche superficielle de son être, que son moi était caché au fond d'un puits, loin des regards indiscrets. Elle me paraissait soudain plus humaine. Et moi, j'étais moins statique et rigide. C'est toujours une double satisfaction de comprendre que l'autre est plus humain que nous le croyions et de se voir nous-mêmes en train de saisir, par intuition ou autrement, que l'autre dépasse tout ce que nous pouvons percevoir de lui. À partir de ce moment-là, les discussions furent plus amicales. Je ne sais si elle sentit la différence dans mon attitude, mais je me trouvais différent, du moins envers elle. Il suffit quelquefois de si peu pour qu'un fossé se creuse entre deux êtres, ou au contraire, pour faire disparaître le ravin qui les distancie.

—Et que savez-vous de Mary T.?

—Ça m'a bien intriguée quand votre mère m'a parlé de Mary T.

—Pourquoi donc?

—Ah! Je ne comprenais pas pourquoi cette histoire refaisait tout à coup surface.

—De quelle histoire parlez-vous?

—Vous vous demandez peut-être à quoi la lettre T faisait référence. Mary était mariée à John Torrance, un riche industriel natif d'Édimbourg. Mais Mary n'acceptait pas de porter le nom de son mari, comme le voulait la tradition à l'époque. Elle se faisait donc appeler Mary T.

— Pourquoi n'acceptait-elle pas cela? Ce devait être quelque chose que bien peu de gens remettaient en question?

— Vous auriez pu dire cela de n'importe qui d'autre que Mary. C'était une activiste, une révolutionnaire qui s'impliquait grandement pour l'indépendance de l'Écosse. C'était, à la manière de Flora Tristan, partie de son discours et de son programme que de démasquer toutes les formes d'assujettissement de la femme. Ça faisait corps avec sa vision d'un monde idéal pour lequel elle se battait.

— Mais Lydia s'est rendue à Londres pour rencontrer Mary T. en 1950. Pourquoi Mary T. était-elle si importante? Est-ce que c'était simplement son aura de révolutionnaire qui attirait ainsi? J'ai des raisons de croire que grand-mère était fascinée autant par les symboles historiques de la monarchie que par les mouvements révolutionnaires. Ça peut paraître paradoxal, mais...

— Ce n'est pas si paradoxal. En fait, Mary T. a été en faveur de la monarchie britannique jusqu'à ce que des événements que nous ne connaissons pas la fassent changer de perspective, radicalement. Elle est vite devenue l'une des figures symboliques du mouvement indépendantiste écossais de son époque.

Je commençais à replacer quelques morceaux du puzzle que représentait pour moi la vie de grand-mère. Alicia m'était d'un grand secours dans ma tentative de reconstituer son passé. J'eus une poussée de questionnements et d'incertitudes. Pourquoi est-ce que je m'acharnais tant à retrouver ce qui était probablement perdu à jamais, enterré avec grand-mère, six pieds sous terre? Je revenais, chaque fois que je me posais cette question, à l'apparition que j'avais eue en rêve. Pour moi, c'était grand-mère qui m'avait appelé. C'était elle qui avait voulu me laisser un message. Autant auparavant, j'avais fortement résisté à ce genre d'hypothèse invérifiable sur la vie après la mort, surtout quand c'était maman qui défendait un tel point de vue, autant, maintenant, j'en étais arrivé à reconsidérer le tout sous un autre jour. C'était comme si le poids du temps y était pour quelque chose, conjugué à une ouverture d'esprit accrue.

Je posai une dernière question à Alicia: que connaissait-elle de Peter Osgoode? Ce nom ne lui disait absolument rien. Peut-être avait-il des liens avec Mary T. ou avec John Torrance. Elle n'en savait strictement rien. Elle me promettait de faire un appel de recherches dans le bulletin publié par l'association qui réunissait tous les gens portant notre nom de famille. Plusieurs membres avaient, disait-elle, comme hobby de faire de la généalogie, de sorte qu'elle pourrait peut-être apprendre quelque chose sur Peter Osgoode. Elle me tiendrait au courant.

Nous avons discuté de la famille, des liens qui se tissent avec le temps. Alicia me semblait devenir plus philosophe, plus mélancolique. C'était comme si à brasser constamment le passé de nos ancêtres on en venait à perdre de vue notre présent, à sentir le temps qui nous glissait malencontreusement entre les doigts. Sa soudaine mélancolie me prit par surprise, tant elle me semblait authentique et profonde. Je me sentis si mal à l'aise que je m'excusai de la déranger. Je me levai pour signifier mon départ imminent. Elle insista pour que je reste encore un peu. Je voyais dans ses yeux qu'elle avait besoin de parler, qu'elle aurait beaucoup apprécié mon écoute ou les quelques mots que j'aurais voulu prononcer sur la famille et le temps qui passe. Mais, je me sentais incapable de demeurer plus longtemps. D'abord, parce qu'en peu de temps j'en étais venu à démontrer de la sympathie envers elle, alors que j'étais venu rempli de préjugés à son égard. Je n'étais pas prêt à lui démontrer une profonde empathie. Le saut me paraissait trop brusque. De plus, comme ses yeux amers et angoissés me laissaient présager une discussion sur des sujets existentiels, je ne me sentais pas personnellement habilité à l'encourager, à la supporter ou à la conseiller. J'étais moi-même aux prises avec un sentiment d'incomplétude dans mon existence. Je ne voulais pas être l'épaule, le refuge de ceux qui, comme moi, cherchaient à quel saint se vouer. Je pris donc la direction de la porte, non sans ressentir une certaine culpabilité de la laisser ainsi avec son angoisse et son amertume. Je me consolai en me répétant sans cesse que chacun tente de se débrouiller dans l'existence, d'y trouver un sens, d'identifier un refuge pour rire et pour pleurer. Je la saluai de la main et détournai rapidement la tête.

***

18 avril 2002, à mon bureau, 11 h 15

Helena m'avait averti de la visite d'Igor. Il avait des gens à me présenter «pour les affaires», avait-il dit. J'ai pensé que c'était une manière de me remercier. Il faut dire qu'après la livraison des bibliothèques, je lui avais commandé d'autres meubles où je le laissais libre de s'inspirer des traditions russes ou slaves quant aux motifs sculptés qu'il aimerait intégrer dans ces créations. Il avait été très heureux de ma demande et s'était empressé de préciser qu'il y mettrait toute son âme, mais aussi l'âme du peuple russe qu'il avait appris à aimer, en dépit de toutes les dérives historiques auxquelles cette âme avait donné lieu.

Lorsque Igor entra dans mon bureau, il était accompagné de deux femmes plantureuses au tailleur foncé et souliers vernis. Chacune avait une poigne assez ferme, alors que moi, je ne pressais guère les mains que je serrais. Surtout, les yeux de l'une et de l'autre étaient allumés par un je ne sais quoi. Elles me paraissaient très sûres d'elles, particulièrement de leur féminité. L'une des deux, celle qui frappait davantage le regard d'un mâle, dégageait une sensualité à fleur de peau. Je n'en tiens jamais compte dans mes discussions d'affaires, bien évidemment, mais je ne suis pas aveugle. Il m'arrive même de me dire, pendant que la femme fatale me parle de ses problèmes juridiques ou qu'elle accompagne mon client, que je dois me concentrer davantage et ne pas me laisser influencer par de menus détails. Me parler ainsi a toujours pour effet de remettre mon esprit sur les rails. Je dois avouer que j'eus bien besoin de me semoncer ce matin-là. Il y a de ces regards que vous ne pouvez éviter et qui vous font tressaillir comme jamais vous ne pensiez pouvoir le faire un jour. La pose que prit la plus âgée des deux, qui se trouvait être aussi la plus sensuelle, semblait tirée directement des magazines du genre *Metropolitan* ou *Vogue*. On aurait dit qu'elle avait suivi des cours de mannequin. Peut-être était-ce le cas. Mais il n'est pas si facile de poser la question sans qu'elle paraisse tendancieuse: « Avez-vous déjà été mannequin pour des magazines? Il me semble que la position que vous adoptez en vous asseyant devant moi est typique de ces grands mannequins dont le corps s'harmonise parfaitement avec le désir qu'en ont ceux qui les contemplent, comme s'il était une œuvre d'art qu'on ne peut dupliquer? » On voit tout de suite que la question ne pourra jamais être posée, et qu'elle restera plutôt cachée dans la tête de l'homme qui regarde de jolies femmes en désirant qu'elles aient été mannequins, comme si cela leur eût donné une aura de perfection, ou comme si elles eussent été, de ce fait, une promesse de désirs infinis.

L'aînée, Jarmila Antosova, prit la parole; elle paraissait avoir les affaires en mains. Sa compagne, Svatava Glazarova, demeura silencieuse et se contenta de se frotter lentement les doigts, par nervosité ou pour tout autre motif qui était voué à rester caché.

— C'est Igor qui nous a donné votre nom. Je crois que vous êtes au courant, n'est-ce pas?

— Oui, bien sûr, Igor m'a fait savoir que vous viendriez, dis-je, provoquant de la sorte une détente dans leur regard.

— Igor nous a confirmé que vous étiez quelqu'un de très honnête et que nous pouvions vous faire confiance. C'est pourquoi nous venons vous voir ce matin.

— Que puis-je faire pour vous?

— Je suis membre de la direction de Mala Strana inc. Notre entreprise est spécialisée dans l'exportation de divers objets en provenance de plusieurs pays de l'Est: Roumanie, Hongrie, Croatie, Pologne et, bien sûr, la République tchèque. Nous ne faisions jusqu'à maintenant que de l'exportation. Ce que nous voudrions faire, c'est commencer la fabrication dans ces pays de différents produits, dont certains vêtements, et compléter l'assemblage ou la finition ici, au Canada. Pour y arriver, nous devons commencer à développer des coentreprises, ou *joint ventures*, avec des entreprises d'Europe de l'Est, et éventuellement en arriver à développer tout un réseau dans cette région qui nous permettra d'atteindre nos objectifs.

— Mais comment en êtes-vous venus à un tel projet?

—Vous posez là une bonne question. Nous étions satisfaits jusqu'à maintenant des exportations réalisées, mais nous nous sommes rendus compte que pour certaines clientèles, il y avait de la résistance à acheter des produits d'ailleurs, en tout cas, en provenance d'Europe de l'Est. Nous voudrions donc leur fournir ces mêmes produits, tout en pouvant annoncer qu'ils ont été faits au Canada, puisqu'ils y seraient assemblés, ou qu'on y donnerait la touche finale.

—En d'autres mots, vous voulez...

—Rejoindre plus de clients, en les rassurant sur le lieu de fabrication, ajouta Svatava, comme si elle s'était sentie piquée au vif.

—Vous voulez dire que les clients canadiens ne verraient que du feu. En voulant acheter un chandail fait au Canada, ils ne pourraient s'apercevoir qu'il a été, en grande partie, fabriqué en Europe de l'Est. Évidemment, cela ne pourrait s'appliquer sur tous les vêtements, mais uniquement sur ceux pour lesquels il y a un assemblage possible.

—Évidemment, ajouta Svatava, avec un sourire en coin.

—Bon! Maintenant que je comprends bien votre projet, que puis-je faire pour vous?

—Voici la liste de quelques partenaires potentiels, à Prague et à Budapest. Nous voudrions que vous entriez en contact avec eux, afin de négocier, au nom de Mala Strana inc., des contrats de coentreprise. Nous aimerions que les discussions commencent bientôt et nous vous donnons trois mois, jour pour jour, pour arriver à une entente.

—Une ou plusieurs ententes?

—Au moins une. Si cela est possible, davantage. Nous accepterons vos conditions de rémunération, cela va de soi.

— Ce n'est pas l'argent qui me préoccupe.

— Qu'est-ce qui vous préoccupe, alors? Les transactions que nous voulons faire sont tout à fait légales, affirma Jarmila.

— Je crois bien que oui. Disons que je ferai les contacts nécessaires et tenterai d'intéresser des partenaires à faire affaire avec vous. Pour ce qui est de l'établissement d'un accord écrit, je vous ferai part de ma décision en temps et lieu. Je souhaiterais que nous séparions ces deux étapes dans votre projet, si vous le voulez bien.

— Pour nous, c'est d'accord, lança Jarmila avec satisfaction.

Elle se leva si prestement que mon cœur ne fit qu'un tour. Je ne sais ce qui m'a pris, mais j'ai senti comme un vide soudain se créer en moi, comme lorsque le désir nous inonde de l'intérieur. Jarmila n'a sûrement rien remarqué. Nous nous sommes serré la main quelques secondes de plus que nécessaire, juste assez pour que je sente la douceur de sa paume. J'essayais de détourner le regard lorsqu'elles sortirent en me tournant le dos, mais je ne réussis guère dans cette tentative de surmonter l'inévitable. J'ai toujours été fasciné par les rondeurs éternelles, celles que l'éternité nous donne afin de nous rendre le temps terrestre plus supportable. Lorsque la porte se referma sur elles, je fermai les yeux un instant, juste assez pour prendre une longue respiration et me ressaisir.

***

20 avril 2002, chez moi, 19 h 30

J'attendais Patricia avec une impatience mesurée. Elle m'avait appelé et m'avait expliqué qu'elle arriverait à Montréal et se rendrait immédiatement chez moi. Sans autre explication. J'avais l'impression qu'elle atterrissait dans ma vie, sans que j'y sois préparé. Ce n'est pas tant que je tenais mordicus à mon intimité, mais plutôt que je ne comprenais pas son empressement. Évidemment, j'avais bien décodé dans sa voix un besoin presque instinctif de rencontre corporelle. Mais elle me l'avait révélé de manière si abrupte au téléphone que je me suis demandé si elle s'adressait encore à moi comme à une personne. En raccrochant, j'avais eu le vague sentiment, le malaise en fait, d'être devenu son objet, son jouet sexuel. Je savais, par contre, que les impressions sont souvent trompeuses et que le téléphone ne nous permet pas un échange complet, si précis soit-il dans la transmission de la voix humaine. J'attendais donc Patricia avec une inquiétude que je tentais de masquer. En vain.

Quand elle sonna à la porte, j'ouvris délicatement à la manière d'un condamné qui veut retarder son exécution. Elle me sourit et se jeta immédiatement dans mes bras en entamant un baiser langoureux qui fit tressaillir tout son être. Je pouvais sentir ses hanches se préparer à l'attaque, et ses cuisses s'avancer vers moi pour créer une étreinte indescriptible. Je crois que ce fut elle qui referma la porte, mais je n'en suis pas très sûr, car j'avais décidé consciemment de laisser aller mon corps, de le lui abandonner. D'un mouvement à l'autre, mon esprit, qui s'était donné entier à la tâche, ne put résister à la tentation de la compréhension. Qu'était-elle en train de faire? Pourquoi tant de fougue, presque animale? Qu'est-ce qui pressait tant? Pourquoi la tendresse s'était-elle évanouie de notre relation? Et si j'étais en train de me poser toutes ces questions, qu'est-ce qui se déroulait, en fait, sous mes yeux? Ma recherche fébrile réussit à faire taire le plaisir durant quelques instants. Elle avait semé le doute en moi, de sorte que mon abandon à ses manifestations sensuelles n'était plus le même dès ce moment. Lorsque je m'en rendis compte, l'imaginaire entra en action. Bien que Patricia eût un corps parfaitement désirable, le doute avait miné en moi le désir de l'étreindre. Je fermai les yeux pour oublier. Mais l'oubli ne se fait pas dicter sa conduite. La preuve en est que des images m'envahirent.

C'était Jarmila que je voyais devant moi. J'avais l'impression que c'était elle qui me caressait, que c'était cette plantureuse Tchèque que j'avais dans mon lit. J'ai dû sourire à cette seule pensée. Pourtant, il n'y avait rien à rire. C'était plutôt tragique. Je n'essayai pas de me raisonner, car j'aimais les images que je m'étais faites de Jarmila et qui passaient dans ma tête comme si je l'avais eue en moi. Patricia ne sembla rien remarquer. Mais Jarmila resta dans mes pensées jusqu'au lendemain matin.

Au réveil, Patricia fut rapidement debout, sans me laisser le temps même de la toucher ou de la prendre dans mes bras. Elle n'était pourtant pas pressée par le temps. J'avais simplement l'intuition qu'elle avait eu ce qu'elle recherchait, et qu'il lui fallait maintenant passer aux autres aspects de sa vie. Lorsqu'un dernier baiser scella cette rencontre fortuite, je la regardai arpenter le couloir de l'immeuble. Elle avait le même roulement des hanches qui avait l'heur de susciter en moi moult désirs. Mais ces désirs se retrouvaient maintenant sans fondement, sans base. Ils étaient à l'air libre, sans aucun rattachement à quoi que ce soit qui m'importe. «On ne peut désirer un être qui nous asservit, nous dégrade ou nous considère comme un pur objet qu'il peut utiliser pour atteindre ses fins», pensai-je. Je refermai la porte pour essayer d'oublier cet épisode de notre relation. Peut-être n'était-ce qu'une série de mauvaises perceptions que j'avais eues et que je retrouverais Patricia telle qu'elle était la prochaine fois qu'elle reviendrait à Montréal. J'étais partagé dans mon for intérieur : autant j'espérais que ce fût le cas, autant j'étais convaincu que je ne pouvais avoir véritablement erré dans mes interprétations. Rajoutez à cela cette présence mystique de Jarmila dans l'acte d'union charnelle, et vous avez là des ingrédients idéaux pour comprendre avec quelle hardiesse j'anticipais ou non le retour de Patricia.

Chapitre 6

Pourquoi Dostoïevski?

*Les écrivains, dans leurs romans ou nouvelles,
s'efforcent le plus souvent de prendre des types d'une société
et de les représenter de façon imaginée et artistique,
types qui dans la réalité se rencontrent extrêmement rarement
dans leur intégralité et qui néanmoins
sont presque plus réels que la réalité elle-même.*

Fedor Dostoïevski, *L'idiot*

*22 avril 2002, Banque de Montréal, rue Saint-Jacques,
Montréal, 12 h 15*

Ce midi-là, j'avais rendez-vous avec ma mère qui
voulait vérifier le contenu du coffret de sûreté, si
toutefois la clé que nous avions trouvée dans la mystérieuse boîte de métal correspondait vraiment à un tel
coffret. La logique nous poussait à venir à cette succursale bancaire, mais le passé n'est pas toujours conforme
aux plans du raisonnement cartésien qui sont si décou-
pés au couteau qu'ils ne paraissent plus découler d'une
vie proprement humaine. Si nous faisions erreur, il
faudrait chercher ailleurs, dans une autre banque située
dans le quartier où grand-mère demeurait, ou ailleurs
que dans des succursales bancaires, si la clé s'avérait
étrangère à tout coffret de sûreté. J'attendais maman
avec une certaine inquiétude. J'étais angoissé à la
perspective qu'elle découvre des choses inattendues qui

pouvaient la troubler. Depuis sa mort, grand-mère nous avait tenus en haleine par des secrets incroyables et complexes. Que nous réservait-elle encore? Et surtout, maman, qui était l'exécutrice testamentaire avait bien des responsabilités sur les bras, mais elle ne pouvait être insensible au passé de sa propre mère. Les révélations à venir n'allaient-elles pas troubler sa quiétude?

Lorsque maman arriva à la banque, je la trouvai fort pâle. On aurait dit qu'elle n'avait pas dormi de la nuit. Je remarquai ses yeux bouffis. Elle avait dû pleurer un bon coup. C'est pire que de subir une nuit blanche. Ça vous soutire vos dernières énergies, et ce, même si ça vous libère de tensions intérieures. Les pleurs sont un curieux phénomène, épuisants et libérateurs. Mais on ne sait jamais trop quoi de l'épuisement ou de la libération prend le dessus. C'est seulement avec le recul du temps qu'on voit clair en eux. Maman se rendit au comptoir pour expliquer la raison de sa venue. L'employée, une femme dans la cinquantaine, semblait en avoir vu de toutes les couleurs. Avec une grande confiance en elle-même, elle feuilletait le registre des personnes ayant un coffret de sûreté à la succursale. Elle s'excusa, en prétextant qu'elle devait vérifier dans des registres antérieurs à 1960, car le nom de grand-mère ne figurait pas dans les listes récentes. Quelques instants plus tard, elle revint avec un vieux cahier relié en cuir bourgogne fortement entamé par l'usure du temps. En l'espace d'une dizaine de minutes, elle trouva le nom de grand-mère. Le coffre avait été ouvert le 4 juillet 1950. Encore cette année qui revenait me hanter. Cette date inexplicable qui avait été écrite à la main sur l'une des enveloppes découvertes après la mort de grand-mère. Je fus frappé de la coïncidence, mais n'y prêtai guère attention.

Je ne pouvais entrer dans l'isoloir avec maman;

c'était elle qui était l'exécutrice testamentaire et, par conséquent, elle seule avait le droit de voir le contenu de ce coffre. J'attendis, non sans impatience. Quinze longues minutes passèrent sans que rien ne bouge. Aucun cri, aucun pleur n'émanait de l'endroit où maman s'était enfermée avec le précieux coffret. L'attente était difficile à supporter. Maman sortit finalement, la mine basse, le regard perdu dans ses pensées et un sac de plastique à la main. Elle me fit signe de ne pas poser de questions. Nous nous sommes rendus au stationnement pour reprendre la voiture. Durant le trajet, elle m'avertit qu'elle n'avait rien à dire, parce qu'elle ne comprenait absolument rien à toutes ces histoires d'argent, de timbres, de clé ou de coffret de sûreté. Je percevais chez elle une frustration évidente quant à la volonté qu'avait eue sa mère de cacher à ses propres enfants quelque chose de son passé qui paraissait fort significatif pour elle. Son silence me paraissait lourd et fragile tout à la fois.

Ce ne fut que chez elle, lorsque nous fûmes assis au salon, que maman décida de me parler. Elle gardait ses mains bien fermées sur le sac de plastique qui devait contenir les objets trouvés dans le coffret de sûreté. Je ne voulais pas la brusquer. Il y a de ces événements qui peuvent être si intolérables que toute intervention ou question des autres, même de ses propres enfants, constitue une attaque de notre propre personne, une manière de rompre le silence qui, seul, avait le droit d'être et trouvait sa justification suffisante dans le fait inéluctable de se voir perpétuer d'une seconde à une autre, d'une minute à une autre, d'une heure à une autre.

— Ta grand-mère n'est pas exactement la mère que je croyais avoir. Elle nous a laissé tant de mystères que je me demande quelle est la partie d'elle qui était véritablement sincère, me dit-elle, avec dépit.

—Écoute, maman, ce n'est pas parce qu'elle nous cachait des choses de sa vie qu'elle n'était pas sincère quand elle...

—Ne raconte pas d'âneries. Tu sais que quand on cache trop de parties de nous-mêmes à ceux que nous aimons, il est difficile de savoir ensuite si cet amour était véritable, et surtout quand il l'était et quand il ne l'était pas vraiment.

—Quelquefois, il nous faut voiler des portions de nous afin de nous protéger nous-mêmes contre les autres.

—Tu veux dire, pour se protéger de ceux qui nous aiment et de ceux que nous aimons?

—Ça peut paraître curieux, oui, mais c'est le paradoxe de l'amour. C'est à ceux qui nous aiment et à ceux que nous aimons que nous cachons ce qu'il y a de plus secret en nous.

—On ne le dit pas davantage à nos amis, voyons, dit-elle sur le ton de la remontrance.

—Peut-être, mais on s'attendrait à ce que là où l'attachement est le plus intense, il en soit autrement. C'est justement là qu'est le paradoxe.

Maman prit une longue inspiration. Je sentais que cette discussion ne rimait à rien, du moins pour elle. Elle était préoccupée, et rien de ce que je venais de lui dire ne semblait réduire son angoisse. Après quelques minutes de silence, elle me remit le sac de plastique afin que j'en découvre le contenu.

Le premier objet que j'en sortis fut un morceau d'étoffe, carrelé comme les jupes écossaises. Je demandai alors à maman de me passer son portable et, sur un site Internet consacré aux tartans, qui représentaient à l'origine les clans écossais, je ne découvris rien qui ressemblait au motif que j'avais dans les mains. Des tartans avaient également été créés chez les Irlandais. Rien non plus de ce côté-là. J'eus l'idée d'aller voir sur un site consacré au Pays de Galles. J'y découvris les principaux tartans et, parmi ceux qui étaient présentés, j'identifiai exactement le motif que j'avais entre les mains et que grand-mère avait placé dans ce coffret de sûreté.

—Meredith, c'était donc vrai! m'exclamai-je.

Le tartan représentait le clan des Meredith. Mon arrière-arrière-grand-mère était Emily Dimitri, une Meredith. Grand-mère devait le savoir. Mieux encore, elle devait trouver cela important, puisqu'elle avait placé dans ce coffret de sûreté un morceau d'étoffe représentant le clan des Meredith. Pourquoi l'avait-elle fait? Aucune idée. Mais cela devait signifier quelque chose d'important pour elle. Autrement, elle aurait laissé l'étoffe quelque part dans son appartement, ou même dans la boîte de métal cachée derrière la commode. Non, elle avait voulu la mettre à l'abri des regards, dans un coffret de sûreté.

Le second objet était une carte postale qu'Emily avait envoyée de Paris. En fait, la carte postale illustrait un petit hôtel coquet. Elle était datée de 1862. Le mois n'était pas clairement lisible, l'encre ayant été brouillée par l'eau ou quelque autre liquide. Mars ou mai, je dirais. Le plus probable était qu'Emily ait séjourné dans cet hôtel parisien en 1862. Autrement, pourquoi choisir comme carte postale un hôtel, plutôt que tout autre monument illustre de la ville lumière? Mais nous n'avions aucun indice sérieux quant au motif de ce voyage dont m'avait parlé ma cousine Alicia.

Le troisième objet était le clou de la découverte. Un livre écrit en russe, avec une dédicace écrite dans la même langue. Pourquoi diable grand-mère gardait-elle dans un coffret de sûreté un livre qu'elle ne pouvait lire et qui portait une dédicace qu'elle ne pouvait pas non plus déchiffrer? Peut-être Igor pourrait-il m'aider à en saisir le contenu?

Grand-mère semblait avoir une personnalité aux multiples facettes, mais surtout une incroyable soif de voiler une partie de sa vie, celle qui peut-être avait été la plus fascinante. En effet, depuis sa mort, j'allais, tout comme maman d'ailleurs, d'une source à une autre d'étonnement. Rien dans sa vie de grand-mère toute simple n'avait de commune mesure avec les indices qu'elle nous avait laissés d'une existence tumultueuse. Peut-être sommes-nous tous faits ainsi, peut-être avons-nous la sempiternelle volonté d'afficher une certaine personnalité aux yeux des autres, d'en montrer une autre à des individus isolés, choisis dans la mêlée. Peut-être avons-nous la conviction que de conserver son jardin secret est la seule manière de vivre pleinement sa vie. En tout cas, grand-mère avait emporté dans la tombe tous les souvenirs qui constituaient la clé pour interpréter les éléments mystérieux dont elle nous avait caché la vue, peut-être pour que nous les découvrions. Grand-mère devait savoir que maman, comme exécutrice testamentaire, mettrait un grand soin à tout vérifier et qu'avec mon aide, rien ne serait oublié. Elle devait supposer que tous les indices qu'elle laissait derrière elle ne resteraient pas lettre morte. Elle nous les avait peut-être précisément laissés afin que nous découvrions, avec beaucoup de temps et de persévérance, ce qu'elle n'avait pas eu le courage de nous révéler de son vivant. C'est ainsi que le mort qui vit avec son passé réussit à transmettre le flambeau aux survivants, en leur indiquant comment le revisiter.

Plus je songeais à grand-mère, plus je voyais en elle un être d'une haute complexité, de sorte que j'en arrivai à conclure que j'avais été privilégié d'être visité par elle dans mon rêve. Les liens qui nous relient aux morts que nous avons aimés sont indélébiles, ce qui ne leur enlève nullement leur présence dans notre vie de tous les jours.

***

23 avril 2002, à mon bureau, 15 h 30

J'avais demandé à Igor de passer me voir. En fait, j'espérais qu'il puisse m'expliquer le contenu de la dédicace écrite en russe dans le livre de grand-mère. Helena traduirait. Elle aurait très bien pu me traduire simplement la dédicace mais, comme Igor était Russe, je croyais peut-être qu'il ferait mieux qu'elle en la matière. Lorsque j'avais expliqué cela à Helena, j'avais vu son visage se crisper légèrement. J'avais peut-être tort de croire que son russe serait moins précis que celui d'Igor et, au surplus, de le lui expliquer. Je ne sais pas encore laquelle des deux fautes j'avais commise. Ce dont j'étais certain pourtant, c'est que j'avais fait une bévue, ce genre de gestes ou de paroles que l'on regrette, mais qui nous rattrapent, peu importe les efforts que l'on fait pour corriger le regard que l'autre porte sur nous, ou, plus subtilement encore, le regard que nous adoptons pour considérer l'être que nous sommes. De toute façon, l'erreur, s'il y en eut une, avait été faite. Je ne pouvais revenir en arrière. C'est d'autant plus vrai lorsqu'il s'agit de gens de différentes cultures; dans ce cas, même si l'erreur est permise, elle laisse plus de traces que si elle se produit entre personnes de mêmes racines. Le regret n'était pourtant pas inutile et pouvait s'exprimer de mille et une manières. Sans trop m'en rendre compte sur le coup, je lui démontrais plus d'égard, une gentillesse renouvelée, une considération plus chaleureuse qu'à

235

l'habitude. Mais je devais en faire un peu trop, comme il arrive souvent lorsque, par culpabilité, nous voulons restaurer la confiance que l'autre a en nous, ou l'image qu'il a de nous, par des gestes et paroles qui trahissent non pas tant la maladresse que l'incapacité à assumer la responsabilité de ses actes. Helena dut être étonnée de tant d'attention puisque, à un certain moment, elle s'est tournée vers moi, avec un visage rempli d'interrogations. Maladroitement, je fis comme si je n'avais rien perçu de ces questionnements et m'éloignai d'elle afin de ne pas créer des soupçons inutiles. Ce fut une heure bien curieuse qui se déroula avant l'arrivée d'Igor, des va-et-vient entre le rapprochement et la distance.

Igor arriva. La sonnette d'entrée me fit l'effet d'une libération. Je n'aurais plus à penser à mes regrets, ni à m'inquiéter à la pensée que j'avais offusqué Helena. Igor serait là, il me ferait oublier les possibles erreurs commises qui avaient pu froisser ma collaboratrice. Lorsque Igor fit son entrée, je demandai à Helena de venir afin d'agir comme interprète.

—Bonjour, Igor, je suis très heureux que vous ayez pu venir.

—C'est un plaisir pour moi, si je peux vous être utile en quelque chose.

—Écoutez, ma grand-mère avait un roman écrit en russe, qui me semble dédicacé par l'auteur. Pourriez-vous me traduire ce qui y est écrit?

—Bien sûr, me dit-il en regardant attentivement le livre.

Immédiatement, son visage s'illumina. Il leva ses yeux admiratifs pour s'adresser à moi avec une émotion non voilée.

—C'est un roman de Dostoïevski, l'un des plus grands écrivains russes.

—C'est ce que j'avais compris, mais...

—Dostoïevski connaissait bien l'âme russe. Avez-vous lu *Souvenirs de la maison des morts*?

—Non, répondis-je, déçu de ne pas l'avoir fait.

—Vous devriez le lire. C'est un roman où vous pouvez voir la complexité de l'âme du peuple russe, particulièrement sa tendance à tout supporter de l'oppresseur, et même à l'idéaliser.

—Un genre de syndrome de Stockholm?

—Je ne sais pas ce dont vous voulez parler, me dit-il, l'air étrange.

—La dédicace a été écrite par Dostoïcvski lui-même.

—Quoi?

—Je ne sais pas comment vous avez eu ce livre. Mais une dédicace de Dostoïevski, c'est quelque chose de très précieux. Le roman en question, c'est son premier grand succès, je crois, *Les pauvres gens*. En plus, vous êtes bien chanceux. Il s'agit de la première édition. Elle est de 1846. Je ne m'y connais pas là-dedans, mais ce livre vaut sûrement très cher.

—Bon! Mais ce n'est pas sa valeur monétaire qui m'intéresse, c'est...

—La dédicace? Oui, j'y viens. Ça dit ceci: *À Emily «Dimitri»*. Remarquez, le prénom Dimitri est placé entre guillemets. Donc, je reprends: *À Emily «Dimitri», rencontrée à Paris, en 1862, avec Pauline et un groupe d'étudiants. Fedor Dostoïevski.*

—Savez-vous qui est Pauline?

—Aucune idée. Désolé.

—Pourriez-vous venir un instant dans mon bureau? Helena aussi, s'il vous plaît.

Je cherchai avec l'aide d'Helena quelques sites Internet où je pourrais en savoir davantage sur Dostoïevski. Je voulais qu'Igor puisse me confirmer, s'il le pouvait, certaines informations que j'y trouverais. Il ne me fut guère utile, car les renseignements trouvés étaient trop parcellaires et, dans certains cas, trop techniques pour Igor pour qui la littérature, même russe, n'était pas la spécialité. J'y découvrais pourtant que Dostoïevski avait visité plusieurs villes européennes en 1862 et qu'il avait rencontré Pauline Souslova à Paris où elle était étudiante. Comme Dostoïevski était déjà marié à Marie Dimitrievna depuis le 6 février 1857, Pauline Souslova devenait sa maîtresse. Mon arrière-arrière-grand-mère Emily était allée à Paris en 1862 et avait très certainement rencontré Dostoïevski, de qui elle avait obtenu un roman dédicacé de sa main. Quelle histoire incroyable, me disais-je en moi-même. Mais les faits parlaient d'eux-mêmes. Par quel hasard Emily en était-elle venue à faire partie du groupe d'étudiants que Dostoïevski avait côtoyé durant son séjour à Paris, je ne saurais le dire. Le fait que son prénom « Dimitri » ait été placé entre guillemets indiquait quelque chose de spécial. Je ne saurais probablement jamais si cette hypothèse était valable, mais je me dis que c'était Dostoïevski lui-même qui lui avait donné ce prénom, pour des raisons qui m'échappaient. Une telle hypo-thèse permettait d'expliquer qu'Emily ait porté un tel surnom qui n'apparaissait sur aucun de ses papiers officiels, extraits de baptême de ses enfants, extrait de mariage et de sépulture. C'était seulement à travers la tradition orale familiale qu'Emily était devenue pour ma mère Emily Dimitri. C'était probablement en 1862 que son nom était devenu officieux pour toujours. Peut-être était-elle même tombée amoureuse de l'écrivain russe, mais qu'elle n'avait pu concurrencer le charme de Pauline Souslova. Ce n'était là que des suppositions. Je n'en saurais jamais le fin mot. Et pourtant je touchais à l'un des mystères entourant la vie d'Emily. Un nom russe qui ne pouvait s'expliquer autrement que par cette rencontre fortuite d'un écrivain renommé qui avait daigné lui dédicacer son premier roman.

***

25 avril 2002, chez ma cousine Alicia

J'avais rendez-vous avec Alicia, qui m'avait averti par téléphone qu'elle venait de recevoir des informations qui pourraient m'intéresser concernant Peter Osgoode. J'étais curieux, mais elle n'avait rien voulu me dire. Pur caprice? Je ne saurais le dire. Mais je sentais dans sa voix qu'elle aimait garder le contrôle de la situation, comme si c'eût été son expertise qui aurait été en péril si elle avait partagé les informations qu'elle avait amassées. J'arrivais donc chez elle un peu fébrile, l'esprit ouvert et prêt à me faire dire à peu près n'importe quoi. Comme les préjugés envers elle m'avaient quitté, je sentais mon cœur plus libre.

Lorsque Alicia m'ouvrit, je pus observer qu'elle m'entoura d'une bienveillance hors de l'ordinaire. Je ne compris pas bien pourquoi elle agissait ainsi envers moi, jusqu'à ce que je saisisse qu'elle devait tout interpréter en fonction de son propre intérêt pour la généalogie. Peut-être avais-je eu le privilège de lui procurer un rare plaisir dans ses recherches de racines familiales et d'histoires malheureusement oubliées qui meublent le passé de chaque famille, d'où qu'elle provienne. Ce qui est certain, c'est qu'elle m'entourait de mille et une attentions auxquelles je ne me serais jamais attendu, surtout de sa part. J'acceptai pourtant facilement la plupart d'entre elles; certaines n'étaient que matérielles: des canapés excellents qu'elle avait faits pour moi; d'autres appartenaient à un autre niveau: une tape sur l'épaule en passant près de moi, par exemple. À un moment, je devins mal à l'aise. Ce fut l'instant qu'elle choisit pour entrer dans le vif du sujet.

—J'ai reçu de notre Association des nouvelles concernant ce Peter Osgoode dont vous m'avez parlé. Je ne connaissais même pas l'existence de ce Osgoode dans notre famille. Il faut dire qu'il n'en fait pas non plus partie.

—Mais alors pourquoi...?

—Vous vous souvenez que votre grand-mère Lydia s'est rendue à Londres rencontrer Mary T. en 1950. Le voyage avait été payé par le mari de Mary T., John Torrance.

—Je me souviens, oui.

—Peter Osgoode connaissait bien John Torrance. Il faut vous dire que Osgoode était un diplomate britannique rattaché au ministère des Affaires étrangères, à Londres, de 1949 à 1962. On ne sait pas comment Lydia a connu ce Osgoode, mais étant donné qu'elle a sûrement été invitée chez Mary T. et John Torrance, ce serait logique de penser qu'ils s'y sont rencontrés. Mais nous n'en avons aucune preuve.

—Qu'est-il donc arrivé à Peter Osgoode à partir de 1963?

—Il a été attaché à l'ambassade britannique à Paris de 1963 à 1974, puis à celle de Moscou de 1975 à 1983. Pour le reste, on ne sait rien.

—Vous voulez dire qu'il n'a pas eu de poste à partir de 1984, après toutes ces années consacrées à la diplomatie? Ça paraît assez incroyable, non? demandai-je, intrigué.

—Non, ce n'est pas ce que je veux dire. Ces données ont été tirées de notes généalogiques prises par Antonin, l'un de nos cousins. Malheureusement, je ne pourrais pas vous en confirmer l'exactitude.

—Pourquoi cela?

—Ah, simplement parce qu'il a commis certaines erreurs impardonnables, du moins pour quelqu'un qui se passionne pour la généalogie. En voici une de taille : Emily Dimitri Meredith aurait donné naissance à Lucia, le jour de son mariage légitime, consacré dans une église catholique. Cela voudrait donc dire que Lucia a été conçue hors mariage, ce qui devait être un scandale pour l'époque. Si on se fie à ce que Antonin nous déclare, on peut élaborer des hypothèses toutes plus farfelues les unes que les autres. Mais, en fait, si on consulte les registres de mariage et de baptême de l'époque, on voit bien que Antonin a fait une erreur, car la date du mariage d'Emily, soit 1852, ne coïncide pas avec la date probable de la naissance de Lucia qu'on situe en 1872. C'est pour cette raison que tout ce que je vous livre concernant Peter Osgoode doit être pris avec un grain de sel. Peu importe la pertinence de ces informations, nous ne pouvons même pas en vérifier l'exactitude.

—On doit donc faire confiance à...

—Oui, bien sûr, la confiance, mais également une stricte analyse rationnelle et objective des faits, je dirais.

—Mais avez-vous une idée du lien qui unissait grand-mère et Peter Osgoode, si un tel lien a effectivement existé?

—Votre question est excellente. Je ne parierais pas vingt dollars sur l'hypothèse énoncée par Antonin. Je dois cependant avouer qu'elle pique ma curiosité.

—Je comprends votre hésitation, surtout avec l'exemple que vous venez de me donner.

—Antonin croit que Lydia a rencontré Peter Osgoode chez Mary T. et qu'elle lui aurait confié une mission.

—Une quoi? Une mission? dis-je, incrédule.

—Non pas une mission diplomatique, mais tout autre chose. Lydia aurait voulu savoir d'où pouvait provenir le prénom Dimitri attribué à Emily Meredith.

—Je ne vous suis pas très bien. Pourquoi Lydia aurait-elle cru que Osgoode lui serait utile pour résoudre cette énigme?

—Antonin dit avoir mis la main sur des lettres qu'Osgoode a envoyées à Lydia. C'est dans l'une de ces lettres, que nous n'avons pas retrouvées d'ailleurs, de sorte qu'on ne pourra jamais valider l'hypothèse, que Osgoode aurait expliqué qu'à cause de sa connaissance de certaines langues étrangères, le russe en particulier, on venait de le muter à Moscou; la lettre était datée du 4 septembre 1975.

—Osgoode devait avoir étudié le russe durant les années où il était à Paris, dis-je simplement.

—Ou bien quand il était au ministère des Affaires étrangères, à Londres, ajouta Alicia. Sur ce point, nous n'avons aucune preuve. Sans ces lettres précieuses, on ne peut guère énoncer d'hypothèses sérieuses.

—Est-ce qu'Antonin a révélé d'autres particularités de ces lettres envoyées par Osgoode?

—Uniquement l'hypothèse farfelue que Osgoode serait tombé amoureux de Lydia. Mais je ne le crois pas. Ce n'était pas le genre de Lydia, du moins pas de cette Lydia qui est votre grand-mère, ne croyez-vous pas?

—Je n'aurais pas tendance à accepter cette hypothèse trop rapidement. Je m'accorde avec vous.

Alicia me dévisagea, comme si mon hésitation à critiquer sévèrement Antonin sur les amours possibles entre Lydia et Osgoode était la manifestation d'une curiosité de l'âme. Je n'en fis aucun cas. Je n'avais pas tendance à rejeter cette hypothèse trop hâtivement. Il y avait là quelque chose de plausible, quoi qu'on puisse en penser, moralement ou autrement.

***

12 mai 2002, à l'aéroport de Dorval, Montréal, 19 h

J'attendais avec une certaine fébrilité non pas le départ de mon vol pour Prague, avec Francfort comme première escale, mais l'arrivée de Jarmila. La dernière semaine avait été très chargée au bureau et j'avais dû rapidement faire mes réservations d'avion et d'hôtel, lorsque Jarmila m'avait appris que le partenaire d'affaires tchèque souhaitait discuter dès que possible avec moi d'une éventuelle entente de coentreprise. Je n'avais pas sourcillé, mais, intérieurement, je me demandais dans quelle aventure je m'étais engagé. Ce n'était pas tant la négociation de contrats qui me créait de l'angoisse que l'incertitude liée aux pratiques culturelles en pays étranger. Ces pratiques étaient si variables dans l'espace et dans le temps qu'il fallait constamment que je me tienne à jour sur des aspects sociaux, culturels et même religieux pour lesquels mon expertise en droit et en administration n'était d'aucune utilité.

Jarmila m'avait procuré les coordonnées de mes interlocuteurs, ainsi que les heures et lieux de rendez-vous. Je partais avec des notes en mains, rien de plus. Mais, deux jours avant le départ, Jarmila m'avait appelé pour m'annoncer qu'elle prenait le même vol que moi. Elle avait réussi à obtenir une place en classe affaires à la dernière minute. J'étais rassuré de la savoir avec moi: en ce qui concernait la culture et la langue tchèques, je n'aurais pas de souci à me faire. D'un autre côté, je me sentais très impressionné en sa présence. Mais cela importait peu en l'occurrence, puisque ce n'était pas un élément de ma vie profes-sionnelle. Elle m'attirait comme un aimant. Je n'y

pouvais rien. Ma raison était impuissante. Mon imagination régnait seule en maître. Aussi, quand je l'ai
vue s'avancer vers moi d'un pas décidé et que j'eus
observé sa jupe ronde et légère qui la faisait planer
comme un ange, je sentis un si grand désir s'élever en
moi que je crus défaillir. Elle ne semblait pas me voir
ainsi tressaillir à la seule vue de son corps parfait
déambulant dans les allées bondées de voyageurs. Ses
longs cheveux foncés, presque noirs, avaient une
ondulation qui lui donnait des airs de reine. Je
percevais en elle une si grande dignité, une prestance
si imposante, que je ne pouvais détacher ma vue d'un
être qui me semblait à ce point comblé par la nature.
Quand elle fut à quelques pas de moi, je me levai et
ressentis encore plus cette angoisse du désir, ce
trémolo d'un plaisir projeté qui vous tenaille
l'estomac. Pourtant, seule une bonne poignée de main
devait sceller notre rencontre.

Nous sommes allés porter nos bagages et nous
avons mangé un morceau au principal restaurant de
l'aéroport. Pendant que nous mangions et que je
pouvais observer son visage de plus près, je remarquai
quelques imperfections. Un petit creux dans le cou, un
peu de gras sur les joues, à peine quelques rides
autour des yeux. C'est curieux comme on peut voir
tout cela sans se laisser influencer dans l'émotion que
nous ressentons pour l'autre. En fait, tant que l'amour
est de la partie, le reste n'est qu'un ensemble de détails
dont l'importance à nos yeux s'amenuise, au point que
même des éléments qui autrement nous auraient
questionné sont interprétés d'une manière entièrement différente, soit en leur attribuant de la beauté,
soit en les considérant comme des preuves d'une
maturité acquise au fil du temps. De la beauté ou de la
maturité, ou les deux à la fois. Quoi de mieux? En fait,

j'étais très conscient que ce processus de projection opérait en moi. Pourtant, cela n'avait aucun effet sur les sentiments que je ressentais en sa présence. C'était la même attirance, peut-être même amplifiée du seul fait d'avoir pris connaissance de ce processus qui s'actualisait dans mon esprit. Elle me parlait de ses affaires professionnelles et de ses hobbies. J'entendais sa voix, je comprenais ses paroles, mais ma tête était ailleurs. Je me demandais si ce n'était pas finalement cela, la beauté : une essence qui se manifeste dans et à travers le corps, quels que soient les paramètres de la perfection que nous ayons.

Une heure avant le départ, nous nous sommes rendus au quai d'embarquement. Nous avons eu encore l'occasion d'échanger sur nos intérêts respectifs. C'est là que je sus qu'elle lisait, mais pas n'importe laquelle littérature. En fait, c'était Milan Kundera qui était son romancier préféré. Bien sûr, il était Tchèque, tout comme elle. Mais l'important était plutôt que Kundera tentait de réinventer le roman. Pour elle, le roman kundérien présupposait de grands romanciers antérieurs, mais inventait également une nouvelle forme romanesque. Dostoïevski avait créé le roman aux grands questionnements philosophiques. Proust avait élaboré le roman où il n'y a aucune action, où tout est concentré sur l'intériorité des personnages. Woolf avait écrit des romans-poèmes dans lesquels la condition temporelle de l'être humain dominait tous les thèmes existentiels abordés. Jarmila trouvait qu'avec Kundera tout cela était déjà en place, mais surtout que le romancier tchèque ajoutait une juxtaposition d'histoires et de messages qui, à travers les contradictions et les paradoxes, avait pour but de montrer la condition humaine sous son véritable jour. Je ne saurais dire si l'interprétation de Jarmila était bonne ou non. Je ne m'y connais guère en littérature. Quand elle me révéla que son second hobby était l'horticulture, je fus d'autant plus surpris que moi-même j'y trouvais un certain plaisir depuis deux ans. En effet, j'avais découvert qu'il était extrêmement plaisant de travailler la terre de ses mains, de planter des pousses et de laisser la nature faire le reste, d'arranger les quelques vivaces qui peuplaient mon appartement de manière à maximiser leur expression à long terme. C'était exactement la même chose que Jarmila expérimentait lorsqu'elle trouvait du temps pour s'occuper de ses vivaces fleuries. Voilà un point que nous avions en commun. Était-ce anodin ou enfantin d'espérer que ce seul petit point puisse nous amener, Jarmila et moi, à nous connaître davantage, et peut-être même à nous fréquenter? Je ne pouvais porter un jugement sur cet espoir que j'entretenais, probablement parce que j'y tenais trop pour être capable de le critiquer de manière objective.

À l'embarquement, nous nous sommes salués et sommes allés prendre nos places respectives, peu éloignées l'une de l'autre. Comme je ne pouvais voir d'elle que le dessus de sa tête, seule mon imagination faisait le travail, celui d'observer et de rêver. Le voyage me parut long et pénible. Les hôtesses étaient très attentionnées, mais rien ne pouvait remplacer ce que j'avais pourtant de la difficulté à accepter en moi. J'étais en train de manger le repas frugal servi près d'une heure après le départ de Montréal, lorsque je me rappelai soudain Patricia. Je fus frappé de constater que je ne ressentais aucun remords à la pensée de désirer Jarmila. Probablement, était-ce parce que rien ne nous unissait, Patricia et moi, de manière officielle. Quand elle était de passage à Montréal, nous partagions divers plaisirs ensemble, puis elle retournait dans son patelin alors que je demeurais dans le mien. J'avalai un morceau de poulet trop peu assaisonné à mon goût en me disant que je venais de saisir l'essentiel de ma relation avec Patricia: elle ne tenait à rien de très solide. Peut-être ce genre de relation nous satisfaisait-il tous les deux. Ce devait être le cas, que nous en ayons été conscients ou non. Mais alors, est-ce que je n'étais pas en train d'initier le même genre de relation avec Jarmila? Je pouvais répondre par la négative et me sentir rassuré sur moi-même. Néanmoins, qu'est-ce qui me garantissait que je n'amorçais pas le même manège avec Jarmila? Je n'avais pas de réponse claire à cette question. Je sentais pourtant en moi un sentiment de grand bien-être quand j'étais en sa présence, un sentiment de si grand bonheur que je voulais me laisser bercer dans ses bras. En fait, j'avais l'impression que cette émotion s'était même accrue en intensité depuis que je m'étais déculpabilisé de trahir Patricia d'une manière ou d'une autre. Une fois débarrassé du fardeau de cette culpabilité injustifiée, mon cœur était libéré des embâcles créés par de fausses croyances. J'étais libre d'aimer Jarmila.

Qu'attendais-je d'une femme, à cette étape de ma vie? Peu de choses vraiment très claires. Trois aphorismes envahirent mon esprit, en lui indiquant ce dont il n'était peut-être même pas conscient:

Une main pour marcher dans la même direction
Une épaule où se réfugier dans la consolation
Un cœur pour vieillir dans la sérénité

Ces mots étaient si doux à entendre que, sans trop m'en rendre compte, je fermai les yeux et me laissai transporter dans le monde où ils étaient nés, cette baie de la psyché qui ne fait pas de différence entre le blé et l'ivraie. À un moment, je me demandai si Jarmila pouvait avoir des sentiments similaires à mon égard, et cette seule question m'instilla une incontrôlable angoisse. J'ouvris les yeux pour me rendre compte qu'elle était à mes côtés, mettant sa main sur la mienne au moment même où je sortais de mes pensées.

C'est à cet instant que je remarquai pour la première fois que ses mains étaient quelque peu ridées. Je me suis levé et l'ai accompagnée vers l'arrière de l'avion où, tout près des toilettes, se trouvait une porte de secours qui laissait un peu plus de place qu'ailleurs. Nos discussions ne dérangeraient personne. Nous avons parlé du voyage, de ce que cela évoquait pour elle comme pour moi, du désir d'arriver à l'étranger, de la nécessité d'adaptation, mais aussi de l'angoisse persistante, presque voilée, du temps-qui-passe, cette angoisse qui devenait sensiblement plus forte durant les voyages que dans la vie sédentaire. Ce qui me frappa alors, ce ne fut pas le caractère enjoué, mais profond, de nos échanges, ni même la sincérité avec laquelle ils furent entamés. Non, je voyais ses mains s'approcher davantage de moi et à quelques reprises toucher mon épaule, mon bras quand elle voulait appuyer sur une idée qu'elle trouvait importante ou sur une émotion qui la tenaillait. Il y a des gens qui nous touchent constamment quand nous sommes près d'eux. Les femmes se touchent beaucoup entre elles lorsqu'elles discutent. Les hommes, plus rarement. Mais entre hommes et femmes, le toucher est restreint de manière générale, si on oublie ces gens qui ne peuvent aligner deux phrases sans vous toucher quelque part. Jarmila était plutôt conforme à la majorité. C'est pourquoi je fus surpris de voir ses mains tournoyer autour de moi, alors que ce n'était pas le cas auparavant. Je perçus cela comme un signe. Peut-être n'en était-elle même pas consciente, mais ce seul rapprochement indiquait un certain intérêt qu'elle avait pour moi, la considération, pour ne pas dire l'affection qu'elle pouvait ressentir en ma présence. C'est pourquoi je ne me laissais pas intimider par ses mains qui s'approchaient de moi avec une régularité qui devait ressembler aux marées, tellement elles décrivaient des formes dans l'espace qu'elles emplissaient. Au contraire, à chaque fois que je pouvais sentir sa main sur une partie de mon corps, j'avais un léger tremblement que son affection imposait à ma peau. Une exaltation passablement intense m'envahit durant la vingtaine de minutes où je pus observer son sourire s'illuminer devant moi, tel un réverbère pour le cœur.

Nous avons fait deux fois l'aller-retour entre ce lieu béni et nos sièges respectifs, avant que l'on n'annonce l'atterrissage à Francfort. J'anticipais alors le moment où je me retrouverais près d'elle. Cette perspective me causait une excitation certaine, mais aussi, je dus me l'avouer, une appréhension non négligeable. Nous avons passé deux heures à fureter dans les diverses boutiques en attendant notre vol pour Prague. Jarmila me fit acheter *La lenteur*, un roman de Milan Kundera publié en 1998, en me précisant que ce devait être le plus facile à lire et le meilleur choix pour quelqu'un qui voulait s'initier à l'œuvre kundérienne. Jarmila a acheté une boîte de chocolat en me précisant que c'était son péché mignon. Lorsqu'elle paya à la caisse, je remarquai combien ses hanches avaient une rondeur parfaite. J'eus beaucoup de difficulté à en détacher les yeux. Nous nous sommes rendus à notre quai de départ et avons pris conscience que l'embarquement était déjà commencé. Nous avions eu la main heureuse, puisque cette fois nous serions assis côte à côte. Je me disais que cela faciliterait les discussions, bien sûr, mais en même temps, que je ne pourrais me dérober. L'un et l'autre, nous serions trop près pour penser à nous évader, en cas de panique. Mes appréhensions demeurèrent non fondées. J'eus grand plaisir à voir son visage de plus près. Je pouvais observer sa pupille qui se dilatait lorsque de ses lèvres charnues sortaient des mots doux qu'elle me destinait. Bien que le voyage fût assez court, tout ne se déroula pas comme je l'avais prévu. En effet, je croyais que nous pourrions jaser des déplacements que nous avions faits auparavant, des gens que nous avions rencontrés et qui nous avaient marqués, et ainsi de suite. Mais, Jarmila n'avait pas dormi durant le premier vol, de Montréal à Francfort. Elle était épuisée. Aussi s'endormit-elle, environ vingt minutes après le décollage. Ma déception fut pourtant soulagée par la possibilité que j'eus de la regarder, de contempler sa beauté sans qu'elle se sente dévisagée. Il y avait une grande tendresse dans ses traits, beaucoup de détermination également, mais surtout une sincérité qui vous saisissait dès les premiers instants où vous entriez en contact avec son visage. Je m'attardai quelques instants à espérer que, dans son sommeil, sa tête vienne retrouver mon épaule. Je souris juste à me répéter en moi cette pensée inutile.

Le moment de l'atterrissage arriva plus vite que Jarmila et moi l'aurions voulu, puisque nous étions en train de sommeiller tous les deux. Mes paupières non plus n'avaient pas résisté. Dès que nous prîmes possession de nos bagages, Jarmila m'indiqua la direction pour prendre un minibus, qui partit dans les minutes suivantes. Le conducteur nous trimbalait si rapidement dans les rues de Prague que je me demandais vraiment si nous arriverions sains et saufs. Notre petit hôtel champêtre était situé à quelques minutes de marche du fameux Pont Charles, créé par Charles IV en 1357, m'avait indiqué Jarmila. D'ailleurs, la grande université portait le même nom, Karlova, c'est-à-dire Charles. À la réception, on nous donna nos clés de chambre respectives. En effet, sans hésitation dans la voix, bien qu'un regard chaleureux se soit installé entre Jarmila et moi, nous avions, d'un même chœur, répondu «Deux chambres, oui» au préposé. Jarmila avait un message en provenance de son contact d'affaires. La réunion prévue le lendemain serait retardée au surlendemain. Il n'y avait aucune négociation possible. Nous étions placés devant les faits. Voilà tout. Jarmila ne semblait pas surprise. Je ne l'étais pas beaucoup plus qu'elle.

Nous sommes allés nous coucher en nous saluant de la main, comme si cela nous avait suffi. La nuit fut longue et solitaire. Je me demandais si elle avait autant de difficulté que moi à dormir. Comme je n'y arrivais pas, je pris le livre de Kundera et en entamai la lecture. Je ne pus le lâcher. Je le trouvais admirablement écrit, un petit chef-d'œuvre. Mais, à une vingtaine de pages de la fin, mes paupières devinrent plus lourdes. J'en fus quelque peu contrarié. J'aurais préféré terminer ma lecture. Mais je ne parvenais plus à lire avec autant de plaisir. «Autant remettre le tout à demain soir», me suis-je dit. Juste en fermant les yeux et en rabattant la lourde couette sur mon corps, je revis le visage souriant de Jarmila qui me promettait une nuit des plus douces.

***

14 mai 2002, Prague, 10 h

Après avoir pris un petit déjeuner plutôt frugal à l'hôtel, Jarmila et moi avons décidé de visiter la ville. En fait, c'est elle qui serait mon guide. Lorsqu'elle me fit marcher sur le pont Charles, je ressentis une forte émotion. Il me semblait que ce lieu en avait vu de toutes les couleurs dans le passé. Il paraissait hanté par de nombreux démons qui avaient eux-mêmes été oubliés par l'histoire. Il faut dire que le pont était meublé de bien des choses différentes aujourd'hui. Beaucoup d'artisans et de musiciens. Il y avait même le Bridge Band, avec banjo, trompette et cor anglais. Dès les premiers pas, Prague m'accueillait par la musique, et l'intensité de cet accueil d'ordre esthétique allait s'accroître au fur et à mesure que je marcherais dans les rues de cette ville aux immeubles nouvellement colorés, soit depuis le début de la période postcommuniste.

Notre premier arrêt fut l'église Saint-Nicolas de Mala Strana, construite entre 1704 et 1756. Lorsque nous fûmes à l'intérieur, Jarmila me donna quelques explications.

— C'est une église de style baroque. Comme tu vois, il y a de l'or et du marbre partout. Les statues, ici celles de saint Basile, de saint Jean Chrysostome, de saint Grégoire de Nazianze et de...

— As-tu remarqué comme les dessins sur les voûtes sont bien réalisés...

— Oui, ce sont...

— Mais ils ne sont pas parfaits, ajoutai-je, sans vouloir offusquer Jarmila.

— Bien sûr, oui. Je l'avoue.

— J'ai le souffle coupé devant une telle beauté, dis-je simplement en la regardant.

— C'est l'un des lieux les plus renommés de Prague.

— Non, c'est de toi dont je parle, Jarmila. Je suis désolé d'être aussi brusque dans mon approche, mais tu es une beauté rare.

— Euh..., je ne sais pas quoi te dire. J'aurais préféré que...

— Que nous en restions à nos affaires. Oui, désolé. Mais le fait que je te dise que ta beauté est indescriptible et vaut mille fois mieux que celle de cette église baroque, ne doit pas rien...

Jarmila s'approcha lentement de moi, comme si le

temps voulait prendre soudain une pause. Son visage fut si près que le baiser devint non pas inévitable, mais ardemment désiré, puis accompli.

—Je ne croyais pas que tu étais si romantique, me dit-elle.

—Romantique? Pas tant que cela, non. Mais j'avais ce sentiment qui me démangeait et je crois que les lieux ont dû m'inspirer, me pousser à te révéler quelque chose de moi.

Nous nous embrassâmes une seconde fois, plus longuement et tendrement que la première qui, elle, ne semblait avoir eu pour but que de récupérer le temps perdu à ne pouvoir exprimer ce qui exacerbait nos désirs cachés à tous deux.

—Dès notre première rencontre, j'ai compris que ton cœur et le mien pourraient faire un bout de chemin ensemble. J'ai rarement senti cela, mais à chaque fois, je ne me suis pas trompé, peut-être à une exception près. On peut toujours faire une erreur! Mais, même dans ce cas, je peux saisir ce qui m'avait fait errer. Tandis que maintenant, la situation est tout autre. C'est comme si ton être m'était devenu tout à coup transparent et que j'avais pu mesurer jusqu'à quel point il correspond au mien. Un grand sentiment de bien-être en a découlé.

—Je... je...

—Tu sais, la vie pourrait en décider autrement.

—La vie ne décide de rien que nous n'avons nous-mêmes décidé, dit Jarmila de manière affirmative, presque autoritaire.

—Tu as raison. Disons que nous pourrions tenter notre chance. Qu'en dis-tu?

—Il n'y a pas de chance non plus. On la fait par nos actions. Il n'y a ni destinée, ni hasard, seulement une vie qui en rencontre une autre. Ah, je dois te paraître bizarre, mais tout ce qui a trait à ces sujets crée en moi, à chaque fois, une réaction de répulsion presque épidermique.

— Oui, je...

— Je suis d'accord, me dit-elle en me prenant la main.

Elle était d'accord! On aurait dit qu'il s'agissait d'un contrat verbal. Sa réaction était pour le moins inusitée. Mais chaque personne arrive dans une relation avec ce qu'elle est, avec tout ce qu'elle est et qui se cache dans ce tout qui nous apparaît homogène, monolithique, mais qui comporte des zones obscures dont l'être qui les porte est plus ou moins conscient lui-même. Nous marchions main dans la main dans cette église majestueuse et je n'étais plus fasciné par l'architecture, ni la sculpture, ni la peinture, mais plutôt par le courant qui passait de l'un à l'autre à travers ces dix doigts qui s'étaient joints pour symboliser une aventure qui commençait.

Le reste de la journée, nous l'avons passé entre autres à visiter le Château de Prague, où trois musiciens jouaient à la contrebasse, à la flûte traversière et à l'accordéon des pièces de leur composition, ainsi que quelques œuvres que je crus reconnaître de Bartok et de Smetana. Ils nous permettaient de contempler différemment les lieux, comme si la musique transformait le regard que nous portions sur le monde qui nous entoure. La musique nous rapprochait, Jarmila et moi. La preuve en est qu'en écoutant ces musiciens talentueux, Jarmila se colla tout contre moi et appuya sa tête sur mon épaule, ce qui me fit la serrer davantage. Nous sommes demeurés ainsi une dizaine de minutes. Un temps si court que j'aurais voulu projeter à l'infini.

D'autres visites s'ajoutèrent: l'église Notre-Dame de Tyn, la synagogue et le couvent de Saint-Agnès. À chaque endroit, je pouvais échanger avec Jarmila dans une grande simplicité, sans rien cacher de mes impressions. J'appréciais cette liberté du cœur qui nous permet de tout dire à l'autre. Je sentais que pour Jarmila c'était la même chose. Peut-être ai-je alors commis l'erreur de le croire. Plus nous marchions ensemble et discutions de ce que nous aimons, de ce qui nous fait vibrer, plus je découvrais en elle un monde de perceptions qui me collaient à la peau, non pas comme un autre moi presque identique au mien – je ne suis pas narcissique à ce point –, mais plutôt comme un autre, différent de moi, avec qui je voulais faire un grand bout de chemin. Était-ce trop tôt pour en parler? Bien des gens que je connais me l'auraient alors dit. Mais qui est juge du bon moment? Qui peut savoir s'il est trop tôt ou trop tard? Moi-même, je ne sais même pas si j'aurais été objectivement capable de l'exprimer.

Nous avons pris le dîner dans un restaurant situé près de notre hôtel. Pendant le repas, nous avons bien ri. Je ne pensais pas que Jarmila avait un tel sens de l'humour, un humour quelquefois très raffiné, surtout quand il portait sur la politique ou l'économie, mais aussi un humour de situations, quelquefois même burlesque. Elle était bien à mon goût, je dois l'avouer. Au travers de ces rires complices qui nous rapprochaient l'un de l'autre, je me demandais dans quel esprit nous pourrions rentrer à notre hôtel, et surtout ce qui arriverait au carrefour de nos chambres, dans cet espace vital où le corridor mène à la sienne ou, au contraire, à la mienne? Ne pas savoir m'angoissait. Une réponse claire et nette m'aurait tout autant angoissé. C'est simplement que l'angoisse n'aurait pas porté sur le même objet. Ce fut un dîner bien arrosé. Nos visages légèrement rougis par le vin nous rendaient le rire encore plus facile, et l'émerveillement aussi. Après le repas, nous avons marché dans les rues de Prague et avons traversé le pont Charles plus d'une fois, en étant toujours éblouis par le décor.

À l'hôtel, nous avons pris nos clés respectives et sommes montés à l'étage. Au carrefour fatidique, nous nous sommes arrêtés comme si l'horloge du désir s'était mise à perdre tout contrôle sur elle-même. Nous nous sommes embrassés longuement. J'avais l'impression qu'à travers ce baiser éternel, nous testions sans trop le savoir si nous pourrions passer une nuit l'un sans l'autre. Le test fut certainement concluant puisque, maintenant le contact des lèvres, nos corps se sont dirigés, tels des automates, vers la chambre la plus près de nous. C'était la mienne. Une fois la porte refermée derrière nous, tous mes fantasmes passés se sont évanouis afin que d'autres puissent naître. Le corps de Jarmila était plus lourd que je ne l'aurais pensé. Mais il était aussi plus désirable. Je fus moi-même surpris de saisir ce qui pourrait ressembler à un paradoxe. Le désir dépasse tout ce que la raison peut percevoir. Raison et imagination sont ses esclaves. Jarmila était plus plantureuse que tout ce que j'avais imaginé d'elle, précisément parce que mon désir dessinait des lignes qui lui correspondaient. Il les rendait éternelles, inattaquables. Jarmila n'était pas une nymphomane ni une complexée, mais simplement une femme qui sait ce qu'elle veut et qui accepte les limites de l'existence. Ce ne fut pas la meilleure des nuits de sa vie, mais elle me révéla que c'était la plus tendre qu'elle ait jamais eue.

***

15 mai 2002, aux bureaux de Karlova Inc., Prague, 10 h 30

Le lever fut pénible. La nuit avait été courte. Mais,

le corps de Jarmila collé au mien, je ne désirais même pas que le soleil se lève. Pourtant il fallait se rendre à l'évidence. La douche fut vite prise. Il n'y avait plus de temps pour le rêve, puisque nous nous étions réveillés à neuf heures.

Les bureaux de Karlova inc. étaient situés tout près de la faculté de théologie protestante de l'Université Charles. Un immeuble plutôt lugubre, dans un quartier qui l'était tout autant. Mais notre contact l'était beaucoup moins. Martin Troyan, président de Karlova inc., était un être affable, bienveillant et même charmeur. Je ne me laissai pas impressionner, mais je pouvais tout de même observer les qualités de l'homme. Les discussions se sont déroulées selon un schéma qui était inhabituel pour moi. D'abord les aspects financiers, puis les dimensions logistiques pour finir avec la portée juridique d'un accord éventuel. Je tentai de recadrer le tout afin de parler d'abord des réelles opportunités d'affaires, avant d'aller trop vite aux conclusions. Mais, à ce moment, Jarmila me jeta un regard réprobateur et reprit la discussion en mains. J'avais commis une erreur, et elle était en train de la corriger. Un échange ne va pas toujours dans la direction que l'on souhaite. Il est fait de poussées vers l'avant, de retour en arrière, de va-et-vient entre l'avant et l'arrière sans qu'on sache ce qui l'emportera, ni dans quel sens se fera la progression totale. Dès cet instant, je décidai de faire confiance à la manière dont Jarmila voulait conduire la rencontre et éventuellement la négociation. À chaque fois qu'elle me laissait la parole, j'interprétais correctement dans quelle direction elle voulait que j'intervienne. J'eus ainsi le plaisir de constater qu'au-delà des mots prononcés, au-delà de la technicité de nos discours, Jarmila et moi pouvions développer une certaine complicité, y compris dans des situations délicates. J'en fus heureux et lui renvoyai des yeux doux, provoquant chez elle une distraction.

À la fin de la courte séance, nous n'avions pas d'accord en mains. Pourtant, les principales dimensions de la coentreprise avaient été évoquées et nous nous étions entendus sur un agenda serré afin d'en arriver à un protocole. Jarmila était ravie. Elle me révéla, à la sortie de cet édifice incolore, que ce qui avait été déterminant, c'était mon attitude, la flexibilité dont j'avais fait preuve au moment où je m'étais rendu compte du gouffre qui me séparait, culturellement ou autrement, de mon interlocuteur. J'avais aussi le sourire aux lèvres, mais pour un tout autre motif. Nous sommes retournés à l'hôtel afin de récupérer nos appareils-photos, pour repartir visiter d'autres coins de la ville. Mais la visite qui s'initia alors fut plus corporelle qu'autre chose. Nous avons fait l'amour, avec une énergie renouvelée. J'avais plaisir à sentir sa peau contre la mienne, à penser qu'au-delà de nos corps que le temps avait inexorablement usés, rien n'avait été touché de notre âme. Contre elle, le temps ne pouvait rien. Il ne pouvait empêcher une âme d'approfondir le regard qu'elle porte sur elle-même et sur le monde qui l'entoure. Il ne pouvait éviter que des êtres s'unissent, à quelque âge que ce soit. Il ne pouvait étouffer le désir, quelle que soit l'usure qu'il ait inscrite dans la chair. Une heure après que nous fûmes entrés dans ce monde imaginaire où vous pousse l'extase, Jarmila me confiait que j'étais l'un des hommes les plus doux et affectueux qu'elle ait jamais rencontré. Je lui répondis que je ne pouvais penser continuer ma vie sans elle. Elle resta silencieuse en m'entendant ainsi déclarer mon amour. J'étais conquis, totalement et irrémédiablement conquis.

***

18 mai 2002, au Relais Hôtel du Vieux Paris,
Paris, 19 h 30

Le voyage avait été écourté, car Helena m'avait prévenu que des clients importants ne pouvaient attendre mon retour. J'avais donc différé ma visite à Budapest et à Moscou, ainsi qu'une éventuelle rencontre avec Vladimir Nikitine que m'avait recommandé l'épouse d'Igor. La recherche sur le nom *Fokine* allait attendre un peu. Les gens qui désiraient ainsi me rencontrer rapidement représentaient deux multinationales, l'une dans le domaine des télécommunications, l'autre en aéronautique. Un de mes plus anciens clients leur avait dit de bons mots à mon sujet. C'est du moins ce qu'ils avaient déclaré à Helena. Comme ils insistaient grandement pour me voir, ils devaient avoir des raisons importantes. C'est pourquoi j'avais reporté à plus tard mon voyage à Budapest et à Moscou. J'y aurais bien fait quelques rencontres d'affaires également, mais je ne pouvais me créer de nouveaux clients en portant atteinte à ma clientèle établie. C'était un principe de base chez moi. Jarmila me consola en me disant qu'elle aimerait bien que nous fassions ce voyage ensemble. Son souvenir de Moscou remontait à l'été 1993 et elle désirait savoir si des changements importants s'étaient réalisés dans la vie concrète des Russes. Déjà, j'anticipais le plaisir de faire ce voyage avec elle. J'ai demandé à Jarmila si elle voulait bien faire un arrêt à Paris avec moi. Je lui expliquai pourquoi j'avais réservé une chambre au *Relais Hôtel du Vieux Paris* et lui racontai tout ce que je savais de Mary T., Peter Osgoode et ma grand-mère Lydia. Elle semblait intriguée, mais heureuse que je lui demande de m'accompagner.

Arrivés à l'hôtel, épuisés, nous avons pris une douche. Je la regardai dans son peignoir. Sa peau était superbe, un véritable miroir de l'infini. Son sourire, d'une puissance étonnante, brisait le réel en mille miettes. Et ses cheveux, mouillés à souhait, n'arrivaient pas à choisir le sens qu'il fallait pour rendre ses yeux plus admirables qu'ils ne l'étaient déjà. J'avais chaud uniquement à la voir se sécher les cheveux devant le miroir de la salle de bain légèrement embué. Je me suis avancé et l'ai lentement embrassée sur la nuque. Je l'ai serrée dans mes bras. Les yeux fermés, je n'ai que senti son corps se détendre, presque dans une danse. Lorsque je rouvris les yeux, je vis que les siens étaient fermés. Quelques secondes d'une béatitude simple et touchante.

Nous avons dîné à l'hôtel. Du sanglier délicieux! C'était la première fois que j'en mangeais et j'ai adoré. Il y a de ces mets nouveaux dont on est heureux d'avoir fait le choix, contrairement à d'autres qui nous déçoivent et nous laissent le sentiment d'avoir gâché un repas. Je me rappelle, il y a plusieurs années, avoir choisi du phoque dans un restaurant et l'avoir regretté amèrement. Une viande noire, repoussante et sans goût. Cette fois-ci, c'était tout le contraire: le sanglier avait un goût très raffiné. Le souper fut bien arrosé. Jarmila aimait bien quand c'était le cas. Ce n'était pas qu'elle buvait beaucoup, mais elle adorait le vin. Après deux coupes, son visage prenait des couleurs, et elle devenait subitement beaucoup plus drôle. J'avais remarqué qu'elle ne prenait jamais un troisième verre. C'était comme si elle savait que son humour soudain provenait de ce divin mélange et que le glas venait de sonner, lui intimant l'ordre d'arrêter d'en consommer.

Après le dîner, je suis allé à la réception, afin de rencontrer le propriétaire des lieux ou l'un de ses adjoints. Le propriétaire n'était pas disponible, mais l'un de ses plus vieux collaborateurs accepta de me rencontrer, un certain Marcel. C'était un petit homme de près de quatre-vingts ans, au dos courbé, affublé de lunettes vieux genre et d'un nœud papillon. Je lui expliquai en quelques phrases ce qui m'amenait en ce lieu. Il nous dirigea vers un petit salon où, sur tous les murs, on pouvait voir des photos d'époque qui retraçaient l'histoire de l'hôtel.

—Vous savez, cet hôtel s'est rendu célèbre parce que quelques écrivains américains y ont séjourné dans les années 1950. C'étaient les principaux fondateurs du courant beatnik. Vous connaissez? Beatnik référait à la *Beat Generation,* m'expliqua Marcel. Ces écrivains se révoltaient contre l'*American Way of Life.*

—Qui étaient ces écrivains? Excusez-moi, mais je ne connais pas ce courant littéraire, lui dis-je, un peu gêné d'avoir à avouer mon ignorance dans le domaine.

—Il y avait un romancier américain d'origine canadienne : Jack Kerouac, qui avait des ancêtres bretons. Lorsqu'il séjourna ici, il avait déjà publié son fameux roman *Sur la route,* en 1957.

Ce disant, il me montra une photo de Kerouac accompagné de deux hommes avec qui il semblait partager quelque chose, si on se fiait à leur attitude amicale.

—Qui sont ces deux hommes? lui demandai-je.

—Voici Williams Burroughs, et l'autre, c'est Allen Ginsberg. Le premier était romancier et le second, poète. Burroughs était fasciné par le milieu des drogués et son univers tournait autour de l'homosexualité.

—Et Ginsberg?

—Vous le voyez ici avec des clients de l'hôtel. Ginsberg avait été très influencé par Dostoïevski dans l'élaboration complexe de sa poésie qui...

—Comment dites-vous? Dostoïevski?

—Oui, effectivement. L'influence est claire et nette partout dans son œuvre.

— Et qui sont ces gens qui l'entouraient? demandais-je, intrigué.

— Celui-ci, c'était un diplomate britannique, un certain Osgoode. Je ne me souviens plus de son prénom.

— Peter Osgoode?

— Oui, je crois que c'est Peter Osgoode. Mais comment avez-vous su que...

— Et qui est la femme qui est à ses côtés?

— Je ne saurais vous le dire. Mais le couple qui apparaît derrière elle était aussi anglais. Le mari était un industriel écossais, John Torrance.

J'arrêtai de respirer. Jarmila s'en rendit compte et s'enquit de mon état. On me fit asseoir et Marcel revint avec une eau Perrier glacée. Jarmila lui fit signe qu'elle s'occuperait de moi et je lui envoyai mes remerciements d'un signe de tête. J'étais incapable d'en faire plus.

— Jarmila, je viens de trouver la preuve. C'est ma grand-mère Lydia qui était ici, à Paris, en 1957. Tu vois, Mary T. et son mari avaient dû inviter grand-mère à venir faire un tour dans la ville lumière. Et Osgoode, qui était alors rattaché au ministère des Affaires étrangères, avait pu se dégager pour y séjourner également. Grand-mère avait certainement eu l'occasion de discuter avec Ginsberg et de lui révéler que sa propre grand-mère Emily avait rencontré Dostoïevski à Paris en 1862 et qu'elle avait reçu de lui un exemplaire dédicacé de sa main de son fameux roman *Les pauvres gens*. Ginsberg avait dû en rester bouche bée. C'est peut-être la raison pour laquelle il avait accepté d'être photographié avec eux.

— Mais en quoi cela est-il important pour toi?

— Tu ne comprends pas, Jarmila. Grand-mère devait être amoureuse de Peter Osgoode. C'est clair. Et cette photo a dû être prise au printemps 1957, peu de temps avant que Osgoode lui renvoie une carte postale en lui révélant subtilement tout l'attachement qu'il avait pour elle. Il n'y a pas d'autre possibilité, tu vois. Tous les indices concordaient, et je ne voulais pas y croire. C'était ma grand-mère, après tout.

— Nos proches parents ne sont pas toujours ce qu'on voudrait qu'ils soient, me dit Jarmila, qui semblait parler par expérience.

— Eux-mêmes doivent dire la même chose de nous, j'imagine. Mais tu me demandais ce qui importe pour moi le plus là-dedans. C'est de reconstruire mon passé, celui de ma grand-mère et de mon arrière-arrière-grand-mère. Sans notre passé, nous n'avons ni présent ni avenir. Nous ne sommes qu'une pierre qui erre dans le vide de l'espace. À partir de maintenant, je sais quelle grand-mère j'ai perdue et quelle arrière-arrière-grand-mère j'aurais aimé connaître. Cela me procure une place dans le présent. Je ne puis être moi-même que si je connais le passé qui a rendu possible que j'existe.

Nous sommes montés à notre chambre et notre union corporelle dura un bon moment. J'avais l'impression que je tressaillais non seulement d'un plaisir construit à deux, mais de cette libération d'une angoisse qui enfin vous quitte. Ce lourd fardeau qui toujours nous assaille chaque matin au lever et ne nous laisse aucun répit jusqu'à la tombée de la nuit, lorsque le sommeil nous atteint de ses douceurs. J'avais élucidé un passé dont je ne connaissais rien avant le décès de grand-mère, mais qui, depuis ce temps, n'avait cessé de me préoccuper. Que grand-mère ait été amoureuse d'Osgoode importait peu, en réalité. Mais je savais maintenant quel être merveilleux j'avais perdu lors de son décès. Quelle complexité dans la personnalité, mais également quels liens avec son propre passé! Celui d'Emily avait rendu, pour moi, cette histoire emblématique. Je m'endormis sur l'épaule de Jarmila, dans la douceur d'une nouvelle vie qui commençait pour moi.

TROISIÈME PARTIE

LE MONDE DES LIEUX

Chapitre 7

Naissance et renaissance

Le bonheur est dans la vertu.

Fédor Dostoïevski, *Le bourg de Stépantchikovo et sa population*

9 juin 2002, chez ma fille Julie, Los Angeles, 17 h 45

De retour de Paris, j'avais rencontré mes nouveaux clients qui étaient pressés de faire affaire avec moi. Je n'ai pas bien saisi ce qui était urgent dans leurs dossiers, mais je soupçonnais qu'il s'agissait simplement de prendre de l'avance sur leurs concurrents. Rien de plus. Selon leurs dires, ils avaient été échaudés par de mauvais conseils en provenance de l'une des trois plus grandes firmes d'avocats de Montréal. Ils avaient frisé le fiasco, de sorte que cela avait refroidi leur intention d'aller frapper à la porte de bureaux renommés ayant des succursales dans les grandes villes du monde. Comme ils avaient eu de très bonnes références à mon sujet, ils avaient jeté leur dévolu sur moi et, surtout, ils voulaient rattraper le temps perdu aux mains d'un grand bureau, affamé de billets et avare d'expertise réelle. J'étais finalement heureux d'avoir abrégé mon voyage. Ces deux clients présageaient un avenir intéressant pour mon bureau.

Deux jours auparavant, j'avais reçu un appel de ma fille Julie. Avec un tremblement dans la voix, dans une conversation ponctuée de silences et de quelques pleurs, Julie m'avait demandé si je pensais venir à Los Angeles dans un avenir rapproché. J'avais été grandement ému par sa demande, étant donné le passé qui nous unissait l'un à l'autre. Le père négligé avait réagi avec la fougue d'une paternité remise à neuf d'un coup. J'arrivais à Los Angeles avec beaucoup de questionnements et une certaine appréhension. Qu'est-ce qui pouvait bien à ce point l'émouvoir? Pourquoi insistait-elle tant pour me voir, elle qui ne m'avait donné aucune nouvelle pendant de longues années, comme si j'avais disparu de sa vie pour toujours?

Lorsque je sonnai à la porte, j'avais l'estomac noué et la main tremblante. C'est Jonathan, accompagné de sa mère, qui vint répondre. Julie se jeta dans mes bras, la larme à l'œil et la voix presque étouffée. Jonathan vint immédiatement s'accrocher à elle, comme pour la consoler. Nous sommes restés ainsi quelques instants : trois bouées qui se cherchaient l'une l'autre. Julie se dégagea de moi pour me reprendre à nouveau dans ses bras. Son attitude exprimait à la fois son amour, sa hâte de me revoir et son angoisse. Qu'est-ce qui gisait derrière? Je n'en avais aucune idée. Mais j'étais là, simplement disponible, ouvert à ce que ma fille pourrait me révéler d'elle-même.

Albert, son amoureux, vint rompre le rituel en s'annonçant brusquement. Je n'étais pas si heureux de le voir, même s'il fallait que j'essaie de m'habituer à sa présence. Il prit plus de place dans la discussion que ce à quoi je me serais attendu. Était-ce le fait que j'étais chez lui? Était-ce son intention de protéger Julie de ses anxiétés malheureuses en la laissant souffler un peu? Je ne sais pas. Il faut avouer qu'il démontrait beaucoup d'attention envers Julie, ce qui, pour un père, était un réconfort non négligeable. Il me fit visiter son atelier de peinture. Jonathan quitta la pièce avec Julie qui s'essuyait les yeux.

— Vous aimez la peinture? me demanda Albert.

— Beaucoup oui, mais je n'y connais pas grand-chose.

— On n'a pas toujours besoin de connaître. La connaissance, on laisse cela aux spécialistes. On n'a qu'à ressentir. C'est l'émotion esthétique qui importe, non?

— Oui, bien sûr.

— Vous voulez voir mon atelier?

— J'aimerais, oui, dis-je honnêtement, mais sans passion.

— Voilà quelques-unes de mes toiles. J'en ai une trentaine ici. J'expose dans quelques galeries de Los Angeles.

— Bien. Votre style est très particulier. Je suis frappé de voir autant de symboles religieux ou spirituels dans ces toiles. Je ne pensais pas que...

— Vous ne croyiez pas que la spiritualité prenait autant de place dans mon art? Je peux comprendre cela. Il est vrai qu'on ne se connaît guère. Le spirituel est entré dans ma vie, un certain jour. Ça vous intéresse que je vous raconte?

— Oui, absolument. Le spirituel m'intéresse, même si je ne crois pas à ces sornettes. Quoique, depuis quelque temps, je commence à me poser beaucoup de questions.

— J'étais comme vous, moi aussi. Mais ce jour-là, je conduisais normalement sur l'autoroute et une auto venant en sens inverse a perdu le contrôle et a traversé le terre-plein pour faire des tonneaux devant moi. Je ne l'avais pas vue venir. Quand une auto fait des tonneaux, ça ne va pas dans un sens linéaire. Elle peut, après un dur choc avec le sol, partir dans une direction tout autre ou s'élever dans les airs de plusieurs mètres avant de continuer son chemin. Je n'ai eu que le temps de tourner le volant brusquement. Je n'avais le temps de faire que ce seul mouvement. Avait-il été suffisant pour ne pas être frappé? J'en ai douté l'espace d'une fraction de secondes, quand j'ai vu passer l'auto très près de moi. En fait, elle a dû passer à quelques centimètres. Le cœur voulait me sortir de la poitrine. Je me suis immobilisé, je suis sorti de l'auto et je me suis dit: «Cette fois, il n'y a pas de doute possible, Dieu était là avec moi. Ce n'est pas le seul effet de mon réflexe. C'est impossible. Dieu était présent, il a agi avec moi pour me sauver la vie». Depuis ce temps, j'illustre toujours dans mes toiles la présence divine. J'utilise quelquefois des traditions bouddhistes ou hindoues, au plan des symboles. Mais je dois dire que j'ai plutôt l'habitude de m'en tenir au christianisme et au judaïsme.

— On peut voir l'étoile de David, le chandelier à...

— La croix aussi, ajouta-t-il, en m'interrompant, me dévoilant jusqu'à quel point ce symbole semblait lui tenir à cœur.

— À cette époque où tout le monde cherche en quoi il faudrait croire à l'extérieur des religions tradition-nelles, où bien des gens se font une religion à la carte, en mélangeant des croyances orientales avec des pratiques typiquement chrétiennes, par exemple, pensez-vous que vos toiles sont là pour rester encore? Pensez-vous que ça touchera encore bien du monde dans vingt ans?

— Je ne peux rien savoir de l'avenir. Mais je vous dirais qu'à Los Angeles, ma réputation est déjà bien établie. Et je dis ça en étant bien réaliste. Il y a de mes toiles qui sont achetées par de grandes vedettes d'Hollywood. Certaines sont catholiques, comme Jack Nicholson, Jon Voight, Al Pacino, Nicolas Cage, Faye

Dunaway, Susan Sarandon, Nicole Kidman, Catherine Zeta-Jones. D'autres sont juives, comme Richard Dreyfuss et Dustin Hoffman. Même Tom Hanks qui est grec orthodoxe et Christopher Walken qui est méthodiste ont acquis de mes toiles. Hier, c'est Judy Dench, qui jouait le rôle de M dans *James Bond* qui est venue acheter une toile. Elle est quaker. C'est tout de même paradoxal, non?

—Comment ça?

—Bien, les Quakers sont des pacifistes radicaux, et les films de James Bond...

—Je vois, mais vous comprendrez que ces grandes stars du cinéma font leur boulot et qu'à l'extérieur, dans leur vie personnelle et sociale, ce doit être tout autre chose.

—Oui, vous avez certainement raison. Mais vous admettrez que cela est tout de même frappant, dans certains cas. J'ai quelquefois reçu ces stars ici même. Il est aussi arrivé qu'elles ont acheté mes toiles à partir de photos numérisées. Disons que, depuis un an, ces clients font boule de neige, de sorte que j'en viens à faire partie d'un cercle très fermé d'artistes qui sont en lien avec le gratin d'Hollywood.

—Merveilleux. Je vous félicite. Ce doit être la récompense d'années d'effort, lui dis-je simplement.

—Oui et non. L'effort y est pour beaucoup, mais mon art puise aussi dans une pratique spirituelle soutenue. Je ne dirais pas que je peins avec la spiritualité de ces mystiques qui font des icônes. Mais c'est quelque chose qui pourrait s'en rapprocher quelque peu.

Albert, qui signait ses toiles Albert Z., me montra quelques-unes de ses œuvres, et je dois avouer qu'elles m'ont impressionné autant par l'originalité du traitement des sujets que par la composition interne. La manière d'appliquer sa peinture faisait un peu penser à des Chagall que j'avais vus au Metropolitan Museum of Art, à New York, quelques années auparavant. Je ne saurais dire s'il avait du talent, mais je serais porté à croire que, s'il n'en avait pas, il était sur la voie d'en posséder plus qu'il ne le croyait peut-être lui-même. C'était de l'ordre de l'intuition. Je me surpris à ressentir autant de sollicitude envers Albert avec qui je n'avais pourtant aucun atome crochu. Je me vis moi-même en train de distinguer entre l'amoureux de ma fille chérie et l'artiste qui avait peut-être de la semence de célébrité.

Julie nous appela tous pour le souper. Elle avait fait de la lasagne aux épinards. Jonathan avait l'air de se régaler d'avance. Le souper fut très chaleureux. Julie semblait beaucoup apprécier ma présence. Du moins, elle me le dit deux ou trois fois durant l'heure du repas. Je lui souriais. Elle avait fait de même, mais durant un instant si court que je me demandai si c'était là uniquement une preuve de politesse. Julie était une bonne mère, attentionnée, affectueuse, mais également sévère lorsqu'il le fallait avec son fils. Albert était plutôt porté au laisser-aller généralisé. Peut-être était-ce sa carapace d'artiste qui dépeignait sur toute sa vie. Ce qui est certain, c'est qu'il avait beaucoup moins d'aptitude pour les relations familiales, particulièrement avec les enfants. Certaines personnes ont le doigté qu'il faut, comme si elles étaient nées ainsi. D'autres tardent à développer des aptitudes minimales. D'autres n'auraient jamais dû avoir d'enfants. Albert appartenait à la catégorie de gens qui doivent apprendre durement, qui doivent suer pour découvrir comment bien agir comme parents. Il était de ces gens qui n'ont aucune intuition dans le domaine et qui doivent tout acquérir à partir de chaque situation qu'ils vivent en famille. Au souper, Jonathan insista pour savoir quand il pourrait aller à

Disneyland. Comme sa mère demeurait très évasive à ce sujet, il se tourna vers moi en me demandant de l'y accompagner. Je ne pus lui résister et acceptai d'y aller le lendemain avec lui. Il se leva de table et accourut m'embrasser, en sautant de joie. Il ne m'en fallait pas davantage pour bien terminer cette soirée et dormir paisiblement chez ma fille adorée.

***

10 juin 2002, à Disneyland, Los Angeles, 10 h

Il faisait très chaud ce jour-là, de sorte que la première chose à faire fut de se mettre de la crème solaire. Jonathan ne tenait pas en place tellement tout ce qu'il voyait l'excitait. Nous avons commencé par le *Star Tours* : il s'agissait d'un vol intergalactique simulé, rempli d'aventures. Les sièges bougeaient sans cesse. La reconstitution était vraiment excellente. Mais j'eus vite mal au cœur, de sorte que je décidai de fermer les yeux en attendant les moments où il y aurait quelque répit dans l'aventure spatiale. Jonathan s'est bien amusé et n'a ressenti aucun malaise. Quant à moi, j'avais besoin de me reposer un peu. C'est pourquoi je choisis une petite randonnée en bateau intitulée *Storybook Land*. Il n'y avait pas de cavernes où on aurait pu voir des personnages animés franchement bien réalisés. C'était en Floride qu'on pouvait voir une telle chose. Ici, c'était simplement une petite balade en bateau avec des bâtiments miniatures de couleurs pastel. Jonathan n'était pas impressionné, mais il me dit que cela devait me faire du bien de m'arrêter un peu, avec toutes les émotions que j'avais eues dans le manège précédent. Il avait tout compris, sans même que j'essaie de rien lui expliquer. Les enfants sont beaucoup plus perspicaces qu'on ne le croit.

À la sortie du bateau, j'ai vu Jonathan déborder à nouveau d'énergie. Il m'avait laissé un moment de repos, mais, une fois passé cet instant, il fallait revenir aux choses sérieuses : les manèges. Il m'emmena, presque de force, dans la Maison hantée. Nous y avons vu des fantômes extrêmement bien faits, avec une telle transparence qu'on se demandait comment ils avaient pu nous les rendre tels. Jonathan n'eut pas vraiment peur. J'avais davantage peur pour lui. Mais lui s'inquiétait de moi. Il m'a demandé à deux reprises si tout allait bien. À la sortie, Jonathan insista pour que nous allions au *Indiana Jones Adventure.* C'était une randonnée époustouflante, avec des décors incroyables. Huit minutes remplies de rebondissements. Suivies d'un besoin pressant de nous reposer et de manger un morceau.

Nous sommes allés dîner dans un des nombreux restaurants du site. Jonathan avala rapidement deux pointes de pizza, tout en me demandant si j'avais le goût d'une crème glacée.

— Grand-père, pourquoi ne viens-tu pas plus souvent chez nous ?

— Je... je..., hésitai-je, ne sachant trop par où commencer. Tu sais, j'ai beaucoup de travail, mais je viendrai plus souvent à l'avenir, d'accord ?

— D'accord, me dit-il, avec des yeux pensifs.

Premier silence qui devait bien en annoncer d'autres.

— Maman ne va pas très bien, je crois.

— Qu'est-ce que tu veux dire, Jonathan ? Je ne comprends pas.

— Je pense qu'elle est malade, mais qu'elle ne veut pas me le dire pour ne pas m'inquiéter.

— Comment t'es-tu aperçu qu'elle était malade ?

— Oh, je ne sais pas, elle prend des pilules. Avant, elle n'en prenait jamais, mais là, c'est différent.

— Ah oui, d'accord. Tu sais, Jonathan, il y a toutes

sortes de raisons de prendre des pilules. On n'est pas nécessairement très malade parce qu'on en prend.

—Ah bon, dit-il simplement, comme si je l'avais convaincu.

Second silence remarquable.

—Dis, grand-père, est-ce que tu aimes Albert?

—Vois-tu, Jonathan, je ne le connais pas très bien.

—Il est très gentil avec moi, mais je ne sais pas si maman est heureuse avec lui.

—Quelquefois, on ne comprend pas grand-chose des autres. On s'imagine plein de trucs et on croit que tout cela est vrai, dur comme fer. Mais c'est souvent totalement faux. Ou quelquefois, on a visé juste, mais il y a tellement de détails qui nous échappent qu'en réalité, on ne saisit pas quelle personne on a devant nous.

—Ça m'arrive à l'école d'avoir des copains de ce genre-là.

Troisième silence, presque libérateur.

—Grand-père, as-tu fini de dîner? C'est le temps d'y aller, si on ne veut rien manquer.

—D'accord, mon grand, on y va.

Dans notre courte conversation, des choses très importantes avaient été soulevées par Jonathan. À chaque fois, il avait accepté une réponse de ma part et s'était tu ensuite. J'avais l'impression que nous tissions des liens, d'une phrase à l'autre. Aussi, ne fus-je pas si surpris de voir que lorsque nous nous levâmes pour gagner les manèges les plus impressionnants, Jonathan me prit la main. J'en eus le cœur renversé, pendant qu'il pointait du doigt le prochain défi qui allait me tourner l'estomac dans tous les sens.

À la fin de la journée, alors que nous étions sur le chemin du retour, Jonathan me demanda si j'avais le goût d'aller aux *Universal Studios*, parce qu'on y présentait un spectacle *Terminator 2* que ses amis lui avaient grandement vanté. J'acquiesçai avec un sourire qui disait tout.

***

11 juin 2002, chez ma fille Julie, Los Angeles, 8 h 45

Ce matin-là, j'accompagnai Julie et Albert à l'hôpital. Jonathan était à l'école et Albert serait de retour à la maison avant quinze heures, si toutefois l'attente s'avérait trop longue chez le médecin spécialiste avec qui elle avait rendez-vous. Julie ne m'avait pas expliqué ce dont elle souffrait, mais je savais à la regarder que ce n'était pas banal. Je n'aurais pas pu dire que sa santé était gravement mise en péril. Par contre, ses yeux disaient une angoisse profonde. L'attente fut beaucoup plus longue que prévue. Des cas d'urgence avaient chamboulé l'horaire du médecin et d'une partie de son équipe. Nous avons eu le temps de dîner à la cafétéria, de discuter de divers sujets, de tenter de reprendre le temps perdu après toutes ces années de silence. En fait, même si sa santé m'inquiétait, je sentais qu'elle ne voulait rien me dire et je la respectai dans ce choix. Elle avait plutôt l'air d'apprécier que nous puissions ainsi tisser des liens à nouveau. Albert se taisait, comme s'il avait perçu que ce moment béni nous appartenait à tous les deux.

À quatorze heures, on appela Julie. Je la laissai aller avec Albert, mais celui-ci, après avoir discuté avec elle, rebroussa chemin pour me saluer. Comme des examens pouvaient être faits cet après-midi-là et que le temps courait, il devait regagner la maison afin d'y être quand Jonathan reviendrait de l'école. Ils se sont donc embrassés tendrement, puis Julie l'a regardé partir avec une émotion que je trouvai inhabituelle.

Julie revint vers moi et me demanda de l'accompagner dans le bureau du médecin. J'acceptai, le cœur rempli de tant d'émotion que je ne pus retenir une larme. J'avais la certitude d'être redevenu son père. Julie m'expliqua, avant d'entrer dans le bureau, qu'elle était très malade et qu'elle n'avait pas eu le courage de me le dire. Elle espérait que je puisse assumer le choc paisiblement quand le médecin parlerait de ce dont elle était affectée. J'étais bouche bée. Je ne lui en voulais pas du tout; en fait, je comprenais qu'elle n'ait pas pu me dire quoi que ce soit, bien que je n'eusse aucune idée de quelle maladie grave elle souffrait. Il n'y avait aucun antécédent familial au plan des maladies cardiovasculaires, Parkinson ou autres. Rien à ma connaissance dont elle aurait malheureusement pu hériter. J'entrai donc à sa suite avec énormément d'appréhension.

Le médecin salua Julie affectueusement et me dévisagea avec des interrogations dans le regard.

—C'est mon père. Il ne sait rien de ma maladie. Désolé, je n'ai pas été capable de lui en parler. Pourriez-vous... pourriez-vous lui expliquer? S'il vous plaît..., je ne suis pas..., dit-elle en pleurant.

—Votre fille a la sclérose en plaques. La maladie a été diagnostiquée il y a peu de temps et il n'y aucun doute à ce sujet. Elle est au tout début de la maladie. Comme vous le savez peut-être...

Le médecin s'interrompit en me voyant éclater en sanglots. Il nous laissa une dizaine de minutes tous les deux. Julie et moi étions dans les bras l'un de l'autre, à pleurer et à se serrer. Je ne sais ce que chacun de nous a pleuré. Quant à moi, au tout début, c'est la terrible nouvelle qui m'a affligé. C'était la vie de ma fille qui était en jeu et j'étais atterré de la voir ainsi soumise à une maladie dont on ne connaît que la dégénérescence qu'elle détermine. Du moins, était-ce l'idée que je m'en faisais. Lorsque les pleurs se sont calmés, j'ai senti que mes larmes étaient aussi celles de retrouvailles espérées. Je ne savais quoi dire à Julie. Peut-être mon regard en disait-il suffisamment. Je lui pris la main et tentai de faire sortir quelques mots de ma bouche, mais ma lèvre inférieure tremblait. Julie ne comprenait rien à mon marmonnement. Elle me sourit et essuya les larmes sur mes joues. Ce fut à ce moment que le médecin revint nous voir.

—Je suis désolé, mais je... commença-t-il.

—Allez-y. Je vous remercie de votre compréhension, dis-je simplement.

—Je reprends donc. Votre fille est atteinte de la sclérose en plaques. À quel âge cette maladie survient-elle en général? Les connaissances actuelles nous permettent de diagnostiquer la maladie entre 15 et 40 ans.

—Pourriez-vous m'expliquer de quoi il s'agit, en des termes les plus simples possible? demandai-je, la voix encore tremblante.

—Oui. Je vais vulgariser mon explication. Les fibres nerveuses du cerveau sont enveloppées d'une gaine protectrice qu'on appelle la myéline. Les fibres nerveuses de la moelle épinière sont aussi enveloppées de myéline. La maladie attaque la myéline et bloque ou rend plus difficile la propagation de l'influx nerveux dans les fibres nerveuses. La myéline se détériore progressivement et entraîne des lésions irréversibles dans les fibres nerveuses.

—Quels sont les effets de cette maladie? demandai-je, anxieux.

—Ils sont multiples et s'installent progressivement, sans qu'on sache trop ce qui rend la progression plus ou moins rapide selon les cas. La vision peut être double ou embrouillée, il peut y avoir altération de la mémoire des faits les plus récents. Il est très fréquent que le malade ait des difficultés d'élocution, des troubles d'équilibre et de mobilité, de la raideur musculaire ou un manque de coordination. Dans certains cas, il y a paralysie partielle ou totale.

— Et, pour Julie, quel est le pronostic?

— Je n'en ai aucune idée. Nous la suivrons du mieux que nous pourrons, mais c'est une maladie sournoise qui ne prévient pas quand elle passe à un nouveau stade. Vous comprenez?

— Oui, merci, docteur. Je vais vous laisser avec ma fille, lui dis-je en sortant et en relâchant lentement la main de Julie.

J'aurais pu rester plus longtemps, mais je n'en avais pas la force. J'en avais assez entendu. De plus, Julie pouvait avoir à discuter personnellement avec son médecin. Bien qu'elle ne m'ait pas demandé de me retirer, je crois qu'elle a apprécié ma délicatesse. Elle est sortie du bureau une quinzaine de minutes plus tard. Nous sommes allés nous asseoir dans un grand salon qui sert aux visiteurs et à leurs malades. Il n'y avait personne.

— Je te remercie, papa, d'être venue avec moi. C'était très important, tu sais.

— Oui, je sais. Je suis tellement... retourné! dis-je en me remettant à pleurer.

— Ne t'inquiète pas, tout ira bien. Albert est là et il prend soin de moi. Il est très affectueux. Tu commences à l'apprécier, non?

— Oui, je l'avoue, lui dis-je en souriant de manière complice, alors qu'elle me renvoyait un visage illuminé.

— J'ai été incapable de te dire la vérité avant aujourd'hui, et même, comme tu as pu le constater, je te l'ai fait dire par mon médecin. Tu dois me trouver bien lâche, hein?

—Non, pas du tout, Julie. Je considère que tu es plutôt très courageuse. Le courage, ce n'était pas de me parler, mais plutôt de faire face à la maladie. Tu es très forte. Tu m'impressionnes!

Julie se jeta dans mes bras et me serra de toutes ses forces. Il n'y avait aucune équivoque dans ce geste.

—Je voulais te parler de ma maladie quand nous sommes allés te voir à Montréal. Je désirais t'en entretenir dans chaque lettre que j'écrivais. Chaque fois que j'arrivais à te l'écrire, la lettre se retrouvait à la poubelle.

—Allons, ce n'est rien. C'est tout oublié.

—Tu sais, durant toutes ces années où je ne t'ai donné aucune nouvelle, je crois qu'il ne s'est pas passé une semaine sans que je caresse le projet de te téléphoner pour renouer contact, pour qu'on se réconcilie, tu vois. Je pensais à toi régulièrement, mais j'étais incapable de faire le premier pas. C'est cette foutue maladie qui nous a rapprochés. C'est ironique, non?

—Je n'ai guère fait de pas moi-même dans ta direction. J'avais tellement peur...

—Tu avais raison d'avoir peur. Je ne sais pas ce que j'aurais fait, si tu t'étais avancé pour me présenter tes excuses ou quoi que ce soit d'autre. Tant que je n'étais pas prête à t'écouter, ça n'aurait donné aucun résultat.

Je fus frappé soudain par deux interrogations. D'une part, je me demandais pourquoi cette maladie s'attaquait à ma fille. Qu'avait-elle fait pour cela? Le plus incroyable, c'était que Julie avait de saines habitudes de vie. C'était le cas déjà quand elle était encore à la maison. Et elle m'avait confirmé avoir toujours fait bien attention à son alimentation et avoir fait de l'exercice régulièrement; elle faisait même du yoga depuis qu'elle était à Los Angeles. Il n'y avait aucune raison que cette maladie se développe en elle, pensai-je. Si j'avais cru en Dieu, je sais que je me serais mis en rogne contre lui.

Mais je me surprenais moi-même à raisonner dans un sens inverse: «Si tu avais existé, Dieu, tu aurais pu empêcher ça. Je t'aurais prié tous les jours, plusieurs fois par jour s'il le faut, et Julie n'aurait pas eu à subir cette maudite maladie». D'autre part, ce qui me frappait, c'était le caractère tragique de la sclérose en plaques. Bien sûr, toutes les maladies mortelles sont tragiques. Mais il y a des niveaux d'intensité de la maladie qui font que le tragique peut varier. Pourtant, un mort vaut bien un autre mort. Mais la question ne porte pas sur la valeur, mais sur le tragique, l'événement qui cause la tragédie. Une maladie mortelle qui cause la dégénérescence progressive des facultés physiques et psychiques me semble être plus tragique qu'une maladie cardiovasculaire, bien que les deux mènent à la mort. Savoir qu'on dépérit peu à peu, c'est la condition même de la vieillesse. Mais vivre cette dégénérescence à trente ou quarante ans, ce n'est pas normal. C'est même scandaleux. C'est pourquoi j'aurais bien aimé croire en Dieu, car je lui aurais fait la leçon à ce sujet.

Comme Julie me voyait très pensif, elle me demanda à quoi je réfléchissais. Je lui fis fait part de mes pensées. J'avais peur de la choquer. À ma surprise, elle fut touchée de m'entendre lui expliquer mon questionnement. Nous avons ainsi parlé pendant près d'une heure. Nos cœurs se sont vidés de leurs angoisses réprimées, du moins celles qui nous reliaient tous les deux. C'est là, véritablement à ce moment, que père et fille sont redevenus ce qu'ils étaient l'un pour l'autre. En sortant de l'hôpital, Julie m'apprit qu'elle venait d'avoir une bonne nouvelle, mais qu'elle attendrait le souper pour l'annoncer à Albert et à Jonathan. J'étais intrigué. Je pouvais voir sur son visage des lumières s'accrocher et donner un tonus renouvelé à chacun de ses traits.

À notre retour à la maison, Jonathan vint accueillir sa mère et l'embrasser. J'eus aussi droit à une bonne poignée de main. Albert avait préparé des escalopes de veau. Nous allions certainement nous régaler. À voir comment Albert se débrouillait dans la cuisine, je devais bien admettre qu'il avait des talents autres que la peinture. Dès que le potage Parmentier fut servi, Julie annonça la nouvelle qui lui brûlait les lèvres. Elle était enceinte. Un silence se fit où l'on pouvait sentir la peur que l'enfant à naître hérite de la maladie de sa mère. Julie affirma simplement que cet enfant serait bienvenu dans la famille. Elle regardait Jonathan qui semblait perplexe. J'avais l'impression que l'enfant à naître lui permettrait de se raccrocher à la vie, de lutter plus ardemment contre la mort. Il était sa bouée de sauvetage, sa garantie qu'elle se battrait jusqu'au bout. Si j'avais raison de craindre la transmission de son mal, elle ne pouvait l'admettre publiquement, surtout devant Jonathan qui en aurait été certainement très peiné. Je ne peux pas affirmer, hors de tout doute, qu'elle a pensé à tout cela. Elle paraissait simplement vouloir cet enfant à tout prix, sans chercher à réfléchir à quelque conséquence que ce soit. Ce ne fut que lorsque le lourd silence se fut dissipé qu'Albert est allé embrasser Julie. Elle avait mal pris ce temps d'attente, comme l'exprimait son attitude. Je l'ai embrassée à mon tour et n'ai senti aucune agressivité vis-à-vis de moi. Elle était plutôt touchée. Le souper s'est terminé dans cette ambiance curieuse, saupoudrée de silences incongrus. Julie nous fit part du projet du lendemain : journée à la plage *Venice Beach*. Jonathan cria de joie, les mains vers le ciel. Albert apporterait une toile et son attirail de peintre. Quant à moi, je passerais la journée avec ma fille que j'avais si peur de perdre que tout le reste de ma vie paraissait ne plus exister.

***

12 juin 2002, à Venice Beach, près de Los Angeles, 11h30

Nous sommes arrivés sur la plage bondée. Jonathan n'avait qu'une intention: construire un immense château de sable. Lors de notre arrivée, j'avais remarqué le nombre élevé de boutiques de manucure. Je ne croyais pas que ce type de soins était autant à la mode ici. Mais j'eus une surprise plus désopilante encore. Il y avait un genre de Nautilus en plein air où des hommes très musclés faisaient semblant de forcer à l'extrême sur des exerciseurs ultra-spécialisés. L'intérêt pour moi était d'observer ces hommes qui recherchaient l'admiration des passants. On aurait dit qu'ils n'étaient qu'un tas de muscles et que le reste de leur personne, leur imagination, leurs désirs, leurs émotions et sentiments étaient assujettis à l'exhibition de leur corp réputé parfait. Il y avait presque de la détresse dans une telle attitude. Ils me faisaient pitié.

Albert a installé son chevalet dans un coin où nombre d'acheteurs potentiels pourraient se présenter. On le reverrait plus tard. Julie identifia un coin relativement tranquille, du moins pour l'instant, et Jonathan m'invita à faire avec lui un super-château de sable, pour reprendre son expression. Quand j'étais enfant, j'adorais en construire, avec des tours et des canaux. L'ensemble était souvent si complexe, à la toute fin, que je me demandais par où les habitants imaginaires pourraient entrer, si ce n'était par la mer qui remplissait plusieurs canaux à chaque bonne vague. C'est ce genre de gigantesque projet que je commençai avec Jonathan. Il ne comprenait pas bien ce que je faisais, mais je lui demandai de me faire confiance. À un certain moment, il s'exclama: «Grand-père, j'aime ça jouer avec toi, parce que tu t'amuses autant que moi». Cela me fit redoubler d'énergie. Mais je sentais que le soleil me brûlait la peau. Je décidai d'aller me remettre de la crème solaire et avertis Jonathan de mon absence pour un petit moment. Il n'en fit pas de cas. Il faut dire que je lui avais déjà créé un projet avec trois immenses pyramides, huit tours d'approche, et une dizaine de mètres de canaux.

Je me mis de la crème solaire sur le corps. Julie s'interrompit dans sa lecture pour m'enduire le dos.

—Jonathan t'aime beaucoup, papa. Je crois qu'en dépit des années qu'il a passées sans te connaître, il tisse rapidement des liens d'affection avec toi.

—Je me suis aussi énormément attaché à lui.

Être grand-père n'est pas si difficile à accepter si vous n'avez pas peur de la mort. Par contre, si cette peur vous tiraille l'estomac, vous ne trouverez pas très drôle d'acquérir ce titre. Il vous indiquera très clairement que vous courez vers une fin inéluctable. Pour ma part, j'avais plaisir à être grand-père, parce que mon petit-fils venait tout juste d'apparaître dans ma vie, et surtout parce que Jonathan et moi avions besoin l'un de l'autre. Tout se passait en silence. Le support mutuel n'était pas moins réel. Le petit-fils avait besoin de son grand-père, et le grand-père avait besoin du petit-fils, chacun pour des motifs qui lui étaient propres.

—Papa, je peux te demander quelque chose de personnel? me demanda Julie, d'une voix claire.

—Oui, bien sûr. Je n'ai rien à cacher.

—Comment va ta vie amoureuse? Est-ce que tu as vécu de bonnes relations depuis que...

—Pas beaucoup, non. Très tranquille de ce point de vue là.

—Pourtant, tu es bel homme. Les occasions n'ont pas dû manquer.

—Je vais t'expliquer comment ça se passe. Quand tu deviens libre, les femmes au bureau le savent, et ce, très rapidement. C'est comme si elles étaient directement branchées sur le palais de justice. La nouvelle court et là, c'est une guerre ouverte entre les célibataires qui pourraient être intéressées. Je le sais parce que c'est l'une d'entre elles qui m'a appris comment fonctionnait ce système. Une célibataire remporte donc la palme et a le droit d'essayer de me mettre le grappin dessus. Si elle échoue, elle en parle à ses copines afin de leur apprendre les bons coups qui réussissent avec la personne concernée et ceux qui ne fonctionnent pas. Une deuxième fait son essai. Généralement, on ne dépasse pas deux essais. Après, l'homme libre est mis sur la liste noire, comme s'il fallait éviter de le toucher ou de le regarder, par peur de s'attirer tous les malheurs du monde. Tout se passe en coulisses. La plupart des hommes n'y voient que du feu. Mais le système fonctionne à merveille. Quand une célibataire a eu l'honnêteté de me le révéler, j'ai failli lui demander de m'épouser, tellement sa sincérité m'avait touché.

—Mais tu ne l'as pas fait.

—La marier? Jamais de la vie. Ce n'était pas mon genre du tout.

—Qu'est-ce qui est ton genre de femmes?

—Cette année, j'ai connu une femme que je n'avais pas revue depuis mes années de Cégep. Nous nous voyons seulement quand elle est de passage pour affaires à Montréal. De temps à autre. Je l'aime bien, elle est très belle, mais je ne crois pas que ce soit avec elle que je ferai un bout de chemin dans la vie.

—Quel est ton genre de femmes, papa? insista-t-elle.

—Dernièrement, j'ai fait un voyage avec une cliente de mon bureau. Elle est Tchèque. Nous sommes allés dans son pays d'origine pour affaires et avons arrêté à

Paris, avant de revenir à Montréal. Cette femme est extraordinaire, tu n'as pas idée!

—Attention, papa, à ce que tu fais. Tu sais que les relations sexuelles avec une cliente dans le cadre...

—Je sais, oui. Mais ce n'est tout de même pas une cliente qui vient pour un divorce. Dans ce cas-là, son instabilité émotionnelle pourrait la rendre vulnérable. Ici, il s'agit d'une coentreprise canado-tchèque. Rien de plus rationnel, je dirais. Honnêtement, je ne vois pas le problème.

—Écoute mon conseil, papa. Sois prudent.

—Je le serai. D'accord, Julie. Tu sais, cette femme est vraiment fantastique, lui dis-je, avec des étincelles dans les yeux.

—Tu l'aimes vraiment, non?

—Follement oui.

À ce moment précis, Jonathan m'appela pour l'aider à continuer l'incroyable projet de méga-château. Je ne me fis pas prier, et nous passâmes un très bel après-midi. Nous dînâmes sur la plage et profitâmes du sable chaud, de la mer et du soleil bienfaisant. C'était merveilleux. Quand nous sommes rentrés à la maison, Albert nous apprit qu'il avait vendu une toile. Il en était très heureux. C'était plutôt rare qu'il vende de ses œuvres sur la plage. Il fallait dénicher un client qui a beaucoup d'argent liquide. Julie était très fière de lui. Jonathan était impatient de voir sur l'ordinateur les photos que sa mère avait prises de son incroyable château de sable. Il en fut ravi et promit de les montrer à ses amis dès le lendemain.

***

13 juin 2002, à l'aéroport de Los Angeles, 14h45

Je n'ai jamais aimé les départs. Ils sont plus cruels que l'attente. Partir, c'est toujours quitter quelque chose ou quelqu'un, même si c'est pour un ailleurs ou pour aller à la rencontre d'étrangers ou d'amis. Ce jour-là, le départ était plus lourd que la plupart de ceux que j'avais vécus auparavant. Je savais que Julie pouvait vivre bien des années sans que la maladie ne l'affaiblisse trop ou ne réduise significativement ses capacités. Mais Montréal n'était pas en banlieue de Los Angeles. J'essaierais de revenir plus souvent, mais mon nouveau bureau accaparait beaucoup de mon temps. Pour un court délai, je pouvais quitter et me fier à mes jeunes collègues qui m'avaient rejoint. Mais on ne peut guère partir longtemps sans que cela ait des effets désastreux. Je pourrais faire de courts séjours chez Julie dès que j'en aurais l'occasion. Quant à ma fille, elle avait moins de mobilité que moi, avec le travail, Jonathan, et maintenant la grossesse. Ce serait à moi de venir, et je ne me ferais pas prier pour le faire.

J'arrivais donc à l'aéroport avec le cœur gros. Je trouvais difficile de laisser Julie, dans les circonstances. Pourtant, une semaine de plus, ou un mois supplémentaire passé à Los Angeles n'aurait absolument rien changé. Je ne parvenais simplement pas à me raisonner.

—Je viendrai le plus souvent que je pourrai, Julie.

—Je sais que tu feras tout ce que tu peux pour venir me voir. Mais tu as aussi tes occupations. Je comprendrai si...

—Oui, mais le travail, ce n'est rien à côté de...

—Ne dis pas que le travail n'est rien. C'est à cause de ton travail que tu peux te payer le billet d'avion pour venir me voir plus souvent. Ton boulot te permet bien des choses, il n'est pas qu'une série d'empêchements ou de contraintes. Ton nouveau bureau te demande d'être très présent. À chaque fois que tu pourras venir nous visiter, tu seras le bienvenu. Jonathan sera heureux de te revoir. Hier soir, je suis allée le border avant qu'il ne s'endorme, et il m'a demandé quand tu reviendrais à la maison. Je lui ai expliqué la situation, la distance, le travail et tout. Il a paru comprendre. Mais ça ne veut pas dire que c'est facile pour lui de voir partir son grand-père qu'il commence à apprivoiser. Papa, promets-moi au moins une chose : de ne pas t'inquiéter outre mesure.

— Qu'est-ce que tu veux dire, par outre mesure ? Est-ce qu'il y a un degré d'inquiétude que je ne devrais pas franchir ?

— Oui, je veux que tu dormes, que tu manges bien, que tu fasses tes activités habituelles.

— Tu veux que ma vie reste la même, c'est ça ? Ne crois-tu pas que tu en demandes beaucoup ?

— Non, ça ne veut pas dire de ne pas m'appeler plus souvent ou de ne pas envoyer de colis comme tu l'as déjà fait pour Jonathan. Il avait été si heureux de le recevoir. Tu ne te doutes pas à quel point tu l'as comblé. Comprends-tu, papa, ce que j'essaie de te démontrer ?

— Oui, ça y est, oui. Tout changer, en ne modifiant rien non plus. La vie ne changera pas, si ce n'est l'intensité de chaque moment vécu. C'est un peu ça, non ?

— T'es dans le mille, papa.

Nous sommes allés prendre une collation et un café en attendant le départ. Je ne sais pour quelle raison, Julie aborda le sujet de la mort. Je fus d'abord mal à l'aise qu'elle le fasse. Voyant qu'elle ne trouvait rien de déplacé à en parler, j'abordai la question avec elle. Elle savait que je ne croyais pas en Dieu, mais n'en connaissait guère plus sur mes convictions en matière de spiritualité. Je lui fis un résumé de mon cheminement des derniers mois. Je lui racontai mon séjour à la Ferme de la conscience épanouie et lui parlai du leadership d'Anatma. Je l'entretins des rêves bizarres que je n'arrivais pas à m'expliquer et la visite de grand-mère dans mon sommeil lors de sa mort. Je me sentais en plein cheminement spirituel, mais je n'aurais pu dire vers où ce chemin me menait. J'allais dans une direction inconnue et pourtant, chacun de mes pas n'était pas entièrement fait dans la sphère de l'invisible et de l'immatériel. Je gardais la tête froide et ma démarche demeurait rationnelle. Julie me confia que les convictions religieuses d'Albert, qui était membre de l'Église Unie et participait régulièrement aux réunions d'une loge de Francs-maçons, l'avaient aidée à prendre conscience du lien entre le cosmos et le divin. Elle précisa cependant que c'était surtout depuis qu'elle avait appris sa maladie qu'elle s'était véritable-ment tournée vers le spirituel. Elle se disait chrétienne sans dénomination. Elle avait toujours haï les éti-quettes. Elle était simplement conforme à elle-même. Elle me dit que sa foi lui donnait la force de faire face à la maladie avec courage et détermination. Elle en avait parlé à son médecin qui, bien qu'incroyant, lui avait conseillé de continuer à prier, parce qu'il obser-vait depuis nombre d'années déjà que la prière avait des effets bénéfiques sur le corps. Elle en avait d'ailleurs discuté avec Larry Dossey, qui avait donné à Los Angeles une conférence sur le pouvoir de guérison de la foi. Dossey n'avait pu que confirmer ses dires. Quant à mon propre cheminement spirituel, Julie me conseillait de persévérer et d'être patient. On ne comprend pas tout tout d'un coup, selon elle. Le temps compte, dans un cheminement. Je devais me donner le temps de découvrir la place que je réserverais au spirituel, une fois que son sens serait bien établi dans mon esprit. Son judicieux conseil mit le point final à notre discussion, puisque je devais franchir les portes de l'immigration et arriver à temps pour l'embarquement. Mon vol partait dans moins d'une heure.

Nous nous sommes serrés très fort de longues minutes, comme pour imprimer dans notre peau la présence de l'autre. Une manière d'inscrire dans notre existence individuelle un peu d'éternité. Nos visages se sont touchés et nos larmes se sont mêlées pour ne faire qu'un fleuve unique.

***

16 juin 2002, chez moi, Montréal, 18 h 30

Patricia m'avait appelé dans la journée, me disant qu'elle passerait me voir avec ses triplés. Il peut paraître curieux au commun des mortels qu'un parent utilise le terme triplés pour parler de ses enfants. Mais pour les parents qui ont eu au moins des jumeaux, il est facile de comprendre que l'utilisation de ce terme générique est fréquente. Ils en viennent rapidement à appeler chacun par son prénom, mais à interpeller les deux en disant : les jumeaux. Il y a cependant des parents pour qui les prénoms en viennent presque à disparaître. Je ne savais pas à quelle catégorie de parents Patricia appartenait.

Elle m'avait annoncé qu'elle apporterait de la pizza végétarienne pour le souper et que je n'aurais qu'à mettre la table. J'avais apprécié sa délicatesse, mais j'avais beaucoup moins aimé qu'elle me demande de mettre les couverts. Pour qui me prenait-elle, enfin ? Je me surprenais à me trouver plus loin d'elle que la dernière fois. Peut-être était-ce à cause de ces remarques banales auxquelles mon esprit attachait trop d'importance. Peut-être, et cette hypothèse m'apparaissait bien plausible, était-ce ma relation avec Jarmila qui me rendait Patricia moins désirable que dans un passé très récent. J'avais presque hâte que la soirée soit terminée. Au moins, Patricia ne resterait pas à coucher. Elle m'avait prévenu qu'elle était descendue à l'hôtel et que ses enfants préféreraient y retourner pour la nuit. Le contraire m'aurait surpris, en effet.

Lorsqu'ils sont arrivés, je suis allé répondre d'une démarche qui n'était ni nonchalante ni empressée. Quelque chose entre les deux, une apparence de neutralité, peut-être même d'indifférence. Lorsque mes yeux rencontrèrent ceux de Patricia, je sus immédiatement que c'était fini entre nous deux, qu'il n'y avait probablement pas eu grand-chose, si ce n'est quelques séances d'amour charnel. Je ne pourrais dire si elle a eu cette même soudaine impression, mais j'ai observé que son visage s'est obscurci quelque peu en me voyant ainsi l'accueillir plutôt froidement. Elle me présenta ses triplés, deux filles et un garçon. Ils étaient dans l'adolescence pure, mentalement et physiquement. La pizza nous attendait.

— Ce sera bien bon. J'adore la pizza végétarienne. Tous ces légumes et le fromage, c'est vraiment ma préférée, dis-je d'emblée.

— Oh, désolé, mais au dernier moment on a changé d'idée. Il y en a une aux anchois, et l'autre au jambon et fromage. J'espère que tu aimeras ça quand même!

— Euh, oui, euh, bien sûr.

Je restais un peu figé, non pas tant par le changement de menu que par le fait que Patricia savait que je ne mangeais que de la pizza végétarienne. Peut-être, ses enfants étaient-ils pour quelque chose dans le choix qui avait été fait au comptoir de la pizzeria!

— Désolé. J'ai eu un goût différent à la dernière

minute. Comme c'est moi qui paye, je n'avais de permission à demander à personne, ajouta-t-elle.

—Bien sûr, oui. Tu as raison, avouai-je en pensant à une femme rencontrée quelques années auparavant, une certaine Madeleine au tempérament dominateur et autoritaire, ne pouvant m'empêcher de trouver que Patricia commençait à lui ressembler

Nous commençâmes à manger. Je pris conscience que Patricia avait commandé beaucoup trop de pizza pour nous cinq, à moins que ses enfants aient un appétit d'ogre. Ce ne semblait pas être le cas. Je les regardais déguster leurs pointes avec distinction et retenue. C'était plutôt Patricia qui me surprenait; elle avait l'air de vouloir avaler chaque pointe d'une seule bouchée. Était-ce la première fois que je la voyais manger de la sorte? Je crois que oui. J'aurais été aveugle de ne pas m'en apercevoir avant, si elle avait démontré autant d'inconvenance devant moi. Je me suis demandé si le désir pouvait nous rendre aveugle quant aux défauts de l'autre. J'étais porté à le croire. Car je me sentais à vide au plan de la libido, du moins en sa présence. Pour ce qui est de Jarmila, c'était tout autre chose. Mais Patricia me laissait plutôt indifférent. Je pouvais encore observer les courbes majestueuses de son corps, mais elles ne me faisaient plus vibrer.

Pendant l'heure du souper, j'appris bien des choses sur chacun de ses trois enfants. Au-delà des détails qui parsemaient leur vie d'adolescents, je pouvais découvrir aisément que le garçon était ostracisé, mis de côté. Aucune de ses réussites n'était soulignée, même par sa mère. Je trouvais cela bien injuste. Quant aux filles, une certaine complicité les unissait, mais ce n'était pas ce genre d'unité qui vous lie des orteils à la tête, de tout votre cœur, de tout votre être. On sentait une compétition plus ou moins sereine entre les deux qui jaillissait au moindre succès de l'une d'entre elles. Les remarques étaient fines, mais, au-delà des mots, on pouvait identifier qu'entre elles, le lien n'était pas parfaitement harmonieux. Patricia qui ne semblait rien voir de tous ces jeux relationnels entre ses enfants parvenait à rendre la situation encore plus complexe qu'elle ne l'était en introduisant dans leur relation des enjeux dont ses enfants se seraient bien passés. Elle augmentait ainsi le fardeau qu'ils avaient à assumer, l'un face aux autres. Assez malhabile, cette Patricia! Tout cela me coupait vraiment l'appétit.

J'avais sorti une tarte au sucre pour le dessert. Je l'avais mise au four afin qu'elle soit bien juteuse lorsque nous aurions terminé notre pizza. En ramassant les assiettes et en les plaçant dans le lave-vaisselle, j'étais bien occupé à la cuisine. Seul le garçon m'apportait la vaisselle et je m'occupais du reste. À un certain moment, il s'arrêta net devant moi et me dit: «Faites attention à maman, elle ne fera qu'une seule bouchée de vous. Des hommes comme vous, elle en passe plus d'un en une seule année. Souvent, c'est plus d'un par semaine. Gare à vous.» Il se tut juste au bon moment, puisque Patricia arrivait dans la cuisine en me demandant si j'avais de la crème glacée à la vanille. Elle remarqua l'air de son fils et lui enjoignit d'un ton sévère de retourner dans la salle à dîner. Tête basse, il repartit, mais, juste avant de quitter la cuisine, il me jeta un dernier regard sérieux, déterminé. Patricia essaya bien de savoir ce qu'il m'avait raconté. J'inventai une histoire autour des romans jeunesse qu'il lisait; nous venions justement d'en parler, avant de quitter la table. Patricia me crut sur parole.

La soirée fut calme, pour ne pas dire mortelle. Patricia me demanda à quelques reprises si je me sentais en forme. Je n'avais pas l'intention de lui dire quoi que ce soit. J'essayai d'éviter les remarques. Comme les discussions tombaient toujours à plat, je me lançai dans le vide. J'étais seul avec elle; ses enfants étaient dans une autre pièce en train d'écouter un film. Je lui dis d'emblée que c'était fini entre nous. À ma grande surprise, elle ne le prit pas mal du tout. «Cela devait probablement arriver. Au moins, on a eu un peu de bon temps ensemble. Ça, ce n'est pas perdu.» De quel bon temps parlait-elle? Si pour elle notre relation n'était que physique, il est vrai que nous n'étions pas du tout sur la même longueur d'onde. J'étais ahuri. Je l'ai laissée parler. J'ai tellement peu aligné de mots qu'elle se sentit probablement obligée de se lever et de partir. Elle appela ses enfants et me salua en me présentant sa main. Ils quittèrent la pièce avec leur mère. Pourtant, le garçon me renvoya un sourire satisfait. Les autres regardèrent droit devant elles, comme si elles n'étaient jamais entrées dans mon appartement. En refermant la porte, je me suis dit: «Voilà une bonne chose de faite. Je suis maintenant libre, et la vie m'attend avec Jarmila».

***

20 juin 2002, chez les parents de Jarmila, Montréal, 18 h 55

J'étais très anxieux de rencontrer les parents de Jarmila. Je n'arrêtais pas de me redire que je ne pouvais rien faire s'ils me percevaient d'une manière ou d'une autre. «On ne peut rien contre les perceptions que les autres ont de nous». C'est ce que je me répétais sans cesse chaque fois que Jarmila me disait, comme à intervalles réguliers, que tout se passerait bien. Un moment, j'ai pensé que si Jarmila m'assurait qu'il n'y aurait aucun problème, elle devait le savoir, puisqu'il s'agissait de ses parents. Mais connaît-on bien nos parents? En tout cas, l'histoire de grand-mère, celle que j'étais en train de reconstituer, m'apprenait qu'on surestime le niveau de connaissance que nous avons de l'histoire réelle de ceux qui nous ont donné la vie. Jarmila me jurait que tout irait bien avec ses parents. Je prenais l'affirmation avec un grain de sel.

Ce fut sa mère qui répondit à la porte et nous fit entrer. Je vis dans ses yeux une telle vivacité d'esprit que j'avais l'impression qu'elle me fouillait l'âme de toutes ses forces. Il n'y avait pourtant aucune agressivité en elle, mais simplement une perspicacité qui me semblait très puissante. J'eus l'occasion de vérifier durant le souper combien mon intuition était fondée. La table était mise, le souper fin prêt. Nous arrivions cinq minutes avant l'heure prévue. Anja, la mère de Jarmila, préparait nos assiettes, lorsque nous fîmes notre entrée dans la salle à dîner aux allures ancestrales. Jakub, le père de Jarmila, me proposa son salon privé. C'était son espace de contemplation, se plaisait-il à dire. Chaque étagère de la bibliothèque était bien remplie de livres. Un rapide coup d'œil me fit voir se côtoyer Marx, Tolstoï, Pouchkine, Zola, Stendhal, Proust, Faulkner, Hemingway et d'autres. Il y avait également un système de son qui semblait de très bonne qualité. Parmi les CD que je remarquai, il y avait des compositeurs aussi célèbres que Tchaïkovski, Rachmaninov, Prokofiev, Stravinski, Rimsky-Korsakov, Debussy et Honegger. Jakub devait beaucoup lire et écouter de cette musique qu'on dit sérieuse pour éviter de l'appeler classique, question de distinguer la période classique de la période romantique, par exemple.

— Vous aimez la musique sérieuse? me demanda-t-il, pour amorcer notre entretien.

—Oui. Je ne m'y connais pas beaucoup, mais j'en écoute à l'occasion.

—Si vous aviez à me nommer les compositeurs qui vous ont le plus touché, quels seraient-ils?

—Je ne saurais vous dire. J'aime le tragique chez Beethoven, le romantisme de Tchaïkovski, la mélancolie chez Prokofiev, la perfection de la forme chez Mozart.

—Qu'aimez-vous en elle?

—La musique me transporte dans un autre monde où je peux...

—Non, je parle de ma fille, Jarmila.

Je trouvais la transition rapide, mais cela lui donnait probablement l'occasion d'observer, sur mon visage, la moindre réaction qui aurait pu refléter des signes de ce que je suis comme personne.

—Sa joie de vivre, sa simplicité, son ouverture d'esprit, sa grande générosité. Elle est toujours disponible pour aider les autres. Il y a aussi une belle douceur qui émane d'elle à chaque fois qu'elle s'adresse à quelqu'un. Je crois que je...

—C'est suffisant, oui, merci.

Je venais de passer le test. Jakub m'avait amené là, non pas pour discuter de ses lectures et goûts musicaux, mais pour avoir une idée nette et précise de l'amour que je pouvais porter à sa fille. C'était sans doute une manière de la protéger des intrus mal intentionnés ou superficiels. Comme Anja nous avertissait que le souper était servi, nous sommes allés nous asseoir. Nous n'étions que quatre autour d'une longue table qui aurait pu accueillir une dizaine de personnes. L'assiette principale était composée d'agneau accompagné d'une sauce aux pommes; il y avait aussi des fines herbes et divers légumes. J'avoue que ça sentait très bon. Le vin rouge était servi. Le nom ne me disait rien; je n'ai même pas pu reconnaître le pays d'origine. Je n'ai pas insisté non plus pour le demander, ne voulant pas commettre de bévue. Ma demande aurait pu être mal interprétée. Jakub me questionna sur mes occupations : mon travail, mes hobbies, mes intérêts. Anja m'interrogea, quant à elle, sur les membres de ma famille : d'où venaient-ils? où étaient-ils installés? qu'y faisaient-ils? L'interrogatoire, puisque c'est vraiment à cela que ça ressemblait, paraissait bien orchestré, presque rituellement organisé. Je me pliai à leurs rites et répondis du mieux que je le pouvais à leurs questions. Lorsque ce fut terminé, un long silence parut nécessaire ou opportun. En tout cas, ni Jakub, ni Anja, ni même Jarmila n'ont tenté de le rompre. Je regardai Jarmila, en espérant qu'elle pourrait me faire comprendre ce qui arrivait, mais elle détourna les yeux pour éviter de me faire face. Je fus alors pris d'une angoisse subite qui, si je n'avais été sur mes gardes, m'aurait fait perdre le contrôle de moi-même. Fort heureusement, je ne succombai pas à cette tentation. Ce fut Anja qui cassa la glace en revenant à la charge de manière quelque peu inattendue.

— Vous aimez les enfants?

— Euh, oui, beaucoup. J'aime leur spontanéité. Ils sont toujours là à nous montrer le réel de façon complètement différente. Les enfants sont...

— Je vois que vous les aimez.

Anja jeta un regard complice à sa fille. Jarmila se tourna vers moi, toute souriante. J'avais certainement gagné leur faveur. J'étais surpris de voir comment les vraies choses de la vie avaient été abordées si vite, de manière abrupte. Par contre, cela m'avait permis de dire exactement ce que je pensais. Les parents de Jarmila pouvaient mieux savoir qui ils avaient devant eux. Le souper s'est ensuite déroulé plus calmement, avec quelques blagues de part et d'autre. On aurait dit que j'étais accepté dans la famille.

Dans la soirée, Jarmila et moi avons marché dans le quartier. Le bonheur d'être avec elle était irremplaçable. Jamais je ne m'étais senti aussi bien avec une femme. Jamais je n'avais ressenti une telle joie de pouvoir être pleinement moi-même en sa présence, de partager tout ce qui pouvait nous arriver, toutes nos pensées, nos angoisses, nos désirs, nos besoins. Je me vautrais dans la béatitude de faire un bout de chemin ensemble, en joignant nos mains afin que nos cœurs puissent laisser transparaître ce qui les animait. Jarmila était à la fois tout et plus que tout. Le bonheur m'est toujours apparu comme un mystère, une réalité inaccessible. Mais c'était avant que je ne connaisse Jarmila.

Chapitre 8

Pèlerinage au cimetière

Sans croire à l'immortalité de l'âme,
l'humanité trouve en elle-même la force de vivre pour la vertu.
Elle la puise dans son amour de la liberté,
de l'égalité, de la fraternité

Fedor Dostoïevski, *Les frères Karamazov*

8 juillet 2002, chez Alicia, 20 h

À l'heure du souper, Alicia m'avait appelé. Elle était tout excitée, car elle avait des informations supplémentaires qu'elle disait fascinantes concernant mon arrière-arrière-grand-mère Emily et grand-mère Lydia. J'aurais voulu différer notre rencontre, même si elle piquait ma curiosité. Je me sentais exténué. Il est vrai que les derniers jours avaient été plutôt longs au bureau. Même si c'était le signe que les affaires allaient bien, mon corps réagissait tout de même à tout ce que je lui demandais de faire ou de supporter. J'allais donc chez Alicia avec une certaine hâte de connaître ce qu'elle me révélerait, mais également une impatience que l'usure des derniers jours avait semée en moi.

Alicia répondit prestement à la sonnerie de la porte que je fis résonner deux fois. Elle avait le sourire très largement étendu sur son visage, comme si elle venait de découvrir l'origine de l'univers ou des pyramides enfouies depuis 15 000 ans sous vingt mètres de sable.

— J'ai reçu un document très intéressant de la part de la fille d'Antonin. Je crois que vous en serez abasourdi.

— Mais, ne m'aviez-vous pas mentionné que ce qu'Antonin dit, en termes de recherches généalogiques, n'est pas très fiable?

— Ce que je vous ai dit, c'est qu'il faisait occasionnellement des erreurs et qu'il fallait donc être très prudent quant aux interprétations qu'il donnait aux événements. Ce n'est pas ce dont il s'agit ici. Je ne vous parle pas d'une perception qu'il a eue en glanant des faits. J'ai reçu, de sa fille, un document, une lettre. Elle a repris les recherches laissées en plan par son père. Elle travaille méticuleusement. Lorsqu'elle a su, par l'association dont je vous ai parlé, que je recherchais des éléments sur Emily Dimitri Meredith, elle s'est empressée de m'appeler pour me faire part de ce qu'elle avait en sa possession.

— De quoi s'agit-il?

— C'est une lettre, mais elle n'a jamais été postée.

— Une lettre d'Emily?

— Oui, mais elle ne l'a pas envoyée à...

— Ce devait être un brouillon de lettre, j'imagine.

— Vous n'y êtes pas. Je vous replace les dates en tête afin que l'on se comprenne bien. Emily est née en 1832 et s'est mariée en 1852. En 1862, elle se rend à Paris où elle rencontre Dostoïevski. En 1872, elle donne naissance à Lédia. Moins d'un an après, soit le 3 janvier 1873, Emily est à New York avec son mari.

— Elle avait donc laissé derrière elle la petite Lédia qui avait moins d'un an?

— Oui. Disons qu'Emily était un esprit libre, en avance sur son temps.

—Et son mari, que disait-il de cette liberté?

—Nous avons peu de détails sur lui. Mais le fait qu'il ait laissé partir Emily pour la France en 1862 tend à le décrire comme un homme hors de l'ordinaire pour l'époque. Cette même ouverture d'esprit devait l'habiter lorsqu'ils partirent pour New York, y fêter le jour de l'An. Replacez-vous dans le temps. Les fêtes du Premier de l'an étaient traditionnellement importantes pour les réunions familiales et une occasion de réjouissances assez intenses. Le fait de se rendre à New York à ce moment-là de l'année démontrait, à lui seul, une grande indépendance.

—Lui aussi devait être en avance sur son époque, dis-je, sérieusement.

—Oui, je suis bien d'accord. Voici donc la lettre écrite de la main d'Emily et adressée à sa fille Lédia.

—Comment? Mais sa fille Lédia n'avait même pas un an, à ce moment-là!

—Bien sûr, mais comme vous le verrez dans le style, il s'agissait davantage d'une lettre adressée à Lédia pour qu'elle la lise et en saisisse le contenu quand elle atteindrait l'âge adulte.

Alicia me donna la lettre d'Emily, écrite avec grand soin. On aurait dit un parchemin royal.

À ma fille Lédia,

Hier, c'était le 3 janvier 1873. Ton père et moi étions à New York. J'ai assisté, à l'Union Cooper, à une conférence donnée par Victoria Woodhull. La salle était comble. En fait, énormément de policiers avaient tenté d'empêcher les gens d'assister à cette conférence, mais des milliers de personnes ont repoussé les forces policières et sont entrées pour écouter cette femme leur parler de révolution sociale et surtout du droit de vote des femmes. Dès que Victoria Woodhull s'est adressée à la foule, tout le monde l'a écoutée religieusement, même les policiers. Sa conférence a duré une heure et demie environ. À la fin, elle en est venue à prôner l'amour libre. C'est à ce moment, je crois, que les policiers l'ont arrêtée. J'en ai été très choquée. Victoria Woodhull me semblait symboliser la lutte pour la libération des opprimés, particulièrement des femmes. Elle était pour moi le symbole de toutes les libertés humaines qui sont persécutées par des âmes en quête de pouvoir absolu. Ma chère enfant, j'espère que tu pourras, à ta manière, te joindre, à quelque moment que ce soit de ta vie, à cette lutte mondiale pour la justice. Les femmes ont besoin de porte-étendards. Trop souvent, on noie la spécificité de leurs problèmes dans les mouvements ouvriers. Une femme ouvrière est à la fois femme et ouvrière. Elle est deux fois aliénée. Je t'embrasse avec cet espoir que tu sois toujours debout, devant tous ceux qui voudront te faire mettre à genoux. Avec tout mon amour, ta mère, Emily.

J'étais époustouflé d'avoir lu cette lettre emblématique. Je commençais à reconstituer le puzzle de la vie d'Emily. J'en arrivais à saisir quelques éléments et à les mettre en relation les uns avec les autres. Cette femme était demeurée un grand mystère, même 170 ans après sa naissance. Alicia et moi échangeâmes quelque peu sur le contenu de ce précieux document.

—Mais ce n'est pas tout. J'ai reçu un courriel de la petite-fille de Mary T., Julia Meredith-Torrance. Elle vit à Édimbourg, en Écosse. Elle me dit qu'elle aurait des choses à discuter avec moi en ce qui concerne la relation entre Lydia et Osgoode. Vous comprendrez que cela m'a fascinée. Comme vous le savez, je fais de temps à autre des séjours en Europe à des fins de recherches généalogiques. C'est évident que l'Écosse m'attend. Voudriez-vous m'y accompagner, si toutefois vous êtes intéressé à entendre de vive voix ce que cette Julia aurait à nous dire?

—Écoutez, euh... oui, j'aimerais bien, mais j'ai été

absent du bureau assez souvent ces derniers temps. Je ne peux pas me permettre de...

— Faites-moi signe lorsque ce retour aux sources pourra convenir à votre agenda. Je vous attendrai. Je crois que nous ferions mieux de faire ce voyage ensemble, d'autant plus que vous êtes déjà allé à Édimbourg.

— Oui, mais j'avais seulement neuf ans. Je ne souviens pas de tout.

— Ça ne fait rien. D'ici à ce que vous soyez disponible, je communiquerai avec elle afin d'essayer de vérifier si ces renseignements valent le déplacement.

J'ai quitté Alicia plutôt satisfait, mais également intrigué. Lorsqu'une histoire du passé nous fascine, il semble qu'elle nous attire à elle comme un aimant. Le passé nous fait entreprendre bien des démarches lorsqu'il nous tient par la fascination qu'il exerce sur nous. Le plus incroyable, ce jour-là, avait été de découvrir pourquoi Lydia avait une grande admiration pour les révolutionnaires. Elle devait tenir cela de sa grand-mère Emily qui, elle même, s'était intéressée aux mouvements de libération sociale et féministe de son époque. Quelle fierté cela me donnait d'appartenir à cette famille! On prend souvent peu conscience que ce que l'on fait peut influencer les générations futures à l'intérieur du cercle familial. On a trop souvent le nez collé sur le présent et notre avenir immédiat. Si j'avais vécu à l'époque d'Emily, j'aurais aimé être son biographe.

***

10 juillet 2002, chez moi, 18 h 45

Alicia avait rappelé à ma conscience des souvenirs lointains qui étaient enfouis dans une région peu visitée de ma mémoire. J'étais jeune enfant lorsqu'en effet, mes parents m'avaient emmené vivre, durant toute une année, à Édimbourg. Je sortis un vieil album de photos qui dataient de cette époque ainsi, qu'une longue enveloppe dans laquelle j'avais placé le journal de bord que j'avais tenu de manière irrégulière et où j'avais consigné la plupart des faits qui émergeaient du train-train ordinaire. Jeune adulte, j'y avais narré des choses que mon père m'avait racontées et j'y avais mis des documents qu'il m'avait donnés. Je n'avais pas retouché à ce passé depuis très longtemps. Les premiers textes que je lus avaient rapport à l'embauche de mon père comme professeur invité au Collège congrégationaliste, à Édimbourg. Pourquoi mon père s'était-il retrouvé en Écosse? Je n'en ai aucune idée. Il est mort peu de temps après notre retour au Québec. Bien sûr, je sais qu'il faisait des recherches théologiques qui étaient proba-blement importantes, je ne saurais le dire. Mais de temps à autre, très jeune, j'avais tenté de lire quelques passages d'un ou deux des nombreux livres qui garnissaient sa bibliothèque. Je me rappelle y avoir feuilleté des ouvrages de Calvin, Luther, Bultmann et Schleiermacher. C'était ce dernier qui m'avait fait le plus d'impression: son «sentiment d'être envahi par l'Infini et en totale dépendance avec Lui» avait frappé mon imagination, et m'avait surtout inoculé le désir d'être moi-même un jour envahi par cet Infini si extraordinaire. Malheureusement, il avait toujours la mauvaise idée de s'échapper entre mes doigts. Au moment où je croyais qu'il me ferait tressaillir d'étonnement, il ne se passait rien. Aussi, bien que fasciné par l'idée de Schleiermacher, j'avais vite abandonné la lecture de ses œuvres, dont les théories ne passaient pas le test du réel.

Dans les documents que je consultai ce soir-là, je trouvai une carte de vœux pour le Noël 1945, qui avait été donnée à mon père par Charles Duthie, le principal du Collège. Il y avait une petite note manuscrite écrite par mon père : « Charles Duthie, un être extraordinaire et un chercheur remarquable. Une personne engagée dans le renforcement des syndicats écossais ». Je me rappelle vaguement être allé voir le bureau de mon père. Je me souviens seulement être passé sous une arche qui me paraissait immense et lui avoir demandé comment les pierres du centre pouvaient rester en place. Mon père qui ne devait pas connaître grand-chose en architecture ou en physique m'avait parlé de différentes forces en jeu. Je n'avais rien compris de ce qu'il me disait, mais je me souviens l'avoir regardé avec émerveillement. C'était mon père, et il n'y en avait aucun autre comme lui. Je pris soudain conscience que ma tristesse de l'avoir perdu s'était peu à peu estompée avec les années. Étais-je un être insensible, ou est-ce le cours normal des choses ? J'avais perdu mon père très jeune. Ma tristesse était justement d'avoir perdu celui que j'aurais aimé connaître, plutôt que celui que je n'avais véritablement côtoyé que durant les années de l'école primaire. Aussi, avais-je l'impression que c'était dans la normalité des choses que j'aie pu assumer son absence, au point que je n'avais jamais rouvert cette enveloppe qui me ramenait à l'époque où il jouait avec moi au base-ball le soir, après le souper. En consultant les notes que j'avais prises, je me voyais déclarer avoir dix ans et trois quarts. En fait, j'aurais atteint mes onze ans dès le début de l'automne. Je semblais les désirer comme s'ils avaient signifié l'entrée dans une nouvelle vie.

Mon journal de bord était moins impressionnant que je m'y attendais. J'avais le souvenir d'avoir écrit énormément de pages sur mon séjour en Écosse. Mais, le carnet ne faisait que quarante-huit pages. Mais, considérant l'âge que j'avais, ce nombre était important. À sa lecture, je faisais face à l'enfant que j'avais été et je revoyais en lui une partie qui est demeurée vivante en moi. Mon père avait pris beaucoup de photos et, lors de son décès, ma mère les avait rassemblées en un album qu'elle m'avait confié. Je me rappellerai toujours de ce soir où elle me l'avait donné. En acceptant de l'emporter dans ma chambre, j'avais la conviction de la libérer d'un grand poids. C'était du moins ce que ses yeux bouffis me révélaient. J'ouvris l'album et lus le carnet de notes en comparant mes commentaires avec certains lieux que j'avais visités avec mes parents.

Un observatoire de la ville nommé Calton Hill et comportant un phare datant de 1805 et douze colonnes qui imitaient un temple grec m'avait beaucoup étonné. Mais surtout, je trouvais la vue d'Édimbourg très jolie. J'avais visité le château d'Édimbourg et avais remarqué qu'il était plus beau de l'extérieur que de l'intérieur. J'avais pourtant été ému de voir avec quelle solennité les gens regardaient les «Honneurs du Royaume», une couronne, une épée d'apparat et un sceptre. À mon retour au Canada, j'avais consulté un livre que mon père avait acheté et qui expliquait l'histoire de ces objets. On y indiquait qu'ils avaient servi pour la première fois en 1543 lors du couronnement de Marie, reine d'Écosse. Mon père m'avait démontré en détail l'importance qu'avait eue cette Marie dans l'histoire du pays. J'en fus saisi d'émotion, de cette émotion d'avoir presque touché des objets qui avaient été aussi cruciaux dans l'histoire de l'Écosse. Mon père, qui faisait des recherches en théologie, devait aimer les églises, puisque l'album était garni de photographies de vitraux. Par exemple, on voyait la cathédrale Saint-Giles et l'église Saint-Jean l'Évangéliste. Je passai rapidement là-dessus, puisque mon journal indiquait: « Les églises m'ennuient. Mon père est fasciné par elles. J'aimerais l'être autant que lui. Malheureusement, j'en suis incapable ». Des photos illustraient les *Princes Street Gardens*. Beaucoup de verdure et de fleurs, et des jeunes étendus par terre. Et moi qui dégustais une crème glacée. C'était le seul souvenir que j'avais de ce parc.

J'arrêtai de lire à la page vingt-quatre de mon carnet. Je ne terminai pas l'album. Je savais maintenant pourquoi j'avais oublié la tristesse d'avoir perdu mon père : elle était simplement disparue et attendait de renaître lorsque je lui ferais signe. Ce signe, il était très simple. Il me suffisait d'ouvrir l'enveloppe contenant mon journal de bord et de contempler les photos d'Édimbourg. C'était assez pour me faire remonter à la gorge l'immense tristesse d'être sans père. Je sortis immédiatement de mon appartement pour aller marcher un peu et me rendis au mont Royal. J'y passai le reste de la soirée à me saturer d'images saugrenues qui pourraient dégager mon esprit de ce qu'il venait de toucher, sans savoir sur quoi il avait mis la main.

***

11 juillet 2002, à mon bureau, 11 h 30

Ce matin-là, j'avais parlé affaires au téléphone avec Jarmila. La dernière fois que cela était arrivé, c'était à Prague. J'aimais l'entendre discuter d'opportunités, de créneaux, de stratégie et de contrats à l'étranger. C'était de la vraie musique pour mes oreilles. En même temps, je gardais les deux pieds sur terre. Je ne sabre jamais le champagne avant d'avoir signé un accord. Mon réalisme ne m'empêche pourtant pas de jouir de la vie et d'espérer en un avenir meilleur. Mais il me ramène toujours aux enjeux véritables et aux perspectives qui pourraient se concrétiser. Aussi, je jouissais davantage de cet appel téléphonique parce qu'il me permettait de parler à ma douce, plutôt que d'élaborer des projets qui avaient peu de chances de se réaliser. Tout de même, Jarmila semait en moi des espoirs que les contrats de coentreprise se multiplient en République tchèque. L'expérience avec Karlova inc. avait déjà commencé à faire jaser à Prague, et d'autres entreprises avaient contacté Jarmila pour lui manifester leur intérêt à suivre le chemin tracé par cette grande société.

Helena m'avait parlé de sessions de formation données par l'*Institute of Directors*, à Londres. La première portait sur les pratiques d'affaires en République Tchèque. Vraiment, les hasards sont curieux... La seconde s'adressait aux dirigeants et traiterait des questions de leadership «charismatique». Je trouvais curieux un tel mélange de notions, mais me doutais qu'une telle jonction de concepts devait donner lieu à quelque chose de passablement avant-gardiste et innovateur. La troisième session s'intéressait aux leaders féminins et à ce qui caractérise le style de management et de leadership dont font preuve les femmes. Chaque cours coûtait 350 livres anglaises, une somme très raisonnable, finalement. Helena semblait tenir à ce que je participe à l'une ou l'autre de ces sessions. Elle n'y avait aucun intérêt personnel, à ma connaissance. Peut-être croyait-elle, comme elle le soutenait, que ces activités me permettraient d'acquérir de nouvelles habiletés très pertinentes dans les affaires internationales.

Helena paraissait tellement vouloir que j'y aille qu'elle me résuma, en ces mots, ce qu'était l'*Institute of*

Directors: «Créé par charte royale en 1903, il comporte plus de 50 000 membres, qui vont des plus grandes entreprises cotées en bourse aux plus petites compagnies privées. L'*Institute of Directors* est aussi illustre pour son immeuble extrêmement élégant. L'édifice a été construit sur le site même de la résidence londonienne du prince de Galles, avant qu'il ne devienne George IV, en 1820». J'étais impressionné par la précision des renseignements. Cela me démontrait surtout l'importance qu'elle attribuait à ces activités de formation. Je la remerciai de tout cœur, non sans voir sur son visage une déception, probablement due au fait que je ne lui confirmais pas illico que j'allais participer à ces sessions qui commençaient dans deux semaines.

Je regardai la description des activités et me dis que celle qui traitait des pratiques d'affaires en République tchèque pourrait effectivement m'être très utile, surtout si l'intuition de Jarmila à l'effet que les contrats pourraient se multiplier dans un avenir prochain était fondée. Je rappelai Jarmila et fus si heureux d'entendre sa douce voix que j'oubliai, l'espace d'un instant, le motif de mon appel. Lorsque je lui eus exposé la formation donnée à Londres, elle m'encouragea fortement à y participer, tout en soulignant qu'il lui serait impossible de m'y accompagner. À deux ou trois reprises au cours de notre conversation, elle insista pour que j'y participe, en m'expliquant combien les subtilités culturelles constituent ce qu'il y a de plus important dans la négociation de contrats internationaux. Jarmila réussit aisément à me convaincre. D'entendre sa voix deux fois dans la même matinée me donnait un ardent goût de la serrer dans mes bras et de l'embrasser avec fougue. Mais nous devrions différer quelque peu nos effusions; nos affaires respectives nous prenaient tout notre temps.

J'appelai Alicia afin de vérifier si sa proposition de voyage en Écosse tenait toujours. Peut-être me serait-il possible de joindre l'utile à l'agréable et de rencontrer en même temps la petite-fille de Mary T. Nous prîmes l'arrangement suivant : je la rejoindrais à Édimbourg après mon séjour à Londres. L'activité de formation avait lieu les 29, 30 et 31 juillet. J'arriverais donc le 1er août à Édimbourg et n'y séjournerais que deux nuits. Alicia poursuivrait son voyage sans moi, car elle avait des gens à rencontrer dans le cadre de ses recherches généalogiques ; il s'agissait de quelques ancêtres écossais dont elle voulait retrouver les lieux de naissance. Je raccrochai en anticipant la joie de la retrouver en Écosse, une joie qui paraissait partagée, si je me fiais au timbre de sa voix. Je me suis dit : « Les gens changent très peu, c'est notre attitude envers eux qui nous fait croire à des modifications substantielles de leur tempérament ».

**

27 juillet 2002, aéroport Heathrow, Londres, 7 h 30

Le voyage avait été pénible en raison de quelques turbulences. J'avais été incapable de dormir. J'avais regardé les deux films présentés. L'un m'avait fait verser quelques larmes, puisque de l'action émanait une angoisse particulière qui caractérisait ma propre existence : celle de voir le temps nous filer entre les doigts. L'autre film avait tout de même réussi à me dérider un peu. J'arrivais donc à Londres assez fatigué et je n'aspirais qu'à une bonne nuit de sommeil.

Je pris un taxi pour me rendre à mon hôtel, le *Regent Palace*. Je n'eus pas le temps d'ouvrir le *Financial Times* que le chauffeur m'aborda. Croyant reconnaître mon accent, il s'informa de la situation économique du Québec et du Canada. Sans attendre la fin de ma réponse, il m'expliqua où en était l'économie britannique; il insista surtout sur la controverse où se trouvait l'Union européenne et sur la question de l'euro. Je n'aurais pas cru l'avoir stimulé à ce point. J'ai beaucoup apprécié le voir ainsi déblatérer sur différents sujets sociaux et économiques. J'imagine qu'il devait se sentir écouté, puisque, à aucun moment, il n'a senti qu'il était nécessaire de me laisser poser quelque question que ce soit. Je pris cela pour un compliment. Lorsque je payai en lui laissant un pourboire, il me révéla, avec une fierté manifeste, qu'il était Écossais. Il me semblait avoir des traits en commun avec les Québécois, par sa bonhomie et son sens de l'hospitalité.

L'hôtel me parut plus sobre que je ne l'avais imaginé. Mais je n'étais pas ici pour me délecter à la vue des décors de ma chambre, pensai-je. Je défis mes bagages et pris une longue douche vivifiante. Puis, appareil photo en mains, je partis visiter un peu. J'ai beaucoup marché. C'est ma façon de visiter. Je prends rarement des tours guidés. J'ai adoré la cathédrale de Westminster. J'y ai vu les restes enveloppés par les vêtements d'époque de John Southworth, prêtre et martyr, qui vécut au début du XVIIe siècle. Sur le feuillet qui présentait les différents éléments de la cathédrale, on pouvait lire au sujet du personnage: «Son âme est retournée à sa maison, au ciel, et son corps à sa maison dans la paroisse où il a vécu et travaillé». J'étais ému par un respect aussi profond envers le mort. Plus tard, je suis passé devant le Tower Bridge et l'ai trouvé moins beau que dans les films où on le mettait à l'honneur. Dans la journée, je pris le bateau qui faisait l'aller-retour au Westminster Bridge. J'avais tellement les pieds en compote que je n'aurais pas voulu faire un seul kilomètre de plus. Aussi, je voulus m'assurer que le bateau se rendait bien à l'endroit prévu. Le vieux matelot à la barbe grisonnante me répondit sans rire: «Le bateau accostera au Westminster Bridge, à moins qu'il n'ait sauté sous l'effet d'une bombe». Je reconnaissais là l'humour typiquement britannique. Je sais qu'aujourd'hui, ce même matelot ne se risquerait pas à faire ce genre de blagues, la situation politique ayant beaucoup changé depuis ce temps.

Je suis revenu à ma chambre, exténué, et suis allé dîner dans l'heure qui suivit. Pendant le repas, je consultai les documents touristiques que j'avais apportés. Le programme des visites comprendrait le parc St. James, le parlement et l'abbaye de Westminster. J'étais heureux d'être à Londres. C'est une ville où il ferait certainement bon vivre. Mais je ne suis pas certain que je pourrais m'y habituer en peu de temps. La culture britannique a beau être à la racine de la majorité de nos pratiques, valeurs et coutumes québécoises, nous avons beau être beaucoup plus britanniques que français, mise à part la langue, cela ne nous rend pas aisé de vivre jour après jour avec des Britanniques. Pourtant, tout ce que nous avons en commun avec eux nous rapproche énormément et nous fascine, comme Québécois, lorsque nous visitons l'Angleterre et que nous demeurons ouverts à comparer leur culture à la nôtre.

Je regagnai ma chambre, peu après le dîner. Mon lit m'attendait; peu confortable, mais tout de même accueillant. Les murs étaient si peu insonorisés que j'entendais une série de bruits différents se mélanger en cacophonie: téléviseur dont le volume devait être trop élevé, ébats amoureux pas très loin, échanges verbaux vigoureux, bruit d'une douche. J'essayai de les oublier et me concentrai sur le visage de Jarmila. La paix me vint inévitablement. Je ne voyais que son sourire, que ses yeux magnifiques, que ses cheveux ondulés. Je m'endormis en sa présence, une présence plus désirée qu'à n'importe quel autre moment depuis que nous avions fait connaissance.

***

*29 juillet 2002, à l'*Institute of Directors*, Londres, 9 h*

Dès que j'ai mis le pied dans la bâtisse de l'*Institute of Directors*, j'ai été littéralement conquis. C'est un endroit merveilleux en soi, et surtout un excellent choix pour offrir de la formation aux leaders d'affaires de par le monde. J'avais décidé de m'inscrire aux trois sessions dont Helena m'avait parlé. Aujourd'hui se donnait celle qui avait pour moi le plus d'intérêt, celle qui portait sur les affaires en République tchèque. À voir l'assistance nombreuse qui participait à cette activité, je savais que j'aurais de multiples opportunités de rencontres. Mais, par expérience, j'étais conscient qu'un mince pourcentage de ces échanges serait fructueux en termes de projets conjoints dans un avenir plus ou moins immédiat. La vie est ainsi faite. On ne sait trop pourquoi certaines opportunités naissent et disparaissent l'instant d'après, tandis que d'autres paraissent extrêmement conditionnées par de multiples facteurs que nous ne contrôlons pas et aboutissent tout de même en un temps record à des conventions signées.

La formation commença par une conférence en plénière. Elle était donnée par Stanislav Hasek, un homme d'affaires très influent en République tchèque et qui expliqua comment son succès avait été rendu possible. J'étais bien heureux de l'entendre parler de ses intuitions heureuses, de ses coups de chance, de sa vision à long terme, de sa perspective d'entrepreneurship. Mais, en fait, je n'étais pas venu ici pour écouter quelqu'un qui s'encense lui-même devant une foule qui ne lui est pas gagnée d'avance. La suite serait plus intéressante. Nous étions divisés en ateliers. J'avais choisi celui centré sur le thème : *Pratiques culturelles et questions juridiques*. J'avais à mes côtés des Roumains, des Polonais, des Russes, des Italiens et des Allemands. Durant la pause-café, j'ai échangé avec deux Tchèques. L'un, Joseph Klima, œuvrait dans la restauration, tandis que l'autre, Vladislav Capek, était dans l'hôtellerie. En discutant avec Vladislav, je compris que l'arrivée des Occidentaux dans leur pays commençait à changer la donne au plan économique. Le tourisme en particulier était en forte croissance. Mais les touristes ne font pas qu'apporter leur argent. Vladislav me confia que, selon lui, la République tchèque était maintenant à un carrefour et que ses dirigeants devraient être prudents quant à la manière dont ils prendraient leurs décisions stratégiques, au plan économique et politique. Car autant, disait-il, il n'y avait pas de retour en arrière possible dans le giron soviétique, autant la fuite en avant pourrait être périlleuse. Jusqu'à maintenant, Vladislav était optimiste, mais il fallait garder l'œil ouvert, être vigilant. Car, concluait-il, certains changements s'insèrent subrepticement dans une culture et en viennent à miner ses fondations. Vladislav était fier de sa culture tchèque et il ne voulait pas qu'elle soit donnée en pâture aux étrangers en mal de patrie.

Joseph Klima était beaucoup plus drastique dans sa critique des Occidentaux qui envahissaient peu à peu son pays. Bien qu'il admît les avantages d'une telle ouverture sur le monde, il craignait surtout certaines dérives qui menaçaient de se répandre en République tchèque. Il donnait en exemple de nombreux producteurs de matériel pornographique qui recrutaient de jeunes actrices à Prague et qui en profitaient pour y filmer plusieurs séquences. Il en était très choqué, scandalisé. Je voyais, dans sa réaction, en me fiant sur les mots qu'il utilisait, que cela contredisait ses principes moraux et surtout ses valeurs religieuses. Je le respectais totalement de ce point de vue. Mais je lui fis remarquer, et c'était sans doute malhabile de ma part, que l'ouverture au monde capitaliste ne comporte pas que des avantages. Si c'était le cas, cela équivaudrait à affirmer que le système capitaliste actuel est parfait, idéal. On voit bien que ce n'est pas le cas du tout. Ses imperfections crèvent les yeux de n'importe quel observateur le moindrement informé. Joseph m'avait répondu en utilisant un tout autre registre: pour lui, l'enjeu n'était pas économique, mais purement moral, et donc religieux. Je ne me sentais pas habilité à discuter de religion, pas même de moralité. Qui étais-je pour lui enseigner quoi que ce soit sur le développement moral et social de son pays? La séance recommença, ce qui m'évita d'avoir à avouer mon ignorance sur le sujet.

Le reste de la matinée fut tout à fait fascinant. Il a été question des pratiques culturelles et religieuses durant les périodes présoviétique, soviétique et postcommuniste. Je prenais beaucoup de notes; elles constitueraient un aide-mémoire à utiliser dans les situations où règne l'incompréhension. Au dîner, Joseph m'accosta pour m'inviter à sa table. J'avais peur qu'il ne m'amène dans un groupe d'hommes d'affaires au conservatisme religieux particulièrement étouffant. Je découvris, par bonheur, que ce n'était pas le cas. J'étais assis entre Jaroslav Gross et Ivan Skvorecky. Il s'agissait de deux bons vivants qui aimaient la bonne chère, les amis et l'alcool. Ivan était particulièrement drôle. Il avait une manière toute simple de refléter la réalité sous des aspects que jamais nous n'avions remarqués. Un talent unique pour nous raconter la vie quotidienne, celle qui nous harasse, celle que nous supportons, celle dont nous jouissons, celle qui nous manque. Le dîner se déroula ainsi dans une harmonie inattendue, celle qui surgit spontanément entre des étrangers qui ont eu la chance de tomber sur des êtres qui leur ressemblaient. Les hasards sont ainsi. Vous arrivez dans une salle où vous ne connaissez personne. Les tables sont déjà bien remplies. Il reste encore des places libres. Où allez-vous vous asseoir? Votre intuition vous guide, et à chaque moment où vous regardez les gens assis à une table, elle entre en jeu. Souvent, cela donne de mauvais résultats. Mais il arrive, comme ce fut le cas ce jour-là, que vous tirez le billet gagnant. Pourquoi, dans certains cas, votre intuition est-elle faussée, inadéquate, alors que dans d'autres situations elle voit juste? Mon expérience me dit que personne n'en a aucune idée.

Le repas fut donc agrémenté de blagues et de récits alignés les uns à la suite des autres par le talent d'Ivan. Quand Vladislav y allait de quelque remarque sérieuse, cela stimulait l'imagination débordante d'Ivan et nous avions droit à un autre éclat de rire par lui provoqué. À la fin du repas, Vladislav, en me donnant la main, me demanda si je faisais quelque chose dans la soirée, question d'en profiter pour prendre un peu de plaisir à Londres. Je lui répondis que j'aurais bien aimé voir *Le Fantôme de l'Opéra*, mais que j'étais malheureusement quelques années en retard. Le théâtre eut l'air d'impressionner mon interlocuteur. Il paraissait fasciné par ce monde, si je me fie aux quelques mots qu'il me dit ensuite à ce sujet. Il me demanda le nom de mon hôtel, me promettant de me rappeler pour me suggérer une sortie, si cela me convenait.

Nous sommes partis chacun de notre côté. La journée de formation s'est terminée en beauté. J'étais pleinement satisfait de ce que je venais d'apprendre. Je ne pensais pas que l'histoire d'un pays comme la République tchèque pouvait influencer autant la manière d'y faire des affaires. Pour des raisons obscures, on sous-estime dans certains cas le pouvoir exercé par l'histoire collective d'un pays, tandis que pour d'autres nations, on a tendance à le surestimer.

Ivan et Vladislav sont venus me chercher à l'hôtel à vingt et une heures. Nous sommes allés dans deux bars situés dans le quartier Picadilly Circus. En les voyant boire tout cet alcool en un rien de temps, je compris que je n'avais pas la même définition qu'eux de ce que c'est que de boire avec plaisir. Mais comme Ivan était vraiment de plus en plus drôle, l'alcool aidant, je n'en fis pas de cas. Tant que l'alcool ne provoque pas de comportements déplacés, dangereux ou violents, pour moi, il demeure tout à fait acceptable d'en prendre en bonne quantité. En me faisant cette réflexion dans ma tête, je me suis demandé si je ne me laissais pas déterminer par un argument culturel. Peut-être le fait que Vladislav et Ivan avaient bu avec facilité et en un temps record avait-il été interprété par mon esprit comme faisant partie de leur culture nationale, de sorte que je leur démontrais une plus grande indulgence que s'ils avaient été Canadiens. Je me souviens qu'à une soirée de remise de méritas qui avait été organisée par une association de gens d'affaires asiatiques, j'avais été surpris de découvrir que les plaques dorées qui avaient été octroyées étaient données à des personnes qui ne me paraissaient avoir rien fait pour les mériter. J'avais attribué cela à l'influence de la culture japonaise, au respect absolu de l'autorité et tout le tralala. Mais j'aurais été scandalisé que cela arrive dans une association canadienne. Nous changeons notre regard sur les autres cultures à partir de ce que nous saisissons comme en faisant partie, mais uniquement si, pour des raisons peut-être inconscientes la plupart du temps, nous tolérons le principe sur lequel les pratiques en question sont fondées.

À la sortie du deuxième bar, Vladislav et Ivan échangèrent quelques mots, et je vis le regard de l'un s'assombrir de déception devant la décision de l'autre. Vladislav rentrait à son hôtel et Ivan me proposait de continuer un peu. Je voyais que Vladislav ne partageait pas tous les goûts d'Ivan et la manière dont il me salua ne faisait que me le confirmer. Mais j'avoue que j'aimais la compagnie d'Ivan, de sorte que nous sommes allés dans un troisième bar, celui-là distinct des deux précédents. Les serveuses étaient très courtement vêtues. Je me rappellerai toujours celle qui est venue prendre notre commande. Elle avait des souliers roses vernis à talons aiguilles; ses jambes étaient creusées par le temps, autant les mollets que les cuisses. Elle devait approcher le milieu de la quarantaine, si elle n'était pas plus âgée. Probablement Libanaise, ou Égyptienne. Elle paraissait mal à l'aise dans sa jupe très courte et moulante : je pouvais voir ses mains la réajuster à toutes les quinze ou vingt secondes. Ses cheveux blonds étaient teints et coiffés à la manière de Dalida. Son visage était parsemé de minuscules rides, son corps était bronzé par un usage excessif des salons spécialisés et sa poitrine était protubérante. Sa voix, par contre, était fascinante. Une grande douceur naturelle, beaucoup de politesse, un brin de distinction qu'on n'aurait pas cru possible dans ce genre d'établissement. Quelque part en moi, je ressentais de la tristesse et de la compassion pour elle. J'étais triste qu'elle doive en venir là pour survivre. Je compatissais à la souffrance qui devait l'affliger. Plus tard dans la soirée, je m'aperçus qu'elle dansait magnifiquement. Je suis rentré à l'hôtel tout de suite après sa prestation, car je n'aurais pu soutenir son regard par la suite. Au-delà du caractère esthétique de sa danse, il y avait une détresse si grande qu'elle m'insufflait une angoisse insupportable. Chacun de nous a une sensibilité différente à l'horreur vécue par les autres. Dans certains cas, nous ne la percevons que dans ses manifestations les plus évidentes. Dans d'autres situations, nous perçons le cœur des autres pour y découvrir une vulnérabilité qui n'apparaîtrait pas au regard du plus grand nombre.

$$***$$

1er août 2002, à l'aéroport d'Édimbourg, 10 h 20

Les deux derniers jours de formation avaient été d'un intérêt inégal. En fait, la pertinence de la formation sur le leadership charismatique me parut mitigée. Les formateurs nous révélaient des choses essentielles sur le leadership et le charisme des leaders, mais on aurait dit qu'ils manquaient de talent pour la communication. Les exemples qui étaient donnés paraissaient presque des clichés. Il en alla différemment de la formation sur le style de management utilisé par les femmes. Il s'agissait d'une rétrospective extrêmement bien faite sur les différents styles de gestion démontrés par les femmes depuis les années 1960, et ce, sur les cinq continents, en prenant en considération les facteurs sociaux, culturels, économiques, politiques et religieux. J'ai rencontré là une femme d'affaires russe qui travaillait pour Gazprom. Une certaine Ivana Nikitine, sans aucun lien de parenté avec ce Vladimir que j'aurais aimé rencontrer à Moscou. Une femme d'affaires déterminée. Je n'ai malheureusement pas eu l'occasion de discuter bien longtemps avec elle, car ses consœurs l'assaillaient de questions. Elle devait être plus connue que je ne le pensais, ou bien le fait que j'étais un homme jouait-il en ma défaveur quant à l'intérêt qu'elle me portait.

J'arrivais ainsi ce jour-là à Édimbourg après une bonne formation reçue à l'*Institute of Directors*, mais le manque de sommeil commençait à faire effet sur moi. Dès que j'eus pris ma valise et traversé les douanes, j'appelai Alicia à son hôtel. Nous avons convenu de nous retrouver à Greyfriars Kirk. C'était un endroit qu'Alicia affectionnait particulièrement. Je n'ai guère été impressionné par les lieux. Il semblait y avoir des Écossais renommés qui y étaient enterrés. Ce qui me frappait, c'était plutôt de voir que le cimetière était si près des maisons que j'avais l'impression que les monuments funéraires étaient en continuité directe avec les habitations. Nous avons beaucoup marché et discuté d'histoires familiales, certaines sordides, d'autres touchantes. À un moment particulièrement torride de l'après-midi, nous sommes arrivés dans le Malvin's Wynd, un quartier d'Édimbourg qui date de 1537. Nous avons même pu voir des ruines datant de cette époque à l'intérieur de l'église Christ's Kirch qui fut terminée en 1663. L'église est devenue un centre pour touristes et l'on y vend plein de choses, un mélange d'artisanat et de bricoles. J'y ai même vu l'un des romans de Ian Fleming, un James Bond. Comme nous avions rendez-vous à dix-neuf heures chez la petite-fille de Mary T., nous décidâmes de revenir chacun à notre hôtel pour un brin de toilette. La douche a été chaude et salutaire. Je commençais à ressentir fortement le décalage horaire. Sous la douche, je n'arrêtais pas de penser à grand-mère et à Mary T., à ce Peter Osgoode également. Qu'est-ce que la petite-fille de Mary T. pourrait bien m'apprendre de si important? Je laissai cette question de côté, convaincu qu'en peu de temps je serais fixé.

En arrivant devant la maison qui avait appartenu à Mary T., selon Alicia, je fus pris de ces émotions qui surgissent en nous quand le passé, celui qu'on aurait aimé connaître auparavant, refait surface. Alicia m'expliqua qu'elle n'avait aucune idée de ce qui nous serait révélé. Le jeu en vaudrait-il la chandelle? Elle ne pouvait rien garantir. Elle conclut son commentaire en me disant qu'au moins, nous aurions eu la chance de visiter Édimbourg. Après, un seul son de carillon, la petite-fille de Mary T. vint répondre, avec une amabilité hors du commun. Elle nous offrit immédiatement de passer au salon et nous demanda si nous prendrions du thé ou du café. «Café, s'il vous plaît», dis-je spontanément en pensant qu'il me ferait le plus grand bien. Deux assiettes de biscuits nous attendaient. Une fois que les présentations d'usage et échanges préliminaires habituels eurent pris fin, le sujet qui nous réunissait fut abordé directement, sans autre détour.

— Vous devez bien vous demander quelles relations avaient ce Peter Osgoode, ma grand-mère Mary et votre grand-mère Lydia? Eh bien, Alicia, vous m'avez résumé ce que vous en saviez. Je dois avouer que j'en ai appris beaucoup. Il y a des choses du passé qui nous échappent, ou que même nos grands-parents ne désirent pas laisser savoir à leurs enfants ou à leurs petits-enfants.

— Vous avez entièrement raison, si je me fie à ce que je connaissais de ma grand-mère avant sa mort, avouai-je.

—Certaines personnes pensent tout connaître de leurs parents ou de leurs grands-parents, simplement parce qu'elles entretiennent avec eux des relations harmonieuses. Mais, cela ne donne aucunement la garantie que vous aurez accès à ce qu'a été leur vie.

—Aucunement. D'où le plaisir, pour ceux qui font des recherches généalogiques, de parvenir à faire renaître ce passé, précisa Alicia.

—S'il n'y avait pas de ces gens qui se dévouent corps et âme pour que le passé familial ne soit pas perdu, notre avenir n'aurait pas beaucoup de sens. Nous n'avons pas d'avenir sensé si nous avons oublié d'où nous venons.

Je saluais la sagesse de ce petit être frêle, dont les os paraissaient si fragiles qu'ils auraient pu se casser uniquement en frôlant un meuble. Mais la vie est bien plus forte que ce que le corps renvoie comme image. L'esprit la rend plus dynamique et plus déterminée qu'on ne le croit habituellement.

—Ma grand-mère Mary voulait... Au fait, vous l'appelez Mary T. parce qu'elle n'aurait pas voulu prendre le nom de son mari, John Torrance. Mais elle m'a déjà révélé qu'elle avait une autre motivation, celle-là plus secrète. Elle admirait Flora Tristan pour son dévouement envers la cause de la libération féministe. Le T. référait aussi à Tristan, c'était une manière de lui rendre hommage. Maintenant, venons-en aux choses plus personnelles. Je vous apprendrai tout d'abord que ma grand-mère Mary a été l'amante de Peter Osgoode. Mon grand-père l'a su dès le début. Ils en avaient même parlé ouvertement l'un avec l'autre. Cela peut vous paraître surréaliste, mais mon grand-père avait accepté la situation. En retour, il se permettait, bien sûr, quelques aventures. L'entente qu'ils avaient prise était à l'effet de toujours raconter à l'autre ce qu'ils avaient vécu, physiquement et mentalement, avec l'amant de fins de semaine. Il n'y avait pas là de voyeurisme. Ils n'allaient pas dans les détails. Non, l'important était, disait ma grand-mère Mary, de communiquer constamment, afin de comprendre comment l'autre évoluait. S'il n'y avait pas eu ce genre de discussions bien sincères sur leurs aventures amoureuses respectives, autant ma grand-mère que mon grand-père se serait senti trahi par l'autre. En parler les unissait davantage, de jour en jour. C'est du moins ce que ma grand-mère m'a raconté peu de temps avant de mourir. Ils avaient un endroit privilégié pour discuter de ces choses, le cimetière de l'église St. Cuthbert. Je vous encourage fortement à y jeter un coup d'œil, avant de quitter Édimbourg.

— Et ma grand-mère Lydia, qu'est-ce qui...

— J'y arrive. Vous savez qu'elle a séjourné à Paris en 1957 et qu'elle y a rencontré le poète Ginsberg. Vous avez vu la photo où on peut très bien reconnaître ma grand-mère et mon grand-père, ainsi que Peter Osgoode. Ce séjour à Paris fut très important pour votre grand-mère. Elle ne l'a probablement jamais oublié. Il faut vous dire qu'ils sont tombés follement amoureux l'un de l'autre.

— Qui? demandai-je intrigué.

— Ma grand-mère et Peter Osgoode, bien sûr. Mon grand-père s'en est aperçu, mais il a tout de suite vu qu'il ne s'agissait pas d'un amant comme les autres. L'amour que portait ma grand-mère à Osgoode était puissant et imposait sa présence de tout son poids. Mais il n'était pas réciproque. Osgoode n'avait d'yeux que pour votre grand-mère. Aussi, ma grand-mère a-t-elle compris qu'elle ne pourrait aller bien loin dans une relation avec Peter Osgoode. Elle a laissé la voie libre à votre grand-mère. Et là, ce fut vraiment le coup de foudre. Ma grand-mère me raconta avoir eu une grande satisfaction à la voir si heureuse et comblée. Peut-être en était-elle jalouse, je ne pourrais vous le dire. Mais ça ne l'a pas laissée indifférente. Votre grand-mère fut torturée intérieurement. Elle sentait que tout son être était enflammé en présence de Osgoode, mais elle ne pouvait pas songer à l'épouser. C'était impossible, vous en conviendrez.

— Oui, je le crois. Mais sur la photo que l'on peut voir dans cet hôtel de Paris...

— Justement, sur cette photo, si vous avez bien regardé le visage de votre grand-mère, vous avez dû remarquer une forte dose d'amertume. C'est que cette photo a été prise le jour précédant son retour au Canada. Elle avait pris sa décision, mais le seul fait de se voir immortalisée sur cette photo l'angoissait terriblement. Elle y apparaissait avec celui qu'elle croyait être l'homme de sa vie, celui qu'elle ne rencontrerait jamais plus.

— Mais Peter Osgoode a bien essayé de la revoir. J'ai deux cartes postales qui montrent bien qu'il était attaché à elle.

— Il a fait tous les efforts humainement possibles. En vain. Elle a refusé catégoriquement. Votre grand-mère avait pris sa décision et ne reviendrait pas là-dessus. Un jour, il en a pris son parti et s'est marié. Il a eu deux enfants et a vécu amer tout le reste de sa vie, m'a confié ma grand-mère qui était restée en relation épistolaire avec lui. Mon grand-père ne s'est pas opposé à ce genre de relation.

Alicia et moi avons jasé avec elle plus d'une heure encore. J'étais impressionné par ce petit bout de femme extrêmement dynamique, enjouée et géné-reuse. Elle devait certainement retenir beaucoup de sa grand-mère Mary, si je me fiais à ce que j'avais appris sur elle depuis la mort de grand-mère. Elle nous parlait sur un ton si amical qu'on aurait cru la connaître depuis belle lurette. Quand nous nous sommes quittés, elle parut émue. Pourtant, nous n'avions été là que deux heures. Ce n'est pas le temps passé avec une personne qui la rend significative, mais plutôt ce que cette personne représente pour nous. Par mon seul nom de famille, par le seul fait d'être le petit-fils de Lydia, j'étais certes un rappel de son passé, un passé qui devait la secouer de l'intérieur. La séparation me fut d'autant plus émouvante que je me rendis compte combien notre hôtesse était troublée de nous voir partir. Mais il y a de ces départs que rien ne peut empêcher.

J'ai marché avec Alicia un kilomètre ou deux en direction de son hôtel. Nous avons fait le point sur tout ce que nous venions de découvrir. Le lendemain serait une journée de visite d'Édimbourg, pour moi. Car Alicia avait des rencontres déjà fixées, dans le contexte de ses recherches généalogiques. Je la remerciai du fond du cœur de tout ce qu'elle avait fait pour moi. Nous eûmes une étreinte que je n'aurais pas crue possible auparavant. Notre perception des autres peut changer. Si cela arrive, alors bien des choses qu'on s'était empêché de faire se retrouvent à portée de la main. Ma relation avec Alicia en était un bel exemple.

Je passai la soirée entière à me faire des scénarios sur ce qu'avait pu être cette rencontre amoureuse entre grand-mère et Osgoode. J'étais certainement à cent lieues de la réalité. Et pourtant je prenais plaisir à reconstituer ce passé auquel je n'avais pas accès, comme si mon imaginaire ne pouvait accepter de laisser les derniers cinquante ans errer, sans repères qui soient miens.

***

3 août 2002, Édimbourg, 11 h

Je suis allé à l'église St. Cuthbert, comme me l'avait recommandé Julia Meredith-Torrance. L'église n'avait rien de très impressionnant. Une construction commencée en 1789, mais en partie refaite en 1894. Il semble que, sur le site ou tout près, les églises se soient succédées pendant treize siècles. La première a été fondée par saint Cuthbert, qui a vécu de 634 à 687. Cet homme a été moine, puis soldat, et enfin évêque de Lindisfarne, une île de la côte nord-est de l'Angleterre. Ces quelques détails historiques m'attiraient davantage que l'architecture de l'église qui était, somme toute, ordinaire. À l'intérieur, j'écoutai un concert donné par le St. Andrews University Madrigal Group. C'était vraiment très beau. Quant au cimetière, c'était une tout autre histoire, au plan esthétique. De vieilles tombes noircies et remplies de mousses verdâtres. L'atmosphère était mystérieuse. On aurait dit que la présence des morts y était palpable. Les familles ont pris le soin d'inscrire une foule de détails sur les pierres tombales dont certaines remontent aux années 1730. Sur certaines, on précisait la distance à laquelle se trouvait le corps. Ainsi, sur l'une d'entre elles, je pus lire : « Le corps gît à 138 pieds au sud-est de cette pierre. » Il y avait également de véritables pièces funéraires. Sur le mur d'une de ces pièces, je vis l'inscription suivante : « Dans l'espoir de la résurrection, est mort... ». Le mot était entouré de deux têtes de morts, avec chacune deux mots latins : « en mémoire de la vie » à gauche et « une mort temporaire » à droite. Cette visite au cimetière était étonnante pour moi. Je savais que Mary T. y avait marché avec John Torrance. Mais surtout, je savais maintenant le rôle qu'avait joué Mary T. dans la vie de grand-mère. Le fait de suivre ses pas ici au cimetière de l'église St. Cuthbert prenait une importance particulièrement symbolique. Lorsque je remontai les marches qui donnaient sur Princes Street, j'eus l'impression que le cimetière était le ciel, le calme béat, et que la rue, avec son brouhaha quotidien, constituait la terre des humains. Une expérience époustouflante.

Alors que je marchais sans direction précise, j'entendis le son de la cornemuse et me détournai. Un homme en kilt vert et blanc jouait fièrement de son instrument et entamait des pièces traditionnelles qui devaient avoir pour effet de mousser l'esprit nationaliste des Écossais. Au fond de moi, je me sentais épris de cette musique envoûtante. Je devais avoir du sang écossais, un lien de parenté créé peut-être plusieurs centaines d'années auparavant et qui réapparaissait dans mes veines et traversait tout mon être. On n'a pas idée comment les racines ancestrales se transmettent. On croit être né dans une famille et tenir d'elle seule tout ce que l'on est. Et puis, au détour de notre vie, des sons, des odeurs, des mots nous rappellent que nous sommes faits également d'une autre étoffe. Pour ma part, j'avais l'Écosse en moi. La musique traditionnelle de ce coin de pays m'avait toujours fasciné. Mais, plus que tout, je retrouvais un esprit collectif qui me rejoignait profondément. Ce n'était pas un, deux, mille Écossais qui me touchaient, mais le peuple écossais en entier qui me jetait en plein visage une partie de ce que je suis qui m'avait toujours échappé, ou dont la compréhension m'avait été rendue jusqu'ici impossible. En visitant Édimbourg, je vis un mariage écossais; en fait, il s'agissait plutôt de la réception de noces. Tous les jeunes étaient en kilt vert forêt et bas blanc. C'était merveilleux. Encore une fois, j'eus cette impression forte de faire partie de ce peuple, du moins mentalement, la conviction profonde d'une parenté presque spirituelle entre l'esprit du peuple écossais et mon âme. Je restai figé quelques instants par la beauté de ces jeunes, leur fierté et leur désinvolture. J'avais la curieuse impression d'avoir fait partie de ce peuple dans une autre vie. Mais, comme je ne crois pas en la réincarnation, j'ai vite évacué cette idée de ma tête et me suis remis à marcher.

Les rues d'Édimbourg m'ont ensuite emmené à la cathédrale St. Mary, que je trouvai grandiose de l'extérieur. Par contre, l'intérieur n'est pas parvenu à me couper le souffle. Cependant, j'y ai vu différentes affiches sur l'ordination des femmes, dont celle des *Catholic Women for Ordination.* Je me suis alors dit que s'il y avait ce genre de militantisme féministe catholique à Édimbourg, la ville avait dû être un milieu assez stimulant pour Mary T., qui tentait de suivre les traces laissées par Flora Tristan, mais de manière bien humble, à la mesure de ses moyens et talents. On ne pouvait pas concevoir des revendications de ce genre en 2002, sans qu'elles aient été précédées d'histoires rocambolesques où les femmes ont dû se battre pour être reconnues comme femmes et êtres humains à part entière. Au moins, on acceptait de discuter de changements dans l'Église, même si les réformes souhaitées auraient pour effet de la changer à tout jamais. Je supposais deux possibilités : ou bien Mary T. avait évolué dans un milieu où on essayait déjà de réformer l'Église afin de faire plus de place aux femmes, ou bien elle avait tenté elle-même, avec quelques compagnes, d'atteindre cet objectif.

Ma dernière visite fut celle de la Galerie d'art nationale d'Écosse. Il y avait de belles œuvres, mais aucune ne m'accrochait. L'émotion esthétique n'y était pas du tout. En sortant, je pensai que le contraste était fort entre l'émotion quasi spirituelle ressentie au cimetière de l'église St. Cuthbert et l'absence d'émotion esthétique dans cette galerie d'art nationale. Le beau n'est pas toujours là où on le cherche. La rencontre que j'avais eue avec la petite-fille de Mary T. me paraissait beaucoup plus belle que toutes les toiles que je venais de voir. Le cimetière où Mary T. allait discuter avec son mari avait également fait sur moi une impression durable, à cause de ce qu'il symbolisait dans le passé qui était lié à l'histoire de ma grand-mère. Qui eût pu penser qu'un cimetière aurait cet effet? Ce n'est pas le lieu, mais ce que je plaçais mentalement en lui qui importait.

***

6 août 2002, au parc Lafontaine, Montréal, 18 h 45

J'arrivai quinze minutes avant l'heure de mon rendez-vous avec Jarmila. J'avais atterri à Montréal le soir précédent, à peu près à la même heure. Je ressentais encore la fatigue de ce voyage, mais également la satisfaction pour tout ce qu'il m'avait procuré. J'attendais Jarmila assis sur un banc, tout près de la statue de celui à qui on avait dédié ce parc. Mes yeux se fermaient par intermittence sans que je puisse ni les en empêcher ni même prévoir leur mouvement. Je vis Jarmila qui venait vers moi. Plus de cent mètres nous séparaient l'un de l'autre. J'admirais sa démarche, le regard qu'elle portait sur ce qui l'entourait, le sourire qu'elle rendait à l'occasion à des passants. Je me levai avant qu'elle ne me reconnaisse, de sorte que je pus voir ses pas s'accélérer et son sourire s'épanouir dès qu'elle m'aperçut. Quand nous nous sommes embrassés, tout mon être frémit. «Jarmila, je t'ai dans la peau. Je ne peux pas me passer de toi. En ta présence, tout m'est agréable, tout est merveilleux», me disais-je. Jarmila était plus chaleureuse, plus aimante que lorsque nous nous étions quittés. Je me demandai ce qui avait changé en elle. Peut-être était-ce moi qui n'étais plus exactement le même, qui avais acquis mes titres de noblesse en ce qui concerne la maturité qu'une femme recherche chez un homme. Peut-être s'était-elle simplement rendu compte que j'étais l'homme de sa vie. Chacune de ces hypothèses me paraissait aussi plausible que les autres. Et pourtant, j'aurais été bien surpris si toutes s'étaient avérées exactes. Je n'ai jamais su la vérité, puisque je n'ai pas abordé la question avec elle. Il y a de ces choses que l'homme croit qu'il faut taire en présence de sa bien-aimée, de ces menus détails qui pourraient enlever toute spontanéité à l'expression de l'amour.

Je lui fis le résumé de mon voyage. Elle fut heureuse que j'aie pu profiter pleinement des excellentes sessions de formation données par l'*Institute of Directors*. Elle fut particulièrement amusée par ce que j'avais fait avec Vladislav et Ivan. Cela devait lui rappeler des souvenirs, j'imagine. Je lui fis part de ma rencontre avec Julia Meredith-Torrance et de ma visite de certains lieux à Édimbourg. Son visage s'assombrit.

— Ton âme est-elle en paix, maintenant? me demanda-t-elle.

— Pourquoi me poses-tu cette question?

— Simplement parce que ton esprit était troublé par ce passé familial. Tu ne paraissais pas pouvoir vivre sans avoir d'abord élucidé les mystères qu'il contenait.

— Vivre? Ce passé ne m'empêchait pas de dormir. Mais... tu as probablement raison. Ma curiosité n'était pas ordinaire. Il devait y avoir là quelque chose qui avait une grande signification pour moi.

— Tu ne sais pas ce dont il s'agit?

— Non, mais il est certain que l'événement déclencheur a été l'apparition de grand-mère dans mon rêve, la nuit même de sa mort. Justement, je dois te dire que mes rêves bizarres ont cessé. Je n'ai pas élucidé pour autant l'énigme. Je dirais donc que mon âme est en paix, mais qu'elle cherche encore le sens de ce qui l'anime certaines nuits où je découvre des choses qui m'étaient totalement inconnues. Jeanne II de Navarre, les personnages dans le *Second livre des Rois*, Mozart et Pie XI, ça commence à faire bien des hasards. Sur ces sujets, je suis encore en quête. Peut-être est-ce le lot de tous les vivants que d'entreprendre l'odyssée qui les mènera à la compréhension de tout ce qui leur arrive.

— Et moi, suis-je un mystère pour toi? me demanda-t-elle, avec un air si merveilleux qu'il vous déchire en deux.

Je pensai à la beauté métaphysique d'une telle question. L'autre est toujours un mystère; autrement, il ne serait qu'une autre version du moi. Ce genre d'idée m'envahissait. Malheureusement pour moi, les secondes passaient sans que j'aie émis aucun son, ce qui impatientait Jamila. La question me semblait véritablement piégée. Répondre par l'affirmative aurait signifié que je ne la comprenais pas. «Pourtant, je suis quelqu'un de si simple à saisir». C'eût été probablement ce qu'elle m'eût répondu. Mais si ma réponse devait être négative, j'aurais reflété ma prétention douteuse de la connaître entièrement. À sa place, je me serais offusqué d'un tel débordement de confiance en soi. Tenter d'éviter ces deux réponses eût été montrer que je n'avais pas de cœur, aucun sentiment durable pour elle, ce qui n'était évidemment pas le cas.

— Pourquoi as-tu tant de difficulté à répondre à cette question? Elle est pourtant très simple, non? me dit-elle.

— Pas très simple, non. Mais je dirais que tu m'émerveilles à chaque fois que j'entends ta voix, que je croise ton regard, que je te prends dans mes bras. Il y a, par ailleurs, des coins de toi que je ne comprends pas.

—Ah oui, lesquels? me demanda-t-elle, mi-inquiète mi-curieuse.

—Tu m'en donnes justement un bel exemple par ta question sur le mystère que tu constitues ou non pour moi. D'où procède cette interrogation? C'est un de ces lieux de ton être que je ne saisis pas encore.

—Il y a bien des chemins pour comprendre une femme. Si l'un ne fait pas l'affaire, empruntes-en un autre. C'est tout.

Une belle phrase que celle-là, mais qui n'avait aucun sens pour moi, du moins, aucun sens à portée de la main. J'avais l'impression qu'un gouffre séparait le féminin en elle et le mâle en moi.

—Dis-moi combien tu m'aimes, m'implorait-elle.

Quelle affirmation! Second piège à ours. C'était, en premier lieu, une remontrance. Si elle me demandait de lui quantifier mon amour, c'est que j'avais fait défaut de le lui révéler à temps. Elle n'aurait jamais dû avoir à quémander la mesure de mon amour. J'étais en faute. Voilà le point de départ. Tout ce que je pouvais lui manifester comme amour proviendrait donc de l'homme qu'elle aimait, mais qui avait été fautif, irrémédiablement fautif dans un passé récent où il aurait dû lui exprimer combien elle importait pour lui. Et pourtant, il fallait que je me lance, même en sachant que de toute manière, je n'en dirais jamais assez, puisque j'étais fautif de ne pas avoir parlé plus tôt.

—Je t'aime comme je n'ai encore jamais aimé. Tu es celle avec qui je voudrais passer toute ma vie, Jarmila. Je n'ai jamais vraiment cru aux coups de foudre, mais là, je suis convaincu que j'ai découvert en toi la femme avec qui je souhaitais marcher, voyager, jouir de la vie, et même... vieillir. Pour moi, tu es tout mon monde et plus encore...

— N'est-ce pas un peu lourd à porter? Tu ne trouves pas?

— Bien euh... c'est comme ça que je ressens...

— Je n'en demandais pas tant, même si cela fait plaisir à entendre. Je l'avoue.

Un silence s'installa, un de ces moments où, dans un couple, chacun se réapproprie ce qui lui revient, tout en laissant à l'autre ce qui est inhérent à sa personne. Le silence, on ne sait quand il prendra fin. C'est comme un canard qui a plongé. On ne sait ni quand ni comment il refera surface.

— Qu'est-ce qui va nous arriver, à partir de maintenant? me demanda-t-elle en me prenant dans ses bras l'espace d'un instant.

— Que veux-tu dire par arriver?

— Bien! Comment vois-tu l'avenir à partir d'aujourd'hui, notre avenir?

Je n'avais jamais réfléchi en termes d'avenir. Quand je disais vouloir vivre avec elle toute ma vie, c'était mon cœur qui parlait. Mais, concrètement, je n'avais élaboré aucun plan. Et dès qu'on parle d'avenir, c'est qu'il y a une planification à faire. Le cœur avait parlé, mais la raison semblait, en moi, incapable d'opérer normalement. J'ai trouvé cette distance plutôt curieuse, sans toutefois pouvoir saisir le motif de son existence.

— Peut-être n'y as-tu pas encore pensé, me dit-elle, l'air déçu. Je vais peut-être trop vite à ton goût. Je suis désolée.

— Non, ce n'est pas ça.

— Alors, qu'est-ce qui te dérange? dit-elle, le regard inquisiteur.

— Je veux toujours être avec toi, Jarmila. C'est ce

que je désire le plus au monde. Mais, je n'ai pas encore de plan précis pour...

— D'accord, j'ai compris.

Un nouveau silence, celui-là beaucoup plus écrasant que le précédent. J'aurais voulu ajouter quelque chose, mais chaque mot qui me venait en tête me paraissait si déplacé qu'il aurait pu provoquer l'ire de Jarmila. Nous sommes restés encore une heure ou deux au parc Lafontaine. Nous avons parlé de choses et d'autres, certaines banales, d'autres plus sérieuses, comme les enfants et ce que chacun de nous leur trouvions de beau ou de fascinant. J'avais l'impression que Jarmila avait oublié mes maladresses. Mais je m'aperçus que ce n'était en rien le cas.

Le malheur, c'est que, puisque les femmes voient tout et prévoient tout, elles espèrent tout. C'est là leur destin tragique. Bien qu'elles puissent décoder aisément les gestes et intentions des hommes et prévoir nombre d'événements, de projets ou de tâches à effectuer, de la séduction aux impératifs du monde matériel en passant par leur vie spirituelle, cette faculté de tout discerner avec précision, de tout prévoir avec une grande perspicacité ne leur vaut que torture, confrontée à la culture des hommes. Elles espèrent tout, en fonction de ce qu'elles ont vu et prévu. Le problème est que leur vision ou leurs prévisions font quelquefois défaut et qu'au lieu de reconnaître leur erreur d'interprétation, elles en viennent à renforcer la faute des autres, surtout quand elle est manifeste. Mais surtout, les femmes espèrent tant des hommes qu'elles sont invariablement déçues. Il n'est pas suffisant de bien décoder leurs comportements, de prévoir même leurs intentions, pensées et fantasmes, désirs et besoins. Pour extraordinaire que soit cette faculté, les hommes n'arrivent pas à répondre à ce que les femmes attendent d'eux. À plus ou moins long terme, elles sont frustrées et justifient leur attitude en pouvant encore, à l'aide de leur faculté inimaginable, voir et prévoir le moindre geste de celui qui a ravi leur cœur. Jarmila était de ces femmes qui voient et prévoient tout. Elle espérait donc tout de moi. Je dois avouer que ce soir-là, j'ai commis plusieurs maladresses et que ses espoirs ont dû être déçus. Cela ne faisait que m'ajouter de la pression sur les épaules. Aimer n'a jamais été de tout repos. J'apprenais que ce que nous espérons que l'autre fasse pour nous est fondé sur ce que nous avons la certitude de connaître de lui. Mais, tout n'est pas qu'équations dans la vie amoureuse qui lie hommes et femmes.

Chapitre 9

Les rêves et leur aboutissement

Il n'y a pas de vertu sans immortalité.

Fedor Dostoïevski, *Les frères Karamazov*

7 août 2002, chez moi, Montréal, 5 h 45

Je me révcillai de bonne heure. Ce n'étaient pas les chants d'oiseaux qui m'avaient ramené à la réalité. Encore une fois, j'avais fait un rêve très curieux. Un de plus dans la série de ces mystères insondables qui me hantaient la nuit. J'écrivis le rêve en me levant, afin de ne rien oublier des détails que j'avais remarqués. Voici le compte rendu de ce rêve fascinant.

Je suis dans les soubassements d'un très ancien bâtiment. Les murs de couleur beige sont faits de pierres un peu brillantes, des pierres qui s'effritent facilement. Ils sont garnis de traits de peinture faits à la main de couleur rouille, des traits de un ou deux pouces de large. J'ai conscience d'être dans le muséc privé d'un vieil édifice. Une table de bois est devant moi; elle est vitrée tout le tour. Voici ses dimensions approximatives : quatre pieds de hauteur, quatre pieds de long et deux pieds et

337

demi de large. C'est une table qui contient des objets qu'on peut observer, à une profondeur d'environ huit à dix pouces. La table est au milieu de la pièce et semble contenir ce que je crois être des reliques. J'ai alors la certitude d'être dans les catacombes d'un monastère en Italie. Dans cette table vitrée au centre de la pièce, il y a une vingtaine d'objets. Je ne me rappelle que deux de ces objets: il y a des chandeliers, mais surtout un objet cylindrique en cuivre et contenant du sang que je sais provenir d'un personnage important dans l'histoire du monastère. Je soulève le couvercle vitré de la table et prends le cylindre dans mes mains. Dessus, il y a écrit en noir un texte que je ne comprends pas. Je ne connais pas la langue utilisée. Je remets le cylindre à sa place. Je vois alors par terre un homme étendu. Je m'approche de lui. Je sens que c'est cet homme dont le sang a été conservé dans le cylindre. Il est couché sur le dos, la tête tournée sur son côté droit. C'est un petit homme d'environ cinq pieds, un moine, si je me fie à son habillement de couleur beige ou grise. Je touche ses cheveux grisonnants; ils sont très raides. Je sais qu'il est mort au moment où je le touche. Je sens alors que l'année 1624 est reliée à l'histoire du monastère. Sur ce, je m'éveille.

J'étais estomaqué. Comment un tel rêve avait-il pu naître dans mon cerveau? Je ne connaissais rien des monastères. Je n'étais jamais allé en Italie, ni ne m'étais intéressé à ce pays de près ou de loin. Je décidai d'aller consulter quelques livres à la bibliothèque de l'Université de Montréal. Peut-être serais-je capable d'identifier le monastère italien auquel j'avais rêvé. Sur l'heure du dîner, je me rendis donc sur place. Je trouvai un *Guide des monastères d'Europe*, écrit par Gian Maria Grassetti et Pietro Tarallo et publié en 1998. Une soixantaine de pages étaient réservées aux monastères d'Italie. Avant d'ouvrir le livre et de me mettre à la recherche du lieu mystérieux de mon rêve, je me donnai le critère suivant : je ne retiendrais que les établissements pour lesquels l'année 1624 apparaîtrait dans l'histoire du monastère comme une date significative, et non pas seulement comme datation d'un tableau ou d'une sculpture. Ce que je trouvai était ahurissant.

« Convento-santuario di Maria Santissima di Gibilmanna (Località Gibilmanna, Cefalù, Palerme, Sicile). Le monastère fut probablement fondé à la demande de saint Grégoire le Grand avant qu'il ne devienne pape (de 590 à 604) et Docteur de l'Église ; c'est lui qui simplifia la liturgie, et son "Sacramentaire grégorien" fut à la base du missel romain. Il prit le titre de "Serviteur des serviteurs de Dieu", un titre qui revient par la suite à tous ses successeurs. Le monastère fut confié aux bénédictins et fut saccagé, puis abandonné au IXᵉ siècle. Jusqu'à l'arrivée des frères franciscains-capucins en 1535, l'église fut occupée par différents ermites, dont Giuliano di Placia da Misilmeri, qui entra dans l'ordre naissant des capucins. Après une période de décadence, le monastère fut reconstruit, et on érigea une nouvelle église en 1624. On y trouve les catacombes "Guiliano de Placia" qui contiennent de nombreuses reliques ».

Comment ne pas être bouleversé ? Mon songe était si précis qu'il me donnait la chair de poule. Il y avait une chose très claire dans mon esprit : je ne chercherais pas à connaître le fond de la vérité sur tous les rêves. Je l'avais fait avec celui où grand-mère m'avait visité la nuit de sa mort. Mais c'était parce que c'était elle. Et cela m'a emmené en France et en Écosse. Je n'étais pas prêt à faire de tels voyages pour des rêves dont le sens m'échappait totalement. Et pourtant, j'aurais voulu que cette signification cachée me soit un jour révélée. Je rembobinais le film de ma vie depuis la mort de ma grand-mère. J'étais surpris de constater à quel point j'avais pris au sérieux le rêve qui la mettait en scène alors qu'elle était déjà morte, mais que je n'avais pas encore appris son décès. Peut-être était-ce parce qu'elle était le seul personnage de ces rêves bizarres et que je tenais si fort à elle que je n'avais pas lésiné sur les moyens pour découvrir ce qui était voilé. Tout ce que j'avais trouvé sur la vie de grand-mère et sur ses liens avec Mary T. et Peter Osgoode, et même sur celle d'Emily Dimitri Meredith, tout cela m'était totalement inconnu. N'eût été ce rêve dans lequel grand-mère était intervenue, je n'aurais probablement jamais eu accès à ces informations. Mais, au-delà de l'intérêt que cela peut susciter au plan de la généalogie, ce qui importait davantage pour moi, c'était de savoir comment j'intégrerais cette expérience dans ma spiritualité. Anatma n'était plus là pour me guider. J'étais seul devant le dilemme traditionnel : ou bien il n'y a rien après la mort et j'ai alors perdu mon temps et mon énergie à croire en l'après-vie, ou bien il y a une autre dimension temporelle, l'éternité, dont on ne sait rien de manière assurée, de sorte que je n'ai que peu de repères pour savoir comment m'y préparer.

Ce que j'avais découvert de plus important depuis la mort de grand-mère, c'était que la communication entre les âmes ne se fait pas que du vivant des personnes. Même dans la mort, le lien demeure, de sorte que des messages peuvent être envoyés. Leur sens est plus difficile à saisir, mais ils n'en demeurent pas moins des messages de l'au-delà. J'en étais arrivé là, à cette pensée que maman avait cherché à m'inculquer pendant des décennies. J'avais résisté à y adhérer. Mais il n'y a rien de mieux que l'expérience pour nous enseigner que nous pouvons errer dans nos interprétations du monde, de la vie, de Dieu, et de tout autre sujet qui touche au sens de notre existence. Y avait-il une signification unique pour tous ces rêves bizarres? Ou bien chaque rêve portait-il son propre sens, distinct des autres? À ce stade de ma vie spirituelle, je penchais pour la première hypothèse. Je ne pouvais comprendre ce que Jeanne II de Navarre avait à me dire, ce que Mozart ou Pie XI auraient eu à me révéler, ou ce que l'ermite du monastère Gibilmanna aurait voulu exprimer. Chacun de ces rêves devait se juxtaposer aux autres en un seul message provenant de l'au-delà et que je réussis, ce jour-là, à expliciter de manière claire et nette. On me disait: «Ne t'en fais pas. Il y a quelque chose après la mort, c'est l'éternité. Laisse tomber ton angoisse de la mort et fais confiance à tes parents et ancêtres décédés qui sont toujours en lien avec toi».

**

11 août 2002, à l'Église du Christ cosmique, 12 h 30

Deux jours auparavant, j'avais vu une annonce dans *La Presse* concernant une conférence donnée par le révérend James Taylor, à l'Église du Christ cosmique. L'idée d'allier le Christ et le cosmos m'apparaissait à la fois douteuse et fascinante. Douteuse, car je me demandais à quelles sources ces gens s'étaient abreuvés pour élaborer une telle notion. Fascinante, puisqu'elle permettrait peut-être de laisser tomber des manières traditionnelles de voir Jésus-Christ et ainsi d'ouvrir de nouvelles perspectives spirituelles au monde d'aujourd'hui. J'avais tout de même décidé d'assister à cette conférence. Je pensais n'y voir que des gens spirituellement perdus ou engagés dans une quête. Effectivement, il me semblait y en avoir, mais, pour avoir parlé à plusieurs personnes présentes avant le début de la conférence, il y avait aussi des gens très versés en philosophie et en théologie, quelques Hindous et Bouddhistes qui se déclaraient respectivement post-hindous et post-bouddhistes. On y trouvait encore quelques personnes déçues par le christianisme officiel, qu'il soit catholique, protestant ou orthodoxe. Une audience très variée, c'est le moins qu'on puisse dire.

La conférence portait un titre ronflant : *Le principe christique et la rencontre des grandes religions du monde.* Pourtant, dès les premières phrases, je me sentis interpellé dans ce qui me restait de foi. Chaque personne présente avait eu droit à une copie de la conférence prononcée par le révérend Taylor, de sorte que je me suis précipité aux notes de la fin pour vérifier quelles sources il avait utilisées. Je fus agréablement surpris. C'était très fouillé : on faisait référence aux principaux textes sacrés tels que la Bible, le Coran, la Mishnah et le Talmud, les Upanishads et la Bhagavad-Gîtâ, la Dhammapada. On citait de grands philosophes et mystiques de différentes religions comme saint Bernard de Clairvaux, Ibn Khâldûn, Maïmonides, Lao Tseu, Confucius ou Shantideva. J'étais impressionné et je voyais en moi le doute diminuer d'intensité, pendant que la fascination prenait sa place.

L'essentiel du message livré par le conférencier, de mon point de vue, tient dans les mots suivants.

« Le principe christisque, mes chers amis, c'est le principe de salut, de libération intégrale de l'être humain, où qu'il soit, à quelque culture ou religion qu'il appartienne. Il n'est pas rattaché qu'à Jésus-Christ. Il était également présent dans d'autres avatars de la divinité, qu'il s'agisse de Bouddha, de Krishna ou de Confucius.

Chaque grande religion du monde a eu sa propre incarnation de la divinité. C'est elle qui l'a envoyée à chaque peuple, à toutes les époques de l'humanité. Quand on recherche la libération totale comme Bouddhiste, Hindou, Taoïste, Chrétien, Juif, on fait référence à différentes croyances, pratiques et valeurs. Mais, en définitive, chacune des incarnations de la divinité représente le principe qui assure aux croyants le salut, c'est-à-dire la libération de toutes leurs aliénations. Le Christ cosmique représente ce principe christique, présent dans toutes les grandes religions du monde, mais également l'interrelation entre tous les vivants de l'univers. C'est ce qui le rend cosmique; autrement on ne ferait que parler du principe christique. Mais nous parlons du Christ cosmique, parce que ce principe christique n'est pas uniquement valable pour favoriser la paix entre les peuples, entre les religions. Il garantit, par la voie de cette paix universelle, une harmonie dans tout l'univers. C'est un principe esthétique ultime. C'est pourquoi le qualificatif cosmique est lié au Christ comme porteur du principe christique».

Je ne saisissais pas tout ce que le révérend Taylor racontait, mais ce que j'avais l'impression de comprendre me fascinait réellement. C'est ce discours que j'avais toujours recherché dans le christianisme et qui lui manquait inexorablement. Le discours me semblait très structuré et fouillé, beaucoup plus que n'importe quelle homélie que j'avais écoutée depuis mon tout jeune âge. Il dépassait de loin, en qualité et en profondeur, toutes les réflexions que j'avais entendues, d'une oreille plus ou moins attentive, de la bouche d'Anatma. Enfin, mon esprit avait trouvé les paroles qu'il lui fallait pour approfondir le sens du spirituel.

Après les applaudissements chaleureux de l'assistance, nous avions droit à des breuvages chauds et à quelques bouchées sucrées que nous pouvions choisir juste à côté de la table réservée aux livres qui étaient en vente. Il y avait quelques fascicules publiés par le révérend Taylor, mais également des livres d'autres auteurs plus connus, tels Matthew Fox, et surtout Thomas Berry dont j'avais déjà lu un ouvrage durant mon séjour à la Ferme de la conscience épanouie. J'étais justement en train de feuilleter un des premiers livres de Berry portant sur les religions de l'Inde et publié en 1972, lorsqu'une voix rauque m'interpella par-derrière. C'était le révérend Taylor. Il devait avoir senti que j'étais un nouveau dans la salle, ou bien une âme perdue qui cherche à quoi elle aimerait croire. Je le trouvai très accueillant. Après avoir salué nombre de ses amis ou connaissances, il me demanda si j'aimerais en connaître davantage sur l'Église du Christ cosmique. Je n'avais guère l'intention de me faire enrégimenter une seconde fois. L'expérience de la Ferme avec Anatma m'avait suffi. Et pourtant, je sentais que je pouvais faire confiance à cet homme. Je laissai graduellement tomber mes résistances.

—Vous savez, nous sommes très ouverts, ici, me dit-il.

—J'ai déjà connu un groupe très ouvert d'esprit. Je sais ce que cela m'a donné.

—Je vous comprends. Quelquefois cela donne lieu à un laisser-aller total, quelquefois à une incapacité chronique de prendre position sur quelque sujet que ce soit, particulièrement sur des questions d'ordre moral ou spirituel.

—Vous avez raison.

—Chez nous, personne ne prétendra jamais détenir la vérité.

—Même quand vous parlez du Christ cosmique, vous n'avez pas l'intention de nous dire que voilà la vérité ultime sur tout ce qui est? demandai-je, perplexe.

—Non, c'est ce que l'on croit, bien sûr. Chacun est libre de croire en ce qu'il veut. Nous proposons une voie. À la manière de Bouddha qui exigeait que ses disciples demeurent critiques face à tout ce qu'il pourrait leur révéler, nous demandons la même chose ici. Une telle attitude permet de croître beaucoup plus rapidement, car on évite les obstacles qu'on a trop tendance à s'ériger soi-même. Chez nous, on ne lésine pas sur les recherches que nous trouvons nécessaire de faire. Tout est en mouvement dans les doctrines et croyances, parce que personne ici ne peut prétendre détenir la vérité. On évolue donc au fur et à mesure que nos recherches avancent.

—De quelles recherches parlez-vous?

—Nous sommes réseautés avec des chercheurs universitaires, théologiens, philosophes, astronomes des quatre coins de la terre. Ce sont eux les véritables artisans de cette Église qui ne comporte aucune hiérarchie. Leurs recherches et publications convergent vers la notion de Christ cosmique. C'est ce qui les rassemble. J'ai moi-même obtenu un doctorat en histoire des religions de l'Université Yale aux États-Unis, et réalisé un post-doctorat à l'Université Princeton. Par la suite, j'ai donné des conférences partout dans le monde, et publié une quinzaine de livres et deux fois plus d'articles dans des revues scientifiques. Je suis donc un interlocuteur sérieux pour tous ces chercheurs universitaires. Mais je dois vous ennuyer avec tout ça...

—Non, pas du tout. C'est ce genre de discipline et de rigueur que je cherchais désespérément dans un groupe spirituel.

—Nous sommes fiers de ce que nous faisons. Qu'est-ce qui vous a amené ici?

—L'espoir, l'espoir de comprendre.

—Tous veulent saisir le sens de leur vie, ou même de l'univers. C'est...

—Non, vous n'y êtes pas. Ce que je voudrais comprendre, c'est la raison pour laquelle j'ai ces rêves.

—Quel genre de rêves? me demanda-t-il en s'arrêtant subitement de marcher, le sourcil relevé.

—Des rêves qui me semblent venir de l'au-delà, comme s'ils m'étaient envoyés en cadeau par des âmes de parents ou d'amis disparus qui voudraient réduire mon angoisse de la mort.

Je lui racontai, en abrégeant au maximum, les songes qui m'avaient visité jusqu'à présent et qui demeuraient parfaitement mystérieux, en dépit des efforts que je pouvais faire pour en saisir la signification.

—Ça vous arrive souvent? me demanda-t-il, l'air perplexe.

—Quelquefois. C'est très irrégulier.

—Pourrions-nous en rediscuter une autre fois? Dimanche prochain, le 18 août, nous aurons la chance de recevoir Thomas Berry comme conférencier. J'espère que vous serez là. Peut-être aurons-nous l'occasion de continuer cette conversation?

—Je l'espère, oui. Je serai là.

Nous nous sommes quittés là-dessus. Le révérend Taylor m'avait laissé une porte ouverte et je l'avais saisie au vol. J'avais beaucoup aimé cette première rencontre. Contrairement à ce que j'avais vécu à la soirée où j'avais été présenté à Anatma, je n'avais ressenti aucun arrière-goût, aucun doute que j'aurais préféré taire. J'avais l'impression d'être en bonne compagnie, en présence d'un de ces amis qui vous respecte dans tout ce que vous êtes et qui pourtant peut vous donner des conseils pertinents sur la conduite de votre vie. Je suis revenu chez moi avec l'espoir, non pas de mettre fin à tous les questionnements en moi, mais de trouver cette paix intérieure à propos de laquelle Jarmila m'avait interrogée. Cette seule pensée pour Jarmila raviva tous mes sens. Je n'avais le goût que d'être près d'elle, mais elle était en voyage à Vancouver. Je devrais attendre quelques jours avant son retour. Jarmila occupa mon esprit jusqu'à ce qu'il perde pied dans un sommeil profond.

***

18 août 2002, à l'Église du Christ cosmique,
Montréal, 20 h 05

J'étais arrivé à l'heure pour la conférence donnée par Thomas Berry. J'eus plaisir à écouter la manière dont le révérend Taylor présenta le conférencier :

« Écothéologien, docteur en histoire de la *Catholic University of America*, il a appris le chinois et le sanskrit afin de mieux comprendre les traditions religieuses de l'Inde et de la Chine. Il en a tiré des publications remarquables. Il s'est également intéressé aux cultures amérindiennes et au shamanisme. À travers son œuvre, on sent l'influence diffuse mais permanente du paléontologue, philosophe et théologien Pierre Teilhard de Chardin. Il est l'un des auteurs les plus importants dans le mouvement éco-théologique qui s'est développé depuis la fin des années 1970. »

J'étais étonné d'apprendre que Berry avait tant été influencé par Teilhard de Chardin, dont je ne connaissais que peu de choses. En fait, ce dont je me souvenais de quelques cours du Cégep où son nom avait été prononcé, c'est que Teilhard croyait qu'il y avait une continuité spirituelle dans toutes les composantes de l'univers. Chaque être vivant, chaque chose comporterait une forme d'âme plus ou moins primitive, de sorte que l'être humain n'a pas été celui qui a introduit l'âme dans l'univers. L'âme était déjà présente jusque dans l'électron! Je me souvenais avoir bien ri en entendant cela. Par la suite, je m'étais mis à réfléchir sur le sujet, et j'en avais conclu que j'aurais bien aimé croire que son idée correspondait à la réalité. Dans ce cas, il y aurait une unité totale dans tout l'univers, plutôt qu'une apparence de chaos insaisissable. Thomas Berry avait une approche moins mystique de la création, mais tout autant spirituelle. J'ai adoré sa conférence. C'était un homme fascinant, qui avait une vaste culture et qui l'utilisait pour interpréter le réel de manière novatrice, pour penser autrement l'Univers et le spirituel, redessiner les frontières entre le matériel et le spirituel. Je buvais ses paroles. On aurait dit qu'elles arrivaient à point dans ma vie, que c'était ce dont mon âme avait besoin à ce moment-là.

À la fin de la période de questions, Berry s'excusa de ne pouvoir demeurer plus longtemps. Il devait prendre l'avion pour Los Angeles où il donnait une conférence le lendemain. Je pensai immédiatement à Julie, que j'avais appelée cette semaine. Elle allait bien. Sa maladie ne semblait se manifester que dans un diagnostic médical. Elle n'en ressentait aucun effet. Je respirai plus amplement. Cette seule pensée pour Julie me fit chaud au cœur. C'était comme si je lui envoyais tout mon amour et que j'étais certain qu'elle en ressentirait les bienfaits. J'étais ainsi en train de penser à Julie, lorsque le révérend Taylor m'aborda.

—J'ai repensé à vos rêves bizarres, me dit-il. Je dois avouer que je n'ai jamais rien entendu de pareil de toute ma vie.

—Moi non plus. Avez-vous une idée de la manière dont je devrais les interpréter?

—Je n'ai pas de formation en interprétation des rêves, si c'est ce que vous me demandez.

—Non, je crois qu'une telle formation serait inutile dans les circonstances.

—Bien d'accord, oui. Écoutez, il y a trois façons de voir les choses. La première est très simple: la réincarnation. Vous étiez ces personnages dans des vies antérieures et la conscience d'avoir vécu leur vie vous revient présentement, par un processus qui nous échappe.

—Désolé, mais je ne crois pas en la réincarnation.

—Je respecte vos croyances. La seconde possibilité est plus hasardeuse: le pouvoir du cerveau. C'est une explication d'ordre parapsychologique. Votre cerveau serait allé lui-même chercher de l'information pour constituer de tels rêves.

—Comment ça, chercher de l'information? demandai-je, intrigué.

—C'est comme si durant le sommeil, il avait visité de grandes bibliothèques et avait lu des passages de livres sur les rayons de manière à retenir les renseignements qui constituent l'essentiel de vos rêves.

—Je trouve cette explication passablement irrationnelle. Excusez-moi, mon révérend, mais c'est un tissu de conneries!

—Bien! La troisième possibilité est que des âmes de parents et amis décédés communiquent avec vous à travers ces rêves.

—C'est exactement ce que je crois. J'ai retenu que ces rêves n'étaient qu'une manière de me rassurer sur l'après-vie.

—Voulez-vous dire qu'ils vous enverraient ces messages afin de réduire votre angoisse de la mort et de vous prouver que l'au-delà existe bel et bien?

—Oui, c'est ce que je crois. Mais je ne suis pas certain d'avoir raison.

—Primo, il n'y a personne qui devrait indiquer à qui que ce soit ce qu'il doit croire. Secundo, la foi est un processus par lequel on évolue globalement comme personne.

—Mais que pensez-vous de cette troisième hypothèse? Je sais que vous ne voulez pas vous immiscer dans ma foi, mais j'aimerais connaître votre opinion.

—Puisque vous me le demandez, je dirai que vous n'avez aucun indice que vous recevez un message prouvant l'existence de l'au-delà. Par contre, si vous refusez les deux autres hypothèses, vous semblez faire face à une impasse.

—Je semble...?

—Oui, il ne paraît pas y avoir d'issue, et pourtant, il y en a une. Ces rêves ne sont pas des preuves, mais des moyens, des ressources pour votre cheminement spirituel. Vous n'en connaîtrez probablement jamais l'origine et ce n'est pas ce qui importe. L'essentiel est qu'ils vous amènent à vous questionner, à évoluer au plan spirituel.

—Ce serait une quatrième explication.

—Si vous voulez. En tout cas, si de tels rêves m'advenaient, ce serait la manière dont j'essaierais de prendre les choses. Mais, confronté à ces phénomènes, je ne peux vous assurer que ce serait là l'explication que je retiendrais. Quelquefois, nous vivons des événements qui nous bouleversent et nous empêchent de réagir de la façon dont habituellement nous faisons face au réel. Mais disons qu'aujourd'hui, j'aurais tendance à retenir cette hypothèse.

—Je ne devrais donc pas chercher l'origine de ces rêves, et me contenter de ce qu'ils me disent implicitement sur l'au-delà. Car aucun d'eux ne m'a révélé quoi que ce soit sur l'après-vie.

—Si ç'avait été le cas, je ne sais pas si j'aurais cru votre histoire, avoua le révérend.

Nous avons encore discuté une quinzaine de minutes avant qu'il ne me présente aux membres de son conseil. Il s'agissait de son comité d'orientation et de planification stratégique, si j'ai bien compris de quelles activités ce conseil se chargeait. Des gens sympathiques, perspicaces et intelligents. Rien à voir avec ces âmes perdues à la recherche d'un gourou. Moi-même, étais-je de ces âmes que je qualifie ainsi de haut, comme si j'étais au-delà d'une telle perdition et de la quête qui s'ensuit? Je préférai ne pas répondre à la question que je me posais ainsi en silence. Dans la vie, il y a des questions qui arrivent trop tôt et des réponses qui surgissent trop tard.

***

25 août 2002, à l'Église du Christ cosmique, 19h45

J'avais décidé de participer plus activement à ce groupe spirituel qui rejoignait directement ma vision de l'humain, du divin et du cosmos. Il n'y avait aucun rite d'initiation particulier. Ceux qui voulaient en faire partie n'avaient qu'à participer aux rencontres, aux conférences et aux offices spirituels. Une seule exigence à l'entrée: expliquer aux autres son cheminement spirituel et comment on en est arrivé à venir à l'Église du Christ cosmique, ainsi que ce qu'on y trouve d'enrichissant. J'arrivai là quinze minutes avant le début de la séance. J'étais plutôt serein. Je n'avais pas ce trémolo dans la voix qui me hantait à chaque fois que je m'adressais au groupe, à la Ferme dirigée par Anatma. J'étais probablement passé à une autre étape de ma vie, ou bien les expériences passées avaient solidifié quelque chose en moi, sans trop que je m'en rende compte.

La séance débuta à l'heure dite, animée par le révérend Taylor. Il y avait une cinquantaine de personnes dans la salle qui pouvait en contenir plus du double.

—Nous avons un nouveau venu dans le groupe.

—Que la force divine soit avec lui! entonna le groupe en chœur.

—Nous aimerions l'entendre nous parler de lui, de son cheminement spirituel, de ce qui l'a amené ici.

—Que l'amour divin soit avec lui! rajouta le groupe d'une seule voix.

—Vous n'avez pas besoin de vous présenter dans les détails. Nous considérons chaque personne comme étant égale aux autres et nous évitons toutes les distinctions qui pourraient nous faire penser à des classes sociales ou à une hiérarchie quelconque dans la société, ou même aux yeux de la divinité.

—Que la justice divine soit avec lui! reprit le groupe, à la manière d'un mantra.

—Bien. Durant mon enfance et jusqu'au début de mon adolescence, j'ai pratiqué ma religion comme mes parents l'exigeaient. Ils étaient catholiques tous les deux. À l'âge de 14 ans, je me suis intéressé à autre chose. La méditation transcendantale est devenue pour moi une passion que j'ai ensuite laissé tomber, pour des motifs que je ne désire pas expliquer ici.

—Soyez bien à l'aise. Vous nous dites ce que votre cœur veut bien nous révéler, dit le révérend.

—Par la suite, je dirais que j'ai erré. Jusqu'au début de cette année, en fait, j'ai participé à divers groupes psycho-spirituels, mais jamais très longtemps ni avec beaucoup d'engagement personnel. Ma dernière expérience à la Ferme de la conscience épanouie, a été enrichissante au début, mais elle est devenue plus terne, et pénible à la toute fin. Je n'aime plus le sentiment d'être à la merci d'un gourou. En fait, je n'appréciais pas cela, mais je le tolérais. Je dirais donc qu'aujourd'hui, je n'accepterais jamais de retomber dans ce piège.

—Soyez assuré qu'ici, tout le monde pense comme vous, intervint à nouveau le révérend Taylor. Je ne serai le gourou de personne et n'encouragerai jamais personne à développer une relation de dépendance avec qui que ce soit, même avec Dieu.

—Ce soir, j'arrive dans ce groupe fasciné par ce qui vous unit tous et toutes, la notion d'un Christ cosmique. Vous avez mis le doigt sur ce qui manquait au christianisme. Je pense que vous pouvez, sans vous en rendre compte, fournir à ceux qui se sont éloignés de l'Église de bonnes raisons de raffermir leur foi, mais autrement qu'en assistant aux offices religieux qui ont perdu tout leur sens de nos jours. L'idée d'un Christ cosmique me permet de reconstituer un puzzle qui avait été défait en mille et une pièces. Elle me donne l'espérance de pouvoir saisir un jour la signification de mon existence.

J'ai remercié les gens de leur écoute et suis allé me rasseoir, pendant que les applaudissements chaleureux fusaient de toutes parts. J'avais le sentiment d'être pleinement accepté du groupe. Et cela me suffisait amplement. Comme j'aurais voulu que Jarmila soit là, à mes côtés!

Autour de bonnes tisanes et de quelques gâteries, plusieurs sont venus me féliciter pour mes bons mots qui les avaient touchés. Ils paraissaient sincères dans leurs remarques. On ne sait jamais quand nos paroles peuvent ébranler des fondations dans l'âme des autres, ou simplement émouvoir. Nous errons seuls dans l'existence, seuls avec notre langage qu'aucun autre ne

possède, car il est fondé sur nos expériences personnelles qui ne ressemblent aucunement à celles des
autres. Heureusement que cette solitude existentielle
est contrebalancée par la dimension fondamentale-
ment sociale de l'être humain. Autrement, le désespoir
frapperait à nos portes tous les matins. Nous sommes
seuls et ne pouvons dépasser cette solitude qui est
notre condition existentielle. Et pourtant, j'ai Jarmila,
dont la présence et même l'absence que je comble par
la pensée me bouleversent à chaque fois et me font
ressentir le bonheur qui imprègne ma peau. J'aurais
voulu partager avec Jarmila tout ce que je vivais dans ce
groupe, les échanges fascinants avec le révérend Taylor,
la conférence de Thomas Berry. Mais l'existence pose
ses limites.

***

26 août 2002, chez moi, Montréal, 18 h 35

Quand Jarmila entra, ce fut une bouffée d'amour qui
nous envahit tous les deux. Nous nous sommes longuement embrassés, comme si l'étreinte des lèvres et des
bras pouvait réussir, à elle seule, à faire oublier la blessure
de l'absence. Nous avons parlé de tout ce qui nous était
arrivé, chacun de notre côté. Elle a raconté dans les
grandes lignes les affaires qui l'avaient menée à
Vancouver, ainsi que la visite marquante qu'elle avait
faite au Musée d'anthropologie de l'*University of British
Columbia*. Elle avait particulièrement adoré les sculptures amérindiennes, mais avait été choquée de voir que
le Big Mac figurait comme un artefact du XXᵉ siècle.
 —Tout de même!
Je racontai à mon tour les événements survenus au
cours de la dernière semaine, particulièrement mon

rapprochement de l'Église du Christ cosmique. Elle me considéra d'un œil passablement critique.

J'ai ensuite offert un verre à Jarmila. Elle a pris un scotch et j'ai choisi le bourbon. Quelques instants plus tard, nous avions quitté le terrain des paroles, et nous étions enlacés tendrement. L'échange qui suivit allait être tout aussi expressif, voire bruyant.

Le téléphone sonna. Je fis signe à Jarmila de ne pas s'y arrêter. Mais une voix féminine plutôt anxieuse et saccadée laissa tomber ces quelques mots : «Je vais... mourir. Je... t'aime.» Puis, plus rien. C'était maman. Elle devait avoir eu un grave malaise pour ainsi m'avertir. Je me levai brusquement, Jarmila me suivant. Elle me demanda si elle pouvait m'accompagner. J'acceptai. La seule personne qui pouvait me soutenir si j'avais besoin d'aide, c'était bien Jarmila. Je filai rapidement à l'appartement de maman pour découvrir l'ambulance sur les lieux; les ambulanciers plaçaient la civière à l'intérieur du véhicule. Je reconnus aisément qu'il s'agissait de ma mère. Je n'eus pas le temps de sortir de mon auto pour parler aux ambulanciers. Je les suivis, et nous arrivâmes à l'Hôpital général de Montréal.

Mon cœur battait si fort que j'avais l'impression qu'il allait éclater. Je stationnai l'auto le plus rapidement possible. Jarmila et moi courûmes, main dans la main, sous une douce pluie qui venait de commencer à tomber. Je m'informai de l'endroit où je pouvais trouver ma mère. Après quelques instants d'hésitation, on me répondit qu'elle venait d'être transférée à la section des soins intensifs. Je m'y précipitai. Elle était blême et branchée de toutes parts. J'étais sidéré. Je n'avais jamais pensé que la mort pouvait frapper si fort et si rapidement. Bien sûr, j'espérais qu'elle guérisse. Mais elle m'avait bien dit qu'elle allait mourir. Je me disais qu'on ne lance un tel message que lorsqu'on sent que son corps ne résistera pas aux attaques qu'il subit. Un médecin passa nous voir; il avait le visage terne et semblait exténué. Il m'indiqua clairement que maman avait eu deux infarctus de suite, le second étant beaucoup plus grave, et qu'il lui donnait peu de temps encore à vivre.

— Peut-être une semaine, peut-être deux. On ne sait jamais, dans ces cas-là.

Je restai saisi par ces quelques mots, pourtant prononcés délicatement et avec grand respect. Jarmila se pressait à mes côtés. Je tenais la main de maman, sans pouvoir la lâcher. Son visage restait identique. Il avait perdu de sa vitalité et ressemblait à du marbre. Les heures se sont enchaînées les unes aux autres, et je suis demeuré assis au même endroit, sans même sentir la fatigue. De temps à autre, je racontais à Jarmila quelques bons souvenirs que j'avais en commun avec ma mère. Elle m'écoutait très attentivement et m'entourait de tout son amour.

Je suis rentré à mon appartement vers une heure trente du matin. Jarmila m'avait proposé de venir dormir chez moi. Cela me ferait le plus grand bien, en effet. Dans de telles épreuves, on a besoin du plus grand amour de sa vie, à ses côtés. Je n'ai guère dormi, mais Jarmila parvint à sombrer dans le sommeil. Je pus observer son visage et me distraire un peu de l'angoisse de voir ma mère finir ses jours sur terre. La beauté de Jarmila et l'amour fou que j'avais pour elle me permettaient de voir l'océan derrière la forêt, de percevoir que la vie nous pousse toujours vers l'avant, quel que soit l'obstacle qui tente de nous retenir sur place.

Les derniers jours, je suis allé à l'hôpital de sept à neuf heures, de midi à treize heures trente et de dix-sept heures trente à minuit. J'avais des obligations au bureau et ne pouvais les reporter à plus tard. Helena faisait ce qu'elle pouvait pour me rendre les choses plus faciles, mais je devais tout de même être présent plusieurs heures par jour. Les clients ne sont pas tous très compréhensifs, même quand il s'agit de la mort imminente d'un proche.

***

31 août 2002, à l'Hôpital général de Montréal

Le 31 août 2002 fut la dernière journée où je visitai ma mère mourante. Elle était identique aux jours précédents, si ce n'est une chose importante. Sa respiration semblait de plus en plus difficile. J'avais peur, à chaque inhalation d'air, que ce soit la dernière fois que son cœur battait. Vers minuit, je me préparai à partir et l'embrassai sur le front. J'eus alors l'impression que c'était la dernière fois que je pouvais le faire. Je chassai vite cette idée de ma tête, comme une mauvaise intuition dont on ne voudrait pas provoquer l'accomplissement.

Elle est morte le lendemain matin, 1er septembre, vers cinq heures trente. On m'appela, mais j'étais déjà réveillé. Je faisais un brin de toilette avant de me rendre à l'hôpital. Mais c'était trop tard. Je raccrochai et pleurai un bon coup. Je me rappelai ce que m'avait confié un collègue de travail dont la mère venait de mourir: «On ne devient véritablement adulte que quand on perd ses parents. C'est là vraiment que la vie adulte commence.» Je n'avais guère saisi le sens de sa remarque. Ce jour-là, elle me revint en mémoire, mais sans que j'y attache là non plus une importance démesurée. Je ne savais simplement pas si cette affirmation avait un rapport avec la réalité.

Conformément à ses dernières volontés, elle serait

exposée au salon funéraire durant deux jours. Le troisième jour serait celui des funérailles et de l'inhumation. Elle s'était toujours refusée à l'incinération. Les allers-retours au salon funéraire furent pénibles. Ce n'était pas tant les liens avec la parenté qui m'exaspéraient que l'angoisse de la mort, c'est-à-dire le sentiment que la mort approchait, pour des oncles et tantes qui m'étaient chers, mais aussi pour tous ceux qui assistaient, impuissants, à la mort de ma mère qu'ils avaient, pour la plupart, beaucoup aimée. C'était ça qui m'était le plus difficile à supporter. J'avais vu grand-mère dans son cercueil, et c'était déjà au tour de maman. Cela faisait beaucoup en quelques mois. De temps à autre, j'allais m'agenouiller au prie-Dieu devant le cercueil. Je pouvais toucher ma mère, mais ne le fis qu'une fois, sur ses mains jointes entourées d'un chapelet aux pierres brillantes. Je me sentais hors du temps, comme s'il n'y avait eu que ma mère et sa mort dans mon esprit. À plusieurs moments, j'appréciai la présence réconfortante de Jarmila. Je la présentai d'ailleurs à ma famille qui l'accueillit généreusement. Il faut dire que Jarmila a le tour de se faire aimer des gens, par sa douceur, sa flexibilité, son amour des autres. Je n'aurais jamais traversé cette épreuve aussi facilement si elle n'avait pas été si près de moi. Je la découvrais entière, passionnée et dévouée dans tout ce qu'elle faisait, y compris dans l'amour dont elle m'entourait.

***

4 septembre 2002, au cimetière Côte-des-Neiges, Montréal, 12 h 30

Maman fut enterrée dans le lot familial acheté par grand-mère. C'était sa volonté. L'une et l'autre seraient ainsi aussi proches dans la mort qu'elles l'avaient été de leur vivant. Lorsque le cercueil fut mis en terre, je jetai dans la tombe quelques fleurs que j'avais pris soin de choisir. Trois roses blanches. Jarmila me tenait par la taille. J'avais les jambes si molles qu'elles me paraissaient n'être plus vivantes. Je suis demeuré là plus longtemps que les autres. À aucun moment, Jarmila ne me demanda de partir. Je savais qu'il y avait un goûter, servi à la salle de la paroisse à laquelle ma mère appartenait, mais je voulais vivre chaque moment de cet événement terrible, à ma manière et selon mon propre rythme. Je découvris une fois de plus en Jarmila, une femme aussi compréhensive qu'elle l'avait été depuis que je la connaissais. Trop souvent, les relations amoureuses se restreignent à certaines activités comme le cinéma ou le restaurant; les tourtereaux ne sont guère inventifs, de sorte qu'ils peuvent être surpris de découvrir certains aspects de l'autre qu'ils n'avaient pas soupçonnés jusque-là. Mais, quand on peut faire du sport ensemble, jouer à des jeux de société, par exemple, on peut découvrir en l'autre des zones claires et sombres qui correspondent exactement à ce qu'il est. C'est de cette façon que j'avais entrevu ma relation avec Jarmila. Et la manière dont elle s'est comportée lors du décès de ma mère jusqu'à son enterrement me montrait de bien belles qualités humaines.

***

Dans la nuit du 4 au 5 septembre 2002, je fis un rêve qui me bouleversa. Maman devait être dans la quarantaine. Elle portait une robe aux couleurs d'été qui lui allait à ravir. Son sourire était étincelant. Elle s'avançait vers moi pour m'embrasser et me donnait un plat qui contenait mon mets préféré : les côtelettes de porc aux clémentines. Je me souviens avoir senti que le plat était encore chaud et en avoir fait la remarque à ma mère. Elle me répondit par un large sourire. On aurait dit qu'elle ne pouvait plus parler. Je ne comprenais pas pourquoi, d'ailleurs. J'essayai d'éclaircir la situation avec elle, mais ce fut peine perdue. Elle se retirait dans le silence, toujours en gardant l'un de ses plus beaux sourires. Puis, son visage devint vitreux, transparent, et disparut. Je me suis levé d'un coup dans le lit, ce qui fit sursauter Jarmila qui s'empressa de me prendre dans ses bras. Je pleurais doucement, mais sans m'arrêter.

— Maman est venue me dire « Au revoir », Jarmila.

— Qu'a-t-elle dit ?

— Rien, elle m'a simplement fait un sourire qui n'en finissait plus. Ce rêve est un cadeau, le dernier qu'elle m'ait donné avant de quitter cette terre. Le révérend Taylor peut bien avoir sa petite idée sur ces rêves, ce n'est pas lui qui est pris à devoir les interpréter. Pour moi, c'est un cadeau, un don ultime, à la toute fin de son existence.

— C'est merveilleux, non ? dit Jarmila, avec étonnement.

— C'est un don de la vie à travers la mort.

Je pensai alors que la vie était bien plus forte que la mort. La mort ne pouvait rien faire contre l'impulsion de la vie. Ma mère avait quitté son existence, mais demeurerait dans la mienne, à travers mon esprit. La vie, c'était la présence de l'autre en soi, même dans la mort. C'était aussi le projet que nous pouvions élaborer pour construire ce que nous sommes et ce que nous voulons devenir. La vie, c'était celle que je désirais ardemment construire avec Jarmila, et le temps était venu de m'y mettre.

DISTRIBUTEURS EXCLUSIFS

Distributeur pour le Canada et les États-Unis
LES MESSAGERIES ADP
MONTRÉAL (Canada)
Téléphone : (450) 640-1234 ou 1 800 771-3022
Télécopieur : (450) 640-1251 ou 1 800 603-0433
www.messageries-adp.com

Distributeur pour la France et autres pays européens
HISTOIRE ET DOCUMENTS
CHENNEVIÈRES (France)
Téléphone : 01 45 76 77 41
Télécopieur : 01 45 93 34 70
www.histoire-et-documents.fr

Distributeur pour la Suisse
TRANSAT S.A.
GENÈVE
Téléphone : 022/342 77 40
Télécopieur : 022/343 46 46

Dépôts légaux
Bibliothèque nationale du Canada
Bibliothèque et Archives nationales du Québec, 2008
Imprimé au Canada

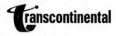